걸프 사태

한미 협조 2

_____

걸프 사태

한미 협조 2

| 머리말

　걸프 전쟁은 미국의 주도하에 34개국 연합군 병력이 수행한 전쟁으로, 1990년 8월 이라크의 쿠웨이트 침공 및 합병에 반대하며 발발했다. 미국은 초기부터 파병 외교에 나섰고, 1990년 9월 서울 등에 고위 관리를 파견하며 한국의 동참을 요청했다. 88올림픽 이후 동구권 국교 수립과 유엔 가입 추진 등 적극적인 외교 활동을 펼치는 당시 한국에 있어 이는 미국과 국제사회의 지지를 얻기 위해서라도 피할 수 없는 일이었다. 결국 정부는 91년 1월부터 약 3개월에 걸쳐 국군의료지원단과 공군수송단을 사우디아라비아 및 아랍 에미리트 연합 등에 파병하였고, 군·민간 의료 활동, 병력 수송 임무를 수행했다. 동시에 당시 걸프 지역 8개국에 살던 5천여 명의 교민에게 방독면 등 물자를 제공하고, 특별기 파견 등으로 비상시 대피할 수 있도록 지원했다. 비록 전쟁 부담금과 유가 상승 등 어려움도 있었지만, 걸프전 파병과 군사 외교를 통해 한국은 유엔 가입에 박차를 가할 수 있었고 미국 등 선진 우방국, 아랍권 국가 등과 밀접한 외교 관계를 유지하며 여러 국익을 창출할 수 있었다.

　본 총서는 외교부에서 작성하여 30여 년간 유지한 걸프 사태 관련 자료를 담고 있다. 미국을 비롯한 여러 국가와의 군사 외교 과정, 일일 보고 자료와 기타 정부의 대응 및 조치, 재외동포 철수와 보호, 의료지원단과 수송단 파견 및 지원 과정, 유엔을 포함해 세계 각국에서 수집한 관련 동향 자료, 주변국 지원과 전후복구사업 참여 등 총 48권으로 구성되었다. 전체 분량은 약 2만 4천여 쪽에 이른다.

2024년 3월

한국학술정보(주)

| 일러두기

· 본 총서에 실린 자료는 2022년 4월과 2023년 4월에 각각 공개한 외교문서 4,827권, 76만
여 쪽 가운데 일부를 발췌한 것이다.

· 각 권의 제목과 순서는 공개된 원본을 최대한 반영하였으나, 주제에 따라 일부는 적절히
변경하였다.

· 원본 자료는 A4 판형에 맞게 축소하거나 원본 비율을 유지한 채 A4 페이지 안에 삽입
하였다. 또한 현재 시점에선 공개되지 않아 '공란'이란 표기만 있는 페이지 역시 그대로
실었다.

· 외교부가 공개한 문서 각 권의 첫 페이지에는 '정리 보존 문서 목록'이란 이름으로 기록물
종류, 일자, 명칭, 간단한 내용 등의 정보가 수록되어 있으며, 이를 기준으로 0001번부터
번호가 매겨져 있다. 이는 삭제하지 않고 총서에 그대로 수록하였다.

· 보고서 내용에 관한 더 자세한 정보가 필요하다면, 외교부가 온라인상에 제공하는 『대한
민국 외교사료요약집』 1991년과 1992년 자료를 참조할 수 있다.

| 차례

정 리 보 존 문 서 목 록					
기록물종류	일반공문서철	등록번호	32333	등록일자	2009-02-05
분류번호	721.1	국가코드	US	보존기간	영구
명 칭	걸프사태 : 한.미국 간의 협조, 1990-91. 전9권				
생 산 과	북미1과/중동1과	생산년도	1990~1991	담당그룹	
권 차 명	V.3 1990.10-12월				
내용목차	10.1 노태우 대통령, Bush 대통령 앞 답서 송부 10.11 페르시아만 사태 지원 한.미국 협의(Washington,D.C.)				

0001

1990. 10. 1

대통령 각하,

　페르시아만 사태에 관한 아국의 지원 결정에 대해 사의를 표한 9.27.자 각하의
서한을 잘 받았습니다. 본인은 페르시아만 사태의 해결과 중동지역의 장기적
안정을 도모함으로써 세계 평화와 번영에 기여코자 하는 각하의 노력을 높이
평가하고 이를 적극 지지하는바 입니다.

　본인은 이 기회를 빌어 본인의 외무장관과 세바르드나제 소련 외무장관이
9.30. 뉴욕에서 한.소 양국간 외교 관계를 동일자로 수립하는데 합의하였음을
기쁘게 생각하며 한.소 수교를 위해 각하와 미국 정부가 보여주신 제반 협조와
지지에 대해 심심한 사의를 표하는 바입니다.

　본인은 또한 각하께서 최근 유엔에서 행하신 연설을 통하여 대한민국의 유엔
가입을 지지하는 입장을 적기에 표명해 주신데 대하여 따뜻한 감사의 말씀을
드리는 바입니다. 소련과의 관계 개선으로 이제 가까운 장래에 한국이 유엔에
가입할 수 있는 가능성이 증대되고 있으며 유엔 안전보장이사회 이사국중
중국만이 유일하게 한국 유엔가입 문제와 관련하여 우리의 설득 대상국으로
남게 될 것으로 사료합니다. 본인은 이 문제에 관해 앞으로 유엔 주재 한.미
양국 대표부간에 긴밀한 협의가 이루어지기를 희망하는 바입니다.

0002

본인은 북방정책을 포함하여 우리의 모든 대외정책의 기조는 튼튼한 한.미 우호 협력 관계에 기반을 두고 있다고 굳게 믿고 있으며 앞으로도 강력한 한.미 동맹관계의 변함없는 유지와 발전을 통하여 한반도는 물론 동북아 및 태평양 지역에서의 평화와 안정을 구축하는데 있어서 각하와 미국정부의 계속적인 지원과 협조를 요망합니다.

한편 중국과는 민간차원의 무역사무소 교환 설치를 위한 한.중간 고섭이 진행중에 있으나 공식관계 수립은 다소 시일을 요할 것으로 사료됩니다.

동북아에 있어서 새로운 상황 전개와 더불어 최근의 일.북한 관계 개선 움직임은 한반도 정세에 중대한 영향을 미치는 요소로 등장하고 있습니다.

이와 관련하여 일.북한 관계 개선에 대한 본인의 생각을 각하께 말씀드리고자 합니다. 남.북한과 주변 국가들과의 관계 정상화는 본인의 7.7. 선언의 정신에 부합하는 것으로 생각합니다. 다만, 일본과 같은 우리의 주요 우방국과 북한과의 관계 개선은 한반도 긴장 완화를 위한 남.북대화 및 교류에 의미있는 진전을 가져옴으로써 평화적 통일을 위한 유익한 기반을 조성하는데 기여하는 방향으로 추진되어야 할 것입니다.

특히 북한의 잠재적 핵무기 개발 위협은 한반도와 동북아에서의 안정을 저해하는 요인이 되고 있는 만큼, 우리의 우방국들이 북한의 핵안전협정 체결을 위한 공동 노력을 경주해야 한다고 믿습니다.

0003

본인은 한.미 양국이 앞으로 이러한 문제에 대해 긴밀히 협조해 나가기를
희망합니다.

마지막으로 본인은 각하께서 명년중 편리한 시기에 방한하시어 본인과 더불어
한반도를 비롯한 동북아 국제 정세 변화와 세계 평화 및 안전 문제에 관해
허심탄회하게 의견을 나누고 공동의 협력 방안을 강구할 수 있는 기회를 갖게
되기를 바라마지 않습니다.

각하의 건안과 각하의 노력에 늘 성공이 함께 하기를 기원합니다.

노   태   우

미 합중국
죠지 부쉬 대통령 각하

0004

관리번호 9○-2169

외 무 부

종 별 :

번 호 : USW-4475   일 시 : 90 1002 1845

수 신 : 장관(미북)

발 신 : 주미 대사

제 목 : 페만사태 지원 홍보활동

대:WUS-3220

대호 페만사태 관련 아국정부의 기본입장 및 지원조치에 대한 당관의 주요 홍보실적 및 향후 홍보 방안을 하기 보고함.

1. 주요 홍보실정

(행정부)

8.2. 이락의 쿠웨이트 침공이래 행정부 인사와 수시접촉을 통해 아국의 지원 입장을 거듭 표명하였으며, 특히 9.20-21 간 국무부 KIMMIT 정무차관, SOLOMON차관보, ROSS 정책기획실장 및 NSC 아시아 담당 PAAL 보좌관을 접촉, 아국의 지원규모가 홍수피해 및 국내 경제사정 악화에도 불구한 노 대통령의 각별한 결단에 따른 최대한 조치였음을 설명함.

(의회)

0 8.10. : 주요 상하원 의원 및 보좌관등 약 200 명을 대상으로 아국의 UN 경제 제재조치 참가 결정에 관한 홍보 자료 배포

0 9.24. : 아국의 지원 방안 발표시 주요 상하원 의원 및 보좌관 약 200 명을 대상으로 동 지원내역 홍보물 배포

0 9.24. 이후 현재 : ROTH 하원 아태소위 전문위원, KESSLER 상원 동아태 소위 전문위원등 주요 의원 보좌관 및 전문위원을 대상으로 아국 지원 규모가 아국의 경제력 악화 및 홍수피해에도 불구한 최대한의 것임을 홍보하고 호의적 반응 및 발언 유도

(언론계 및 학계)

0 9.24. : 페만사태 비용 지원 방안 및 규모와관련한 유종하 외무차관 성명문을 수록한 KOREA NEWSVIEWS 34 호 제작 배포

0 10.1. : "SEOUL INCREASES ITS SUPPORT FOR GULF ACTION"제하의 KOREA UPDATE 4

미주국   정문국 ㆍ공보처

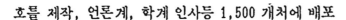

호를 제작, 언론계, 학계 인사등 1,500 개처에 배포

　2. 향후 홍보 방안

　0 주요 방안: 상기와같이 홍보자료 배포를 통한 기초홍보는 이미 취한바, 페만사태 관련 주재국 정책결정 영향층 및 여론 주도층중 아국지원 규모 및 방안에 대해 미흡하다고 생각하는 인사를 대사응로한 선별적 적극 홍보 추진

　0 주요조치 계획

　-행정부 인사: 한국과등을 대상으로 아국입장을 적극 대변토록 수시 접촉

　-의회 인사: 페만사태 관련 의회지도층 인사 및 동 보좌관을 대상으로 아국지원에 대한 반응을 계속 파악하고, 호의적 평가 및 발언을 유도

　-언론인 :WP, NYT 등 주재국 주요일간지 외신담당 및 국무성 담당기자와의 간담회 추진등 대언론 접촉 홍보 지속적 추진

　(대사 박동진-국장)

　예고:90.12.31. 일반

예고문에의거 일반문서로
재분류 1990 12 31 서명

관리 번호	90-2172

분류번호	보존기간

발 신 전 보

번 호 : WUS-3252   901005 2136   DO   종별: **지급**

수 신 : 주   미   대사. 총영사

발 신 : 장 관   (미북)

제 목 : 페만 사태 관련 아국의 지원 내용

대 : USW-4492

1. 본부는 9.27. 페만 지원 세부 집행 계획 수립을 위한 관계부처

국.과장급 실무회의를 개최하여 다음과 같이 집행계획(안)을 잠정 수립하였음.

    가. '90 다국적군 활동 지원(9,500만불) 집행 계획

        ㅇ 현금 지원

            - 지원액 : 미국에 대해 90년중 5,000만불 지원

            - 지원 방법 : 미측과 협의를 거쳐 집행

        ㅇ 수송 지원

            - 지원액 : 3,000만불

            - 지원 방법 : 항공 수송은 주2회 지원하되 해운 수송은

                미측의 구체적 요구 있을시 용선, 지원

        ㅇ 군수물자 지원

            - 지원액 : 1,500만불(운송비 100만불 포함)

            - 지원 대상국 및 지원 규모 : 이집트(방독면 10,000착 지원

                포함, 600만불), 시리아(400만불), 모로코(100만불),

                파키스탄(300만불)

/ 계 속 /   대책반장:

		보 안 통 제	

앙 고 재	90년 10월 5일 북미1과	기안자 성 명 김상현	과 장	심의관	국 장 전결		차 관	장 관		외신과통제

0007

- 대상 품목 : 군복, 방독면, 군화, 모포등 비살상용 군수

  물자중 조사단의 관계국과의 협의 결과에 따라 선정

o 군의료진 파견

- 구체적인 집행 계획은 국방부에서 수립, 시행

- 단, 군의료진 파견은 헌법 제60조 제2항의 규정에 따른

  국회의 사전 동의가 필요한 사항

나. '90 주변국 경제 지원(7,500만불) 집행 계획

o 대외 경협기금(EDCF) 지원

- 총 지원액 : 4,000만불

- 지원시기 : 가급적 91년말까지 자금 인출

- 지원 대상국별 지원액(안) : 이집트(2,000만불),

  터키(1,500만불), 요르단(500만불)

- 지원방법 : 해당국으로부터 지원요청 접수, 통상적인 절차에

  따라 지원

o 쌀 지원

- 지원액 및 물량 : 1,000만불(수송비 포함), 약 3만톤

- 지원대상국 및 지원 규모 : 이집트, 요르단, 터키,

  필리핀중 조사단의 협의 결과를 토대로 지원 대상국가,

  규모등 확정

- 지원방법 : 무상지원(양곡관리 기금에서 결손 처리)

o 구호 생필품 지원

- 지원액 : 2,450만불(수송비 포함)

- 지원품목 : 의료품, 담요, 의류등

- 국별 지원 규모(안) : 이집트(1,000만불), 터키(550만불),

  요르단(300만불), 방글라데쉬(300만불), 파키스탄(300만불)

/ 계 속 /

0008

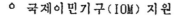

ㅇ 국제이민기구(IOM) 지원

  - 지원내역 : 국제이민기구(IOM)에 50만불을 특별 기여금으로
    지원키로 하였으며 아측의 결정 내용은 제네바 소재 IOM 본부에
    기통보

  - 또한, 아국 교포 및 근로자 본국 수송을 위해 별도로
    총127만 3천불이 기지출되었음도 국제이민기구에 홍보토록
    기조치

2. 상기 집행 계획 관련, 아국이 지원키로 한 2억 2천만불중 1억 7천만불은
금년내에 집행 예정이며, 2차 지원분 5,000만불은 명년도에 집행 예정임.
(금년에 필요한 예산 1억 7천만불중 EDCF 기금 4,000만불, 잉여 쌀 지원 1,000만불
등 특별회계에서 지출되는 총 5,000만불을 제외한 860억원(1억 2천만불)은 금년도
추경 예산에 반영중)

3. 한편, 상기 집행 계획(안)은 국무회의 보고 등 필요한 절차를 거쳐
최종 확정 시행 예정이며, 미측과의 사전 협의를 위해 우선 9.30. 주한미대사관측에
통보하였음을 참고 바람. 또한 분담금 공여국 실무회의 또는 조정위원회에서
공표는 별도 통보시까지 보류바람.

(미주국장 반기문)

예고 : 91.6.30. 일반

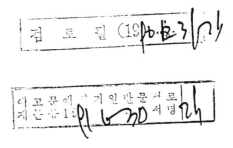

원 본

외 무 부

종 별 :

번 호 : USW-4601

일 시 : 90 1011 2107

수 신 : 장관 (미북, 미안)

발 신 : 주 미 대사

제 목 : 페만 사태 지원 한.미 협의결과

검토필 90.12.31

　　권병현 페만사태 대책반장은 금 10.11(목) 11:00 펜타곤에서 DAVE TARBELL 국방장관실 국제 정책 담당관등 미 국방부, 국무부내 다국적군 지원 관련 우방국지원 조정 관계관들과 간담회를 갖고 상세 아국 지원 계획을 설명하고 이에 대한 미측견해를 청취하였는바, 동 간담회시 토의 요지 아래 보고함.

　　(아측 배석: 최 참사관, 해군무관, 김 서기관, 홍사무관)

　　미측 배석: JORDAN 대령, M. ISCHINGER(군수담당), MCMILLION 국무부 한국과부과장외 4 명)

　　1. 군수물자 지원문제

　　O 미측은 사우디에 파견한 ~~일방문서로 제~~ (10의. 6.30..~~에 대한 대규모 자체 군수지원~~으로 인해 중개자 역할 수임은 곤란하며 다국적군에 대한 군수물자 지원문제는 한국정부가 지원 대상국과 직접협의를 통해 구체집행 계획을 확정 짓기를 희망하고 주한 미군 사령부와 국방부간 상세사항 협의도 희망

　　O 다만 지원대상 품목 과 관련, 지원 대상국과 이견이 있을경우, 미측과 재협의를 거쳐 다른 다국적군 파견국에 동 품목이 지원될수 있도록함이 바람직함.

　　O 이에 대해 권 대사는 지원대상국과의 협의를 위한 아국 조사단이 빠른 시일안에 지원 대상국에 파견 예정임을 언명함.

　　O 또한 미측은 수원 대상국에 세네갈 포함을 호의적으로 고려해 줄것을 간접적으로 권유하는 인상을 비침.

　　2. 현금 지원문제

　　O 미의회는 10.1. 미 국방부가 요청한 우방국으로 부터의 다국적군 활동 지원금의 국방 헌금(TREASURY GIFT FUND) 에로의 편입집행을 거부하여, 미 국방부는 미 의회의 동 자금에 대한 세출 승인이 있을 때까지 국방협력 기금 구좌(DEFENSE COOPERATION

미주국　　장관　　차관　　1차보　　미주국　　정와대　　안기부

ACCOUNT)에 우방국의 기여금을 입금 관리 예정임.

　- 입금 절차, 구좌번호등 상세 주한 미대사관을 통해 아측에 봉보 예정

　0 미측은 한국 정부가 지원 현금 사용에 특정 조건을 부여할 가능성에 대해문의한바, 추경 통과시 국회에서 사소한 논란이 예상되나 집행에 있어 특정범위를 지정하거나 조건을 부여할 생각은 없음을 분명히 함.

　3. 수송 지원문제

　0 미측은 사태 초기시 아국이 제일먼저 운송 지원을 제공한데 대해 사의를 표시함.

　0 미측이 향후 아국에 대한 수송지원 요청은 항공지원에 편중될것임을 밝히면서 항공수송지원의 증편 가능성을 문의한바, 권대사는 동 문제는 총액 3,000 만불 범위내에서 미측 편의에 따라 유연성 있게 운용될수 있을것이라 답변 하였음.

　4. 군의료진 파견 문제

　0 권대사는 한국 정부는 아측 요청에 따라 현재 군 의료진 파견 가능성을 검토중임을 봉보하고 아측은 인원만 공급하고 숙박실설 및 의료품의 미측 또는 사우디 공급 가능성을 문의 하였음.

　- 동문제가 미측 요청에 따른 조치임을 강조하고 국회 승인 필요 사항인 만큼 시설 및 보급 문제등에 있어 미측의 호의적 고려를 요청

　0 이에 대해 미측은 동 문제가 매우 복잡하고 민간함 문제이므로 동 문제는조심스럽게 연구할 시간이 필요한 사항이라 밝힘.

　- 미측 입장 확정후 봉보 예정이라 언명

　5. 기타

　0 권대사는 금번 아국 정부의 지원은 노 대통령의 각별한 배려에 따라 아국의 경제, 안보 여건상사의 제약에도 불구하고 최대한의 노력한것임을 강조하는 한편, 사태 조기 해결을 위한 미국의 노력에 대한 한국 정부의 전폭적 지지 의사를 표시하였음.

　동 지원의 대외발표 문제와 관련, 권대사는 현지 잔류 우리교민의 안전문제를 고려, 지원의 총체적인 규모는 밝혀도 무방할것이나, 국가별 지원 내역등 상세사항은 대외적으로 공표하지 않는것이 좋을것이라 언급한바, 미측은 이에 동의함.

　0 또한 미 국방성이 파악하고 있는 여타 우방국 지원 상세 내용의 제공을 요청하였는바, 미측은 동 자료를 주미 무관부에 금명 제공 예정이라 밝혔음.

　(대사 박동진-장관)

PAGE 2

0011

91.6.31. 일반

0012

외 무 부

종 별 :

번 호 : USW-4602   일 시 : 90 1011 2106

수 신 : 장관 (미북,미안,통일)

발 신 : 주 미 대사

제 목 : 페만 사태 지원 한.미 협의 결과 보고(2)

김종필 90.12.31

연:USW-4601

연호 권대사는 금 10.11(목) 14:00 RICHARD HECKLINGER 미 국무부 경제 및 사업 담당 부차관보를 면담하고 페만 사태관련 주변국 지원문제를 논의하였는바,동 면담시 협의 내용 요지를 아래 보고함.

(아측 배석:최 참사관, 김서기관, 홍사무관)

미측 배석:JOHN A. BOYLE 재정 및 개발담당 과장

BRUCE CARTER 한국과 겨어지 담당관)

1. 페만 사태 재정 공여국 조정회의

O HECKLINGER 부차관보는 명일 회의시 BRADY 재무장관이 직접 참석하여 각국 대표를 위한 리셉손을 개최할 예정이며 국무부로 부터는 KIMMIT 정무차관이 참석하여 우방국의 단결을 통한 사태해결이 갖는 정치적 중요성을 부각시킬 예정이라 밝힘.

O 동 차관보는 지원국과 수원국간의 양자관계에 따른 고려와 함께 상기 회의를 통한 효율적 집행의 중요성을 강조함. 일반문서로 재분유(1976. 630.)

2. 아국 지원 계획 설명

O 권대사의 아국 지원 계획에 대한 상세한 설명에 대해 HECDKLINGER 부차관보는 아국의 지원에 사의를 표명함.

O 또한 요르단의 최근 행태(대이락 제재 조치 이탈 사례등) 와 관련 미국 정부의 불만을 표시하고 요르단에 대한 지원 규모 결정시 참고토록 요망함.

- 지원자세를 취소토록 권유하는것은 아님을 분명히 하면서도 여타 우방국들의 지원 규모와 교량 아국 지원 규모확정 권유

O 권대사는 수교 목적등을 위해 3 개 전선국가 이외에 시리아등에 대한 아측의 지원 희망 의사를 밝히고, 이에 대한 미측의 견해를 문의함

미주국   장관   차관   1차보   미주국   통상국   정와대   안기부

PAGE 1   90.10.12   13:36

0 동 부차관보는 시리아가 상금 테러리스트 국가로 분류되고 있는등 미국과의 양자관계에 문제가 있다고 언급, 명확한 입장 표명은 회피하였으나 가능한한 지원대상국에서 제외 시키는 것이 좋을것이라고 시사 함.

0 동 부차관보는 기타 지운 가능 대상국을 문의한바, 권대사는 파키스탄, 방글라데쉬, 필리핀등이 고려되고 있음을 밝힘.

0 또한 , 미측은 민주화를 향한 중대 변환기에처한 동구 제국에 대한 원조 제공 필요성 지적에 대해 권 대사는 아측 지원 가용 금액 재약상 동구 제국 포함의 곤란함을 밝힘.

-금번 아국의 지원은 아국 사정상 최대한의 지원임을 강조

3. EC 측 신제안

0 권대사는 미측이 금일 오전 미 국무부 한국과를 통해 아측 의견을 문의한공여국 조정회의 운영관련 EC 측 제안(별도 소규모 운영위 구성이 주 내용, 추후 상세 보고) 에 대한 미측 진의를 문의함.

0 미측온 상기 조정회의 운영관련 EC 제국등이 절차 문제에 다소 불만을 표시하고 있으나, 대 이락 경제 제재 조치 효율화를 위한 주변국 지원 이라는 정치적 목표에는 참가국이 전폭적으로 지지하고 있음을 강조함.

4. 잉여쌀 공여문제

0 필리핀을 포함한 주변 전선국가에 대한 쌀 공여 문제와 관련, 권대사는 동 지원이 수원국에 대한 인도적 고려와 야당등 국내 반발을 무마하기 위한 수단중의 하나임을 지적하고 미측의 이해를 요청함.

0 미측은 동 지적을 미 농무성등과 관련 기관에 통보, 한국측 진의를 설명예정이라 밝힘

(대사 박동진- 장관)

91.6 .30. 일반

외 무 부

종 별 :

번 호 : USW-4603   일 시 : 90 1011 2106

수 신 : 장관(미북, 미안, 통일)

발 신 : 주 미 대사   검토필 90.12.31

제 목 : 페만사태 지원 한.미 협의 결과 보고 (3)

연:USW-4602

연호 , 권대사는 금 10.11(목)15:00 CHARLES H. DALLERA 미 재무부 국제담당 차관보를 면담하고 연호 주변국 지원문제를 협의하였는바, 동 면담시 협의 내용 요지를 아래 보고함.

(아측배석: 최참사관, 허재무관, 김서기관, 홍사무관)

미측 배석:JAMES H. FALL 발전도상국가 담당 재무 차관보

TODD CRAWFORD 발전도상국가 담당관실

BRUCE CARTER 국무부 한국과

MATTHEW GOODMAN 국품 한국과)

1. 아측 지원 계획 설명

0 권대사는 아측 지원 계획중 주변국 경제 지원 집행 계획 , 아측지원의 집행 가능시기, 국가별 배분 계획(안)을 상세 설명함.

0 이에 대해 DALLERA 차관보는 한국이 홍수피해등 여러 어려움에도 불구하고 지원의사를표시하여 준데 대해 사의를 표명하고 한국의 국력신장에 부응한 세계 지도국가로서의 역할 수행의 중요성을 지적함.

-여타국에 비해 한국은 매우 협조적이며 한국의 지원은 상징적으로 중요함을 지적

0 또한 편의에 따라 우방국들이 90 년, 91 년으로 지원 규모를 배분하고 있으나 주변국의 피해 보전을 위해서는 한국이 91 년도 지원 내용을 조기에 발표하기를 희망함.

(미국의 일방적 공여국 조정회의 운영에 불만을 표시하고 있는 EC 제국에 대한 제동국가로서의 아국 역할을 기대하는것으로 감지됨)

2. 각국별 지원 내용 발표문제

미주국   미주국   통상국

0 동차관보는 미 재무성이 명일회의시 배포할 각국별 지원 내용 작성 자료를 취합하고 있으므로 한국측 지원 내용중 국별 할당규모에 대한 자료 제공을 요청 함.

0 이에 대해 권대사는 현재 고려중인 국별 할당 지원 규모를 미국만의 참고조건으로 봉보하고 명일 회의시 배포 자료는 지원 항목별 총액과 국별 우선순위만을 표기토록 요청하였음.

-실제 지원금액 결정시 아국의 유연성 보유 필요성에 동의

3. 쌀 지원문제

0 동차관보는 쌀등 식량 시장의 혼란 가능성을 우려 미 농무성은 지원 공여국 주재 미 대사관들에 식량 원조의 경우는 1) 인도적 고려에 따른 지원에 한하고 2) 수원국의 식량 시장에서 실제 부족 상황이 발생하는 경우에 한한다는 미측입장을 봉보한바 있으므로 쌀 지원문제는 매우 민감한 사안임을 지적함.

0 이에 대해 권대사는 동 지원이 인도적 고려에 의한 지원임을 강조하고 미측이 아측 지원을 강하게 부정적으로 생각할 경우 쌀 지원 자체를 철회할수도 있음을 밝힘.

0 이에 대해 미측은 한국 지원의 상징적 의미를 감안, 향후 긴밀한 협의를 통한 원만한 해결 희망을 표시함.

4. 아국 불사용 섬유 쿼타 터키 할애 요청

0 동 차관보는 BRADY 재무장관이 정영의 재무장관 면담 (IMF 총회 참석시) 시에도 밝혔듯이 현재한국이 사용치 않고 있는 섬유 쿼타의 터키에로의 할애 요청에 대한 아측 입장을 문의함.

0 이에 대해 권대사는 소관 사항 이외의 요청이므로 귀국후 관계부처에 확인후 대사관을 통해 진전 상황을 알려주겠다고 언명함.

(대사 박동진- 장관)

91.6.30. 일반

외 무 부

관리번호 90-2080

종 별 :
번 호 : USW-4640   일 시 : 90 1015 1739
수 신 : 장관(미북)
발 신 : 주 미 대사
제 목 : 페만사태 주변국 지원

연:USW-4603

1. 연호, 페만사태 전선국가등에 대한 쌀 지원과 관련, 10.12. 권병현 대사의 FALL 재무부 차관보 면담시, 동 차관보는 아국의 쌀 지원과 관련한 미측의 방침을 이미 주한 미대사관을 통하여 아측에 통보 하였다고 언급한바, 동 지침 당관에 통보 바람.

2. 이와 관련, WILLIAM WEINGARTEN 국무부 식량정책과장이 당관 최참사관과의 면담(10.16) 을 요청하여 왔음을 참고 바람.

(대사 박동진-국장)

90.12.31. 까지

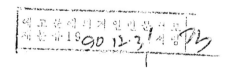

미주국   차관   1차보   대책반

PAGE 1   90.10.16   07:53
                                          외신 2과   통제관 BT

0017

FOOD AID

1. We would appreciate an opportunity to see an outline of the ROKG plan on providing rice aid. We would also like to know whether the rice is to be valued at the world market price or the much higher Korean market price.

2. Request the ROKG adhere to FAO principles on surplus commodity disposal.

3. Request that rice be donated as a grant, not monetized, and request that the ROKG bear the costs of transportation.

4. There must be an actual need for rice in the front line states or the refugee program. Absent confirmation that additional quantities are actually needed, request no shipment of more than 5,000 tons be made at this time. At present we understand that no need exists for more than this amount. The ROKG can confirm this by contacts with the International Red Cross or other organizations involved in refugee aid.

5. No rice should enter Iraq or Kuwait except in conformance with UNSCR.S 661 and 666.

0018

관리 번호	90 -1112

외 무 부

종 별 : 지 급

번 호 : USW-4650   일 시 : 90 1016 1447

수 신 : 장관(미북,미안,국방부)

발 신 : 주 미 대사

제 목 : 페만 사태 다국적군 지원

연 USW-4601

연호 2 항 다국적군 활동 지원을 위한 현금 지원과 관련, 미 국방부는 금 10.16 국방 협력 기금 구좌(DEFENSE COOPERATION ACCOUNT)로의 송금 절차 안내문을 당관에 송부하여온바 , 이를 금파편 송부함.

(공사 손명현-국장)

90.12.31 일반문서로 재분류 (1990.12.31) 7/2

미주국   차관   1차보   2차보   미주국   국방부

PAGE 1   90.10.17   04:22

관리
번호 PO-2241

외 무 부

종 별 : 지급

번 호 : USW-4657

일 시 : 90 1016 1804

수 신 : 장관(미북,통일,경이,재무부)

발 신 : 주 미 대사

제 목 : 폐만사태 쌀 지원문제

연:USW-4640, 4602, 4603

연호, 당관 최 참사관은 10.16 국무부 WILLIAM WEINGARTEN 식량정책 과장의요청에 의하여 동인을 면담한바, 요지 하기 보고함.(김중근 서기관 및 HILTON GRAHAM 식량정책과 상무담당관 동석)

아 래

1. WEINGARTEN 과장은 연호 권대사의 국무부 HECKLINGER 부차관보, 재무부 DALLERA 차관보 면담에 관하여 언급하며, 전선국가에 대한 아측 쌀 지원량 3 만톤(1,000 만불) 문제와 관련, 9.22 주한미대사관 통보한 미측 공식입장을 아래와같이 재차 아측에 전달하고자 한다고 밝힘.

가. 전선국에 대한 식량 원조는 FAO 의 CSD (CONSULTATIVE SUBCOMMITTEE ONSURPLUS DISPOSAL) 와 협의, 관계 규정에 따라 하여 줄것

나. 인도적이고 실질적인 부족분에 한하며, 운송비는 제외하여줄것

다. 미측계산에 의하면 전선 3 개국 부족분은 최대 5,000 톤이므로 그이상의 물량을 원조할 경우 잔여분은 현금화(MONETIZE)되어 국제 시장을 교란할 가능성이 큰 점을 고려, 자제하여줄것

2. 동과장은 농무부 및 미국 미곡 생산업자들이 쌀 원조 자체에 반대하고 있음을 설명하면서, 쌀 원조부분 1,000 만불을 현금이나 다른 현물로 원조할 가능성은 없겠는지 문의함.

3. 이에 대해 최 참사관은 상기 FAO 와의 협의 또는 5,000 톤 운운등은 금시 초문의 입장이며, 지난 10.11 권대사가 국무부 HECKLINGER 부차관보 면담시 쌀 원조에 대한 아측의 상세 계획을 설명한바, 동 부차관보 로부터 아무런 이의 재기가 없었으며, 동일 재무부 DALLERA 차관보 면담시에도 미측이 상기 나 항 인도적 및 실제

미주국   차관   2차보   경제국   통상국   재무부

0020

부족분 고려사항만 설명하면서 원만한 해결을 희망한다고 하였던 점을 상기 시키고, 미측이 입장을 변경한 것인가 문의함.

4. 동과장은 상기 국무부 및 재무부 인사 면담시 미측이 명확한 입장을 밝히지 못한점은 과실이라고 설명하면서, 9.22 주한미대사관을 통하여 아측에 전달한 상기 1 항의 입장이 공식 입장임을 분명히 하고자 한다고 말함.

5. 최 참사관은 폐만사태 원조에 관한 의견조정을 목적으로 방미하였던 권대사에게 국무부 및 재무부 고위관리가 쌀원조 계획을 양해한것 처럼입장을 취한후 이제 와서 새로운 입장을 아측에 알리는 것은 아측에 크게 혼선을 야기하는것임을 지적한후 일단 동과장의 설명사항을 본부에 보고하겠다고 말함.

6. 최 참사관은 국무부 관리(CARTER 한국 경제담당관)도 배석하였던 10.11 재무부 DALLERA 차관보와의 면담시, 권대사가 금번 폐만사태 원조 규모가 아측으로서는 한미 관계및 폐만 사태의 중요성을 고려, 수해등 아측의 어려움을 무릅쓴최대한의 지원임을 강조하였고, 이런 맥락에서 미국이 아측의 쌀원조를 강하게부정적으로 생각할 경우 쌀지원 금액 해당분은 삭감될수 밖에 없음을 설명하였던점을 상기 시키고, 쌀 지원분 1,000 만불을 현금 또는 다른 현물로 원조 운운하는 방안은 <u>고려될수 없을것이라고</u> 답함.

7. 동과장은 <u>미측이 혼선을 야기하였음을 거듭시인하며</u> 상기 1 항 미국의 공식 입장을 주한미대사관을 통하여도 아측에 재차 전달하겠다고 말함.

(대사 박동진-장관)

예고:90.12.31 일반

흥

번호 90-2253

주 미 대 사 관

미국(경)764-186

수신 : 장   관 (사본 : 국방부 장관)   1990. 10. 16
참조 : 미주국장
제목 : 페만사태 다국적군 지원

연 : USW - 4601, 4650

연호, 송금 절차 안내문을 별첨 송부합니다.

첨부 : 동 안내문 1부.   끝.

예고 : 91. 6.30 일반 재분류

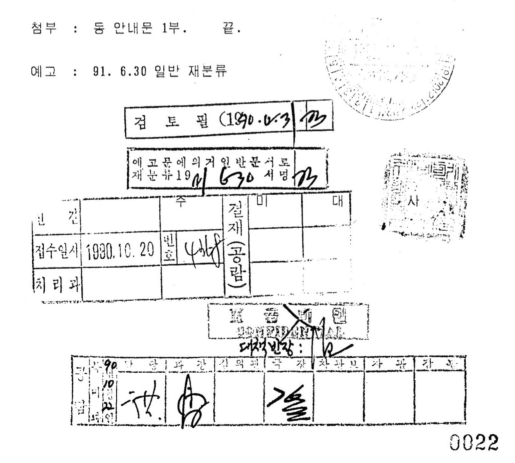

0022

DEFENSE COOPERATION ACCOUNT

MONETARY CONTRIBUTIONS BY WIRE TRANSFER

GUIDANCE

A.   All cash contributions for Desert Shield should be made to the Defense Cooperation Account, which is managed by Department of Defense. Defense, in turn, will transfer contributions to the proper appropriations so that they may be used in accordance with conditions that donors may place on their contributions, if any, and in accordance with all applicable laws and regulations. It is strongly preferred, however, that donors not impose restrictive conditions and rather that they use the language that appears in paragraph B-10.

B.   It is strongly preferred that donors make contributions via electronic funds transfer from their banks to the Federal Reserve Bank of New York using Treasury's ABA number who will credit Defense accordingly. The following is a guide for contributor for filling out the funds transfer form (example attached) which is available at the sending financial institution.

1.   RECEIVER DEPOSITARY FINANCIAL INSTITUTION (DFI) NO: The Treasury Department's American Bankers Association (ABA) number for deposit messages is 021030004. This number should be entered by the sending bank for all deposit messages sent to Treasury for credit to the DoD Defense Cooperation Account.

2.   TYPE-SUBTYPE CODE: The type and subtype code will be provided by the sending bank.

3.   SENDER DFI NO: This number will be provided by the sending bank.

4.   SENDER REFERENCE NO: The sixteen (16) character reference number is inserted by the sending bank at its option.

5.   AMOUNT: The transfer amount should be in U.S. dollars and must be punctuated with commas and a decimal point; use of the dollar sign is optional.

6.   SENDER DFI NAME: This information is automatically inserted by the Federal Reserve Bank.

7.   RECEIVER DFI NAME: The Treasury Department's name for deposit messages is "TREAS NYC". The name should be entered by the sending bank.

0023

8. PRODUCT CODE: A product code of "CTR" for customer transfer should be the first data in the RECEIVER – TEXT field. Other values may be entered, if appropriate, using the ABA's options. A slash must be entered after the product code.

9. AGENCY LOCATION CODE (ALC): The agency location code is of critical importance and must appear in the precise manner stated to allow for automated processing and classification to the ALC of the Department of Defense. The sequence includes the beneficiary code tag (BNF) and indicator code (/AC) followed by the Defense Department's eight (8) digit ALC (97200010) for this account. The ALC identification sequence can, if necessary, begin on one line and end on the next line. However, the field tag (BNF) must be one line and cannot contain any spaces.

10. THIRD PARTY INFORMATION: The reason for the funds transfer should appear in this field. The originator-to-beneficiary information field tag (OBI=) is used to signify the beginning of free-form text. An example of the data follows: BNF=/AC-97200010 OBI=to the Defense Cooperation Account (97X5187) for defense programs, projects, and activities from (Name of Donor).

C. Department of Defense Comptroller Point-of-Contact:

Mr. Ronald D. Good
Assistant Director for Cash and Debt Management
Financial Services Policy Directorate
Office of the Deputy Comptroller (Management Systems)
Room 1A658, The Pentagon
Washington, D.C. 20301

Telephone: (703) 697-8281

0024

SAMPLE FORMAT FOR WIRE TRANSFERS TO U.S. TREASURY

FOR CREDIT IN THE DEFENSE COOPERATION ACCOUNT

(Remaining blocks to be filled by the sender or the sending
bank, in accordance with the wire transfer instructions)

```
|_____
     (1)            (2)
|  021030004  |_____|
     (3)         (4)            (5)
|_____|_____|_____|
                    (6)
|_____/_____|
     (7)      (8)
|  TREAS NYC/CTR/                                     |
          (9)                      (10)
|  BNF=/AC-97200010 | OBI=to the Defense Cooperation Account  |
                    (10)
|  (Acct. No. 97X5187) for defense programs, projects, and    |
                    (10)
|  activities from (name of donor)                    |
```

0025

Attachment

페湾 事態 支援 執行 計劃
対美 協議 및 調整委 参席 結果 報告

:

1990. 10. 17

外　　務　　部

權丙鉉 폐灣事態 對策班長은 我國支援 細部 執行

計劃에 대한 美側과의 協議 및 第2次 폐灣事態 財政

支援 供與國 그룹 調整會議 參席次 90.10.10-15間

訪美하였는바, 同 結果 要旨 아래 報告 드립니다.

1. 訪美時 主要日程

10.11(木)

11:00	美 國防部, 國務部 多國籍軍 支援 關係者와의 協議
14:00	Richard Hecklinger 美 國務部 經濟 및 事業 擔當 副次官補 面談
15:00	Charles H. Dallara 美 財務部 國際擔當 次官補 面談

10.12(金)

10:00	Brady 美 財務長官 主催 茶菓會 參席
10:30 -13:30	第2次 폐灣事態 財政支援 供與國 그룹 調整會議 參席
13:30	Kimmitt 國務部 次官 非公式 接触

0027

2. 美側과의 主要 協議事項

ㅇ 금번 我國支援 規模는 國內 經濟. 安保 與件上 最大限의
支援임을 強調
- 美側, 大統領閣下의 政治的 決斷 評價, 我國의
支援決定에 謝意 表示
- 我側支援 規模에 현재로는 滿足 表示
(Mulford 財務次官)

ㅇ 支援 對象國 選定 및 支援額 決定時 我國의 재량권
行使에 理解 表示
- 修交 目的을 위한 對 시리아 援助 方針 通報에
首肯

ㅇ 軍 醫療陣 派遣 關聯, 駐屯 및 補給經費의 美側 또는
駐屯國 負擔 要請
- 美側, 複雜하고 微妙한 問題이므로 심사숙고후
美側 立場 通報 豫定이라 言明

ㅇ 쌀 支援關聯, 美側은 農務省이 食糧 現物市場 攪亂을
理由로한 問題提起 可能性 憂慮 表示
- 人道的 考慮에 의한 支援임을 強調하고 兩國間
緊密協議를 거쳐 措置토록 合意

0028

o 美側은 供與國 그룹 調整會議 運營關聯, 我國의 美側
  立場 支持 勢力 役割 期待
  - EC 諸國等의 部分的 異議提起에 대한 制動 役割
    期待(EC提案 運營委에 我國 參加意思 打診等)
  - 第3次 會議는 11月初 이태리 로마에서 開催키로
    決定(美國만이 아닌 EC, 日本, 主要 中東國
    世界 主要國을 망라한 壓倒的 反이락 團結된 勢力
    誇示)

3. 觀察 및 建議事項

o 이미 美側과의 協議가 원만히 끝났으므로 支援키로
  決定된 部分의 早速 執行을 위하여 可及的 高位級을
  團長으로하고 關係部處 局長級으로 構成된 1次
  調查團을 早速한 時日內 派遣함이 바람직함
  - 迅速한 執行誇示
  - 獨自的 對中東 外交 展開

o 이집트. 시리아 修交 努力 同時 展開
  - 現地公舘, 訪問團 및 美國側面 支援 多角的
    動員

o 調查團 派遣等 追加 經費는 原則的으로 支援費内에서
  支出토록 함
  - 美國側에 이미 通報. 異意 提起 없음.

0029

o 我側 支援 規模에 美側은 謝意와 滿足을 表明하면서도
   91年度 支援內容에 關心을 동시에 가진바,   일단
   有事時나 來年度에 91年度分 追加支援 要請 可能性
   排除 못함

o 美側의 軍 醫療團 派遣 要請은 武力 衝突事態 發生에
   對備, 美軍이외의 多國籍軍에 대한 醫療支援 目的으로
   觀測되며, 我側이 駐屯 裝備, 醫療品等 負擔 要請에
   美側은 深思熟考가 必要한 사항이라는 反應으로 비추어
   볼때 事態 進展에 따른 必要 發生時까지 保留 可能性도
   있음. 따라서 我側이 積極的으로 推進 必要는 없을
   것으로 觀測됨

- 끝 -

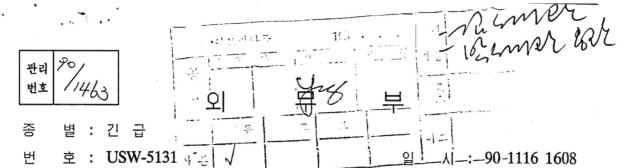

외 무 부

종 별 : 긴 급

번 호 : USW-5131

일 시 : 90-1116 1608

수 신 : 장관(미안,미북,중근동)사본:국방부 장관 대리

발 신 : 주미대사

제 목 : 국방장관 부쉬 대통령 예방

1. SCM 일정으로 현재 워싱톤을 방문중인 이종구 국방장관은 11.16. 오전10:00 부터 15 분간 부쉬 미국 대통령을 백악관 OVAL OFFICE 로 예방 하였음(배석자는 한국측은 주미대사, 국방장관통역이며, 미국측은 SCOWCROFT 안보담당 보좌관, WOLFOWITZ 국방성 안보담당 차관, FORD 국방성 안보담당 차관보 대리, PAAL 백악관 아시아 담당관 임)

2. 부쉬 대통령은 이 국방장관의 방미를 환영하며, 노 대통령 친서에 사의를 표한다음. 노대통령에 대한 자신의 존경과 우의를 잘 전달해 줄것을 부탁하고, 노 대통령께서 성취하려는 과업들을 전폭적으로 지지한다고 부언하였음.

3. 부쉬 대통령은 친서를 개봉하여 일람하면서 중동사태에 언급이 있는지 먼저 찾아본다고 말하고, 중동에서 이락의 후세인의 커커튼 침략을 저지하는것은매우 중요함을 강조 하면서, 이건은 비단 중동에만 국한된 문제가 아니라 세계여타 지역에서 발생할 가능성이 있는 유사한 침략을 미연에 방지하는데 큰 의의가 있다고 말하고, 중동의 긴장을 해결하기 위하여 한국이 보여준 지지 협조를높이 평가한다고 말하였음.

또한 부쉬 대통령은 중동에 있어서 침략에 대응하는 우방들의 노력은 한반도와도 관련이 있으며, 북한당국도 현재 진행중인 국제적 제재조치의 커다란 의미를 외면하지 않기를 바란다고 부언하였음.

4. 부쉬 대통령은 현재 비록 많은 국제적 관심이 중동에 집중되어 있기는 하나, 그렇다고 결코 한반도 같은 여타 주요지역에 대한 관심이 결여된것은 아니며, 금번 한미간 SCM 회의가 원만히 이루어진것이 다행스럽다고 평하였음., 이에대해 국방장관은 SCM 의 성공적인 개최를 다행스럽게 여긴다고 말하고, 중동에있어서의 침략에 대한 부쉬 대통령의 모든 노력이 성공적으로 결실되기를 바란다고 응답

미주국   차관   1차보   미주국   중아국   청와대   안기부   국방부

하였음.

    5. 부쉬 대통령은 11.16. 오후 워싱톤을 출발하여 구라파 및 사우디등 중동국가를
방문하는 자신의 일정을 간략히 설명한바 있음을 첨언함.

    (대사 박동진)

    91.6.30. 일반

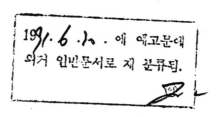

ADDITIONAL U.S. MILITARY DEPLOYMENTS TO PERSIAN GULF

--ON THURSDAY, 8 NOVEMBER 1990, THE PRESIDENT ANNOUNCED A SIGNIFICANT INCREASE IN THE NUMBERS OF U.S. FORCES COMMITTED TO OPERATION DESERT SHIELD. THESE ADDITIONAL

FORCES SERVE TWO PURPOSES. FIRST, THEY BOLSTER EXISTING COALITION ABILITY TO DETER FURTHER IRAQI AGGRESSION. SECOND., SHOULD SANCTIONS FAIL AND IRAQ CONTINUE TO IGNORE INTERNATIONAL WILL AS REFLECTED IN THE TEN UNITED NATION RESOLUTIONS, THESE FORCES WILL PROVIDE SUFFICIENT STRENGTH TO UNDERTAKE OFFENSIVE OPERATIONS TO FREE KUWAIT AND RESTORE STABILITY IN THE PERSIAN GULF REGION.

--THE PRESIDENT'S DECISION TO INCREASE U.S. TROOP STRENGTH IN THE GULF IS IN KEEPING WITH A CONSISTENT U.S. POLICY, SHARED BY THE WORLD COMMUNITY, TO SECURE:

-THE IMMEDIATE, COMPLETE AND UNCONDITIONAL WITHDRAWAL OF IRAQI FORCES FROM KUWAIT;

-RESTORATION OF KUWAIT'S LEGITIMATE GOVERNMENT;

-PROTECTION OF THE LIVES OF CITIZENS HELD HOSTAGE; AND

-RESTORATION OF SECURITY AND STABILITY IN THE PERSIAN GULF REGION.

--TO ACCOMPLISH THESE SHARED GOALS, THE WORLD COMMUNITY HAS FORGED A STRONG DIPLOMATIC, ECONOMIC AND MILITARY STRATEGY TO FORCE IRAQ TO COMPLY WITH ITS OBJECTIVES.

--THE FRAMEWORK OF THIS STRATEGY IS EMBODIED IN TEN UNSC RESOLUTIONS, TO WHICH THE U.S. IS STRONGLY COMMITTED. WE CONTINUE TO PREFER A PEACEFUL SOLUTION AND ARE EXHAUSTING ALL POLITICAL AND DIPLOMATIC MEANS TO RESOLVE THIS CONFLICT PEACEFULLY.

--WEILL CONTINUE TO PRESS ECONOMIC SANCTIONS, CONSIDER FURTHER UN ACTION, AND WORK CLOSELY WITH OUR COALITION PARTNERS AND OTHERS AROUND THE GLOBE.

0033

--BUT FOR UN RESOLUTIONS TO HAVE MEANING, THERE MUST BE IN PLACE THE MEANS TO ENFORCE THEM; IT IS ESSENTIAL THAT SADDAM HUSSEIN UNDERSTAND THAT HE CANNOT IGNORE THE WILL OF THE WORLD COMMUNITY WITH IMPUNITY AND THAT FULL ENFORCEMENT IS INEVITABLE, ONE WAY OR THE OTHER.

--WE HOPE THESE DEPLOYMENTS WILL CONVINCE IRAQ OF THE URGENT NEED TO COMPLY WITH THE RESOLUTIONS. SADDAM NEEDS TO GET THE MESSAGE: TIME IS NOT ON HIS SIDE.

--KUWAIT MUST BE RESTORED OR NO NATION WILL BE SAFE. WE CANNOT LET AGGRESSORS PROFIT FROM THEIR AGGRESSION. AT STAKE IS OUR COMMON VISION OF A BETTER WORLD, IN WHICH

DISPUTES AMONG NATIONS ARE RESOLVED PEACEFULLY.

--THE U.S. FOLLOWING FORCES ARE SCHEDULED TO DEPLOY:

-    VII CORPS HEADQUARTERS, STUTTGART, GERMANY

-    1ST ARMORED DIVISION, ANSBACH, GERMANY

-    2ND ARMORED DIVISION (FORWARD), A BRIGADE-SIZED UNIT, GARLSTEDT, GERMANY

-    D ARMORED CAVALRY REGIMENT, NUERNBERG, GERMANY

-    3RD ARMORED DIVISION, FRANKFURT, GERMANY

-    2ND CORPS SUPPORT COMMAND, STUTTGART, GERMANY

-    1ST INFANTRY DIVISION (MECHANIZED), FT. RILEY, KANSAS
-    OTHER COMBAT SUPPORT AND COMBAT SERVICE SUPPORT UNITS FROM THE U.S. AND EUROPE

-    48TH INFANTRY BRIGADE (MECHANIZED), GEORGIA (NATIONAL GUARD)

-    155TH ARMORED BRIGADE, MISSISSIPPI, (NATIONAL GUARD)

-    256TH INFANTRY BRIGADE (MECHANIZED), LOUISIANIA, (NATIONAL GUARD)

-    THREE AIRCRAFT CARRIERS, AND APPROPRIATE ESCORTS

CONFIDENTIAL

0034

-    ONE BATTLESHIP, U.S.S. MISSOURI, AND APPROPRIATE
ESCORTS

-    AMPHIBIOUS GROUP THREE, SAN DIEGO, CALIFORNIA

-    II MARINE EXPEDITIONARY FORCE, CAMP LEJEUNE, NORTH
CAROLINA

-    5TH MARINE EXEDITIONARY BRIGADE, CAMP PENDLETON,
CALIFORNIA

-    MARITIME PREPOSITIONING SHIP SQUADRON 1, NORFOLK,
VIRGINIA

--THIS EQUALS APPROXIMATELY 13 MORE BRIGADE-EQUIVALENTS
IN ARMY UNITS AND 1 AND ONE THIRD MARINE DIVISIONS.

CONFIDENTIAL

0035

주 미 대 사 관

미국(정) 700- 2687   1990. 11. 20.
수신 : 장   관
참조 : 미주국장, 중동아프리카국장
제목 : 페만사태 비용분담 보고서

        연 : USW - 5198

    연호 Les Aspin 하원 군사위원장이 발표한 페만사태 동맹국 비용분담에
대한 평가 보고서를 별첨 송부합니다.

첨부 : 동 보고서 및 관계 보도자료 1부.   끝.

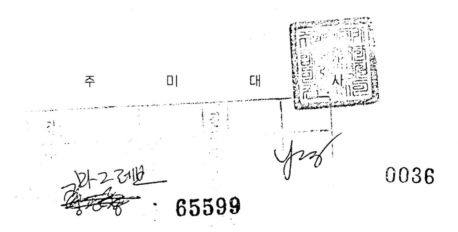

주   미   대   사

65599   0036

NEWS RELEASE

House Armed Services Committee

2120 Rayburn House Office Bldg.
Washington, D.C. 20515

FOR RELEASE: Friday, November 16, 1990, AM newspapers
For further information, contact: Lynn Reddy (202) 225-2191
                                    Warren Nelson (202) 225-2086

ASPIN GRADES INTERNATIONAL PERFORMANCE IN THE MIDEAST

WASHINGTON -- Rep. Les Aspin (D-Wis.), chairman of the House
Armed Services Committee, today rated the contributions made to
the containment of Iraq by the world's nations, giving an A-plus
only to Turkey and Egypt.

Aspin gave a C to both Japan and Germany, saying neither
nation was doing anywhere near as much as it could to shoulder a
fair share of the burden of the confrontation.

"The American public is gritting its teeth over the
willingness of other nations to see this conflict through to the
last American," Aspin said in releasing his "Burdensharing Report
Card."

He said, "Other nations should know they are being judged by
the American public and commonly found wanting. This report is
my effort to formalize the judgments that citizens are making on
their own."

MORE

0037

Aspin's report card also laid down a clear warning to other nations about a potential American backlash if they fail to do more, particularly in light of the decision to increase American troop strength to make it possible to go on the offense.

"Before the President comes to Congress for support of offensive operations, he'd better make sure the allies are making an adequate contribution," Aspin said. The report card also dealt directly with the backlash issue. It read:

> While the world is busily debating whether the soft
> Americans will sustain a confrontation when faced with
> any substantial casualties, the world ought also to
> consider the attitude of the American public should a
> war erupt in which the casualties are overwhelmingly
> American. If Americans are critical today of the
> relative unwillingness of others -- chiefly Europeans
> and Japanese -- to share the burden of this
> confrontation, imagine how critical -- even furious --
> they are likely to be when they see few others paying
> the bloodprice. One should expect the American public
> to demand that the Congress and the Administration
> impose a heavy penalty on non-participants.

Aspin said the additional U.S. troops announced for deployment to Saudi Arabia represented the "added danger that the Administration might consider fighting alone. That might be doable militarily, but it is not politically. The American people won't stand for our allies sitting out the fighting while Americans are dying."

The Aspin Burdensharing Report Card grades 19 nations and groups of nations on their contributions. It gives Fs to three Arab nations -- Yemen, Libya and the Sudan -- for making clandestine efforts to help Saddam Hussein evade the UN sanctions.

In perhaps the most startling grades, Aspin gave only a B to Saudi Arabia and a B-plus to Jordan. He complained that the Saudi financial contribution amounted to only about 10 weeks of additional revenues earned by the Saudis as a result of soaring oil prices. Aspin's report comments: "Since the confrontation with Saddam Hussein is now almost 15 weeks old, the Saudis have already earned significantly more than they have pledged to the effort. Money does not grow on trees, but in Saudi Arabia it does spew from derricks. More should be expected of Riyadh."

As for Jordan, Aspin said King Hussein was doing far more than anyone had a right to demand given the scale of the domestic

MORE

0038

pressures he faces. He rapped Saudi Arabia and the Gulf Arabs for treating King Hussein "like a kickball and making it harder for him to help them." The goal here should be to encourage Jordan to help. Unfortunately, the Saudi propensity for punishing King Hussein for his initial non-compliance just makes it all the harder for him to be helpful in the future."

Turkey gets an A-plus for immediately enforcing the sanctions without any pressure from Washington and despite the immense cost to the Turkish economy. "The Turks don't stand to gain from this confrontation," Aspin said. "They are taking a nasty economic beating. While we complain about the lackadaisical Europeans who refused to be nudged, pushed or kicked to the frontlines, we shouldn't forget people like the Turks who have jumped into the trenches ahead of us."

The grades were not issued on military contributions alone. There were six criteria by which the nations were assessed:

o   Military participation

o   Financial contribution

o   Compliance with UN sanctions

o   Political support

o   Response time

o   Special factors involving a nation's ability to contribute and limitations on its contributions.

# # # #

0039

BURDENSHARING

REPORT

CARD

ON THE

PERSIAN

GULF

CRISIS

by Rep. Les Aspin

House Armed Services Committee
2120 Rayburn Office Building
Washington, D.C. 20515

November 14, 1990

0040

PERSIAN GULF CRISIS
REPORT CARD

Student	Grade	Observations
France	B	One bad term paper
United Kingdom	B+	She always has the most brilliant analysis
Germany	C	Distracted; could contribute more
Other Europe	C-	Class attendance is poor
Turkey	A+	Superb performance with no prompting needed
USSR	B	Not yet quite up to full potential
Kuwait	A	Excellent despite family house burning down
Saudi Arabia	B	Underachiever; should really be tops in class
Egypt	A+	Performing far beyond potential
Syria	B+	Disruptive student now back in class
Jordan	B+	Big problems at home; noisy family; coping well
Yemen	F	}
Libya	F	} Disruptive student; consider for expulsion
Sudan	F	}
Other Arabs	C	Often playing hooky
Iran	D	Self-centered; unable to work with others
Israel	—	Auditing class
Japan	C	Problems at home, but can still contribute more
United States	A-	Excellent start; floundering a bit now.

0041

Introduction

The current confrontation in the Persian Gulf between the world and Iraq is the first defining event of the new world after the Cold War. As such, it has a significance that far transcends the narrow albeit significant issue of the future of Kuwait and Saudi Arabia. The question for the new post-Cold War world is whether an international community no longer dominated by the East-West balance of terror will allow jungle law to define the new era or whether it is to be capable of enforcing some standard of behavior.

One option calls for the United States to act as the policeman of the world, collaring the bullies and thugs like Saddam Hussein. But that is a role the American public rejects. While we have always been willing to be part of a larger, multinational security effort, we are unwilling to arrogate to ourselves the burdens or the benefits of the solitary policeman's role.

With Europe and Japan fully recovered from the ravages of World War II, and with considerable wealth now found among the oil producing nations, the American public in recent years has demanded that the burdens of international security be more equitably shared. The confrontation in the Persian Gulf provides an appropriate time and place for judging how the world is doing in meeting the challenge and sharing the burden.

In this analysis, I propose to grade the performances of the other major players. For simplicity's sake, I have rated each country with a simple schoolhouse A-to-F grading system. This is not meant to trivialize an important issue, but rather to summarize and give greater clarity to an analysis that is necessarily nuanced and intricate.

Grading standards

Before we can assess the performance of individual players, we need a set of grading guidelines. The most fundamental principle of the new world order must certainly be:

All nations share the benefits of international security and stability and therefore must, commensurate with their capabilities, share the responsibility for maintaining that security and stability.

0042

The criteria by which I have assessed individual nations in this crisis flow from that fundamental principle. I have used six such criteria:
- Military participation;
- Financial contribution;
- Compliance with the UN sanctions;
- Political support;
- Response time; and
- Special factors involving the nation's capabilities and mitigating circumstances. This last criterion is necessary because we cannot assess nations based on how their contributions compare with those of other nations in absolute terms -- nations obviously vary in capabilities, constraints and what they have at stake. Furthermore, some should be donors in this crisis while others contribute by virtue of the severe losses they suffer in facing the threat.

A few general observations are needed to set the stage for the national assessments.

First, the United States was obviously one of the workhorses of the old order and has leapt into the traces again to lead the effort in this first test of the new order. The United States should certainly do its share but, frankly, it has been weakened by pulling far more than its fair share in the past and simply should not and cannot go on doing so. In the current crisis, it has deployed in the area far more troops than all of its partners combined. It is already paying the lion's share of the costs in treasure and will no doubt pay the lion's share in blood if it comes to combat.

While the world is busily debating whether the soft Americans will sustain a confrontation when faced with any substantial casualties, the world ought also to consider the attitude of the American public should a war erupt in which the casualties are overwhelmingly American. If Americans are critical today of the relative unwillingness of others -- chiefly Europeans and Japanese -- to share the burden of this confrontation, imagine how critical -- even furious -- they are likely to be when they see few others paying the bloodprice. One should expect the American public to demand that the Congress and the Administration impose a heavy penalty on non-participants.

Second, we should recognize that the much improved relationship between the United States and the Soviet Union is now promoting global solidarity rather than confrontation. For 40 years, the intense competition between the superpowers and the coalitions behind them stymied meaningful efforts at international cooperation. Now, for the first time, the United Nations has been able to leave those bloc politics behind and assume an active leadership role. The world Woodrow Wilson envisioned seven decades ago now has a chance of emerging into reality.

A third general observation regarding this crisis is that, for the most part, the Arab world has also risen above the bloc politics of the past to join actively in the opposition to the Iraqi aggression. Arab military and

0043

financial contributions to the multinational effort underscore the vital political message to Saddam Hussein that he is isolated – even in his own backyard. There is little doubt that Saddam miscalculated on that score and was surprised to find such resolute opposition to his aggression among his Arab brethren. To Saddam's claim that the current crisis was generated by the United States with a fig leaf of international cover, the Arab community has responded forcefully that Saddam has broken not just international law but the Arab code, and that he must reverse his course.

On the other hand, the Arab nations of the Gulf did not comprehend the threat in July and failed to respond in the days before the August 2 invasion. The United States offered concrete military support to the Gulf nations when Saddam began his buildup in July. Only the United Arab Emirates accepted our offer – and it quickly denied any connection between the crisis and our deployment of aircraft to the UAE. So, while the regional response after the attack was swift and clear, none of the governments showed the kind of pre-invasion resolve required to have had any hope of dissuading Saddam from invading Kuwait.

As a handy reference aid, one table at the end of this report summarizes the contributions made by the nations rated here. A second table summarizes the contributions of other nations not specifically cited in this report card. A third table lists all the ground forces so far committed to the theater. The three tables together give a compact yet comprehensive summary of how the world is responding in measurable terms.

The tables and text reflect where we are as of early November. In some cases, this report shows what has been delivered. In other cases, it shows what has been promised and awaits delivery. There is legitimate reason to question, for example, whether Japan's promised aid will materialize, but also good reason to expect more Saudi aid will surface.

A future report card measuring the fulfillment of promises and the extent of political, military and financial contributions is planned for a later date. This stands as a report card on the performance of the nations playing key roles three months into the international confrontation.

Western Europe

We begin our assessments of individual nations by looking at Europe. For characterizing our grading curve for European countries thus far in this crisis, it would be difficult to improve on British Prime Minister Margaret Thatcher's own words:

> It is sad that at this critical time Europe has not fully measured up to expectations. The only countries in Europe which have done significantly more than the minimum are Britain and France. It's not what you say that counts but what you do. We cannot expect the United States to go on bearing major defense burdens worldwide, acting in effect as

4

the world's policeman, if it does not get a positive and swift response from its allies when the crunch comes -- particularly when fundamental principles as well as their own interests are just as much at stake.

That leads us logically to start with the nations Mrs. Thatcher singles out.

France

Despite its special relationship with Iraq in the past, France has been a leader of the European response to the Iraqi aggression, especially following the intrusion of Iraqi forces into the French Embassy in Kuwait September 14. After that, President Francois Mitterrand immediately ordered 4,000 additional troops to Saudi Arabia and expelled Iraqi defense and intelligence officials from the Iraqi Embassy in Paris.

France now has almost 13,000 military personnel committed to the crisis and deployed in the general area. Paris has had to make its military contributions to the Gulf effort over the protests of domestic critics who reflect traditional French reluctance to participate in multinational military operations, especially outside Europe, and French aversion to integrating French units into multinational military structures. We find France's willingness in this case to commit its forces and integrate them into the multinational effort a welcome contribution and a further recognition of the greater degree of interdependence involved in the new world order.

The 5,000 French ground troops are lightly equipped -- they have armored fighting vehicles but no tanks or heavy artillery. They are, however, from the well trained and experienced Rapid Action Force.

France has also provided important political leadership in international organizations, encouraging the U.N. Security Council to act promptly in adopting its resolutions and pressing the European Community to increase its relief aid to the front-line states suffering from the crisis. However, President Mitterrand's late-September peace proposal undoubtedly encouraged Saddam Hussein to believe he could outlast us. Among other difficulties, the plan implied that if Saddam stated his *intention* to withdraw from Kuwait, the embargo could be loosened and negotiations could begin. Although President Mitterrand later said that Iraq must actually *complete* its withdrawal to trigger the loosening of the embargo and commencement of negotiations, damage had already been done. Still, Mitterrand's oral blunder was little different from President Bush's similar, inept speech broaching compromise.

How was the French response time? Their initial response was meager, a more robust response did not come until the Iraqi intrusion into the French Embassy in Kuwait, almost six weeks after the invasion. So, there is room for improvement here.

0045

-5-

French contributions to the multinational effort have been substantial, but are they completely commensurate with French capabilities? Probably not — they can do more, and maybe they will. Averaging its performance against all six criteria, France gets a B.

United Kingdom

Mrs. Thatcher's United Kingdom has responded to the crisis in similar fashion. British land, air and naval personnel pledged to the operation now number roughly 15,000. The core of the ground force is one of the best equipped units in the British Army, an armored brigade from Germany. The brigade's 7,000 troops will be joined by about 2,000 support personnel. The unit will add much needed heavy elements to the multinational forces. It has more than a hundred main battle tanks, almost fifty armored fighting vehicles, an artillery regiment with 155mm self-propelled guns, and a helicopter detachment.

Britain's ability to sustain its ground troops deployed to Saudi Arabia, however, is apparently not quite up to the challenge. The British armored Brigade reportedly will depend on the U.S. for its logistic support.

The British have also sent additional combat aircraft to the region to supplement those already assigned there. They now have about 40 combat aircraft in the area (Tornado ground attack and air defense fighters and Jaguar ground attack aircraft). They are also operating 12 ships in the area as well as some maritime patrol aircraft.

The British financial commitment to the effort is not as great as that of the French -- London has pledged $10.3 million in relief of the front-line states versus $40 million by Paris. Both are meager offers.

Britain's political support of the Gulf effort has been typically solid. It has been active in the U.N. Security Council and in building international consensus behind the allied coalition.

The British do not score high in response time. The armored brigade from Germany is only now completing its deployment in Saudi Arabia, having taken three months to get into place.

Like the French, the British could probably muster more wherewithal in support of the international effort in the Gulf. London has been steadier than Paris in its political resolve and has committed a heavier military force, but its financial support has been lighter and its response time has been somewhat longer. Give the British a B-plus.

Germany

Turning to Germany, let's begin with what Bonn *has* done. In the military sphere, it has sent seven ships to the Eastern Mediterranean -- not the Gulf -- to replace U.S. ships diverted to the Gulf. It has offered the use of German air bases to help facilitate U.S. deployments to the Gulf.

0046

52 걸프 사태 한미 협조 2

6.

In the financial sphere, Bonn has pledged just over $2.1 billion, which, unlike the French and British contributions, meets Everett Dirksen's definition of real money. Half supports U.S. deployments in the Gulf, and half aids front-line states. The amount pledged to U.S. deployments will consist of the following: about $645 million worth of various military support equipment such as generators, cranes, radio and engineering equipment, water tanker vehicles, and defensive equipment for nuclear/biological/chemical (NBC) environments; about $130 million worth of NBC recon vehicles; and about $260 million to charter air and sealift for U.S. forces. Roughly half of the support equipment will come from the deactivated East German Army. In other words, a third of a billion of this contribution is a spoil of victory in the Cold War.

Now, let's look at what Germany has *not* done. We should first say that Chancellor Helmut Kohl is right. When visited by Secretary of State James Baker in mid-September, he said that, in putting soldiers on the line in Saudi Arabia, other countries are "acting on our behalf, and they are also defending our interests. . . . We are tops in the field of exports, but we are not fully assuming our responsibility" in the Persian Gulf.

Even in terms of Germany's financial contribution, it is not assuming its full responsibility. Germany is not only the world's leading exporter, it enjoys a 4 percent economic growth rate and a $55 billion current account surplus. It could certainly do more to offset the costs of those nations acting on its behalf, and could have certainly offered its contributions more promptly than waiting six weeks until Secretary Baker showed up at the front door soliciting funds.

In military terms, of course, Germany has not sent a single soldier, sailor or airman. Again, Chancellor Kohl strikes the right tone, saying in the same public forum with Secretary Baker, "Let me say very frankly that I am dismayed we are not completely free to act in the community of nations in a way we would like to act." The Chancellor was referring to constitutional constraints that many Germans argue bar deployment of German forces outside the NATO region, a limitation that the Federal Republic has honored throughout the post-war period. Chancellor Kohl is also pledged to seek, after all-German elections in December, a constitutional amendment relaxing the restriction on deploying German military forces overseas. But this is not a constitutional bar as explicit as Japan's Constitution. In fact, some even question if it might be just a convenient crutch on which to lean when Germany doesn't really want to do more.

The Cold War is over. The stark requirements of the new world order are upon us. Germany is eager to be in the forefront of that new world order when it involves German unification, where Chancellor Kohl questions no sacrifice and bears every burden. The future-looking attitude ought to be applied elsewhere.

Let's agree with Chancellor Kohl that Germany is not fully assuming its responsibility. Give Germany a C.

0047

Other European allies

What about our other West European allies? Mrs. Thatcher was right -- the others have not done nearly as well as the British and French. They have enforced all aspects of the trade embargo. Our NATO allies have allowed us unrestricted use of our European bases to support our Gulf deployments. All European Community members have expelled Iraqi military personnel from their countries and restricted diplomatic activities for Iraqi Embassy officials. But all this is more in the category of minimal compliance than in the realm of burdensharing; expelling Iraqi spies is hardly a burden. Our European allies remain, on the whole, reluctant to become directly involved in defense efforts in the Gulf. They have provided strong political support. Still, given the fact that public opinion polls show overwhelming public support in Europe for demanding Saddam's withdrawal from Kuwait, that has been no burden either.[1]

The United States has recommended that its NATO allies consider sending ground units to join the multinational forces in Saudi Arabia. Thus far, however, military support from that quarter, other than the British and French, has been limited to naval deployments, a few combat aircraft, and overflight and landing rights.

Financial support from our European allies has been uneven. The European Community has pledged $2 billion to assist Egypt, Turkey and Jordan, $500 million of which was disbursed immediately after the pledge was made. Italy has pledged $150 million to the relief effort and Canada has offered $75 million for refugee aid and transportation of military forces to the area. Others have pledged much smaller amounts or made no pledge at all.

In sum, the bulk of our European allies have given solid (and painless) political support, passable economic support, and mere token military support. These dozen nations as a bloc, therefore, get a C-minus.

Turkey

It is necessary to single out one NATO ally, Turkey, for special credit. Turkey has responded admirably -- and at considerable cost. Ankara promptly shut down the oil pipeline from Iraq that runs through Turkey to the Mediterranean Sea, thus closing off an important export avenue for Iraqi oil, along with almost 70 percent of Turkey's own oil supply. Iraq has reportedly impounded $1.5 billion in Turkish assets, and

---

[1] A mid-October poll showed 70 percent of the respondents in Britain, Germany, France, Italy and Spain supported the use of military force to end the occupation of Kuwait.

0048

estimates are that Turkey will lose more than $4 billion in a year of sanctions. All of this is from a total Turkish economy of only about $100 billion.

The Turkish role may be more in negative terms -- that is, its economic losses -- than in positive terms. But that in itself makes it all the more laudable. The kinds of burdens Turkey has voluntarily shouldered are the kind most governments shy away from because political opponents can so readily use them to attack the government for shooting the country in the foot.

Turkey has also been prompt in providing extensive base facilities for U.S. military units deploying to the area. It has reinforced its own military forces opposite Iraq, moved them closer to the border, and is considering deployment of a naval contingent. Turkey deserves credit and allied assistance for its ready and costly response. Give Turkey an A-plus for its contributions.

The Soviet Union

One other European country deserves special treatment here -- the Soviet Union. We have already pointed to that country's important role in building a new superpower relationship that has helped facilitate a unified international response to Iraqi aggression.

No one can argue about recent Soviet contributions to global security and stability in a broad sense. The Gulf crisis, however, has demonstrated that, for various reasons, the U.S.S.R. is not prepared to take on a full load of responsibilities for maintaining global security and stability. Its response has been high in political substance but very low in military and (understandably) financial terms.

Politically, Moscow joined its former superpower adversary in opposing the Iraqi invasion almost immediately. The tone of the Soviet-American message to Saddam Hussein was set at the Helsinki summit at which the two presidents published a joint statement that declared:

> We are united in our belief that Iraq's aggression must not be tolerated. No peaceful international order is possible if larger states can devour their smaller neighbors. . . . Nothing short of complete compliance with United Nations Security Council Resolutions is acceptable.

That message has been amplified repeatedly by both superpowers. For example, Soviet Foreign Minister Eduard Shevardnadze stated before the United Nations in late September that:

> This is a major affront to mankind. In the context of recent events, we should remind those who regard aggression as an acceptable form of behavior that the United Nations has the

0049

power to suppress acts of aggression. There is ample evidence that this right can be exercised. It will be, if the illegal occupation of Kuwait continues.

At least until the last few weeks, Moscow has continued to work closely with Washington and the other members of the U.N. Security Council to increase the pressures on Saddam Hussein. The Soviets provided a driving force in the U.N. deliberations on that organization's role in organizing military responses to this crisis. Except for its ill advised repetition of its long-standing proposal of an international conference to deal with the "complex and interlocking problems" of the Middle East -- a proposal that was hastily offered and soon left to languish -- the Soviet political campaign in this crisis has been both responsible and responsive. That gaff put the Soviets in the same crowd with Presidents Bush and Mitterrand and their similar ill-conceived and disruptive speeches.

In the last few weeks, however, a gap appears to have opened between Shevardnadze, advocating continued work in harness with Washington, and President Gorbachev, who is flirting with some sort of compromise concept. The problem with the talk of a compromise settlement is that it reduces the pressure on Saddam to get out of Kuwait. The irony is that talk of avoiding war through compromise makes war all the more likely because Saddam is less likely to feel an urge to comply with the UN resolutions. Thus, the most recent political moves emanating from Moscow have not been at all helpful.

At considerable expense to its own financial standing, however, the Soviet Union has fully supported and complied with the embargo. Iraq for a long time was the Soviet Union's favorite non-Bloc customer. The Soviets were by far Iraq's leading arms supplier and those arms sales were on the upswing when Saddam invaded Kuwait. In fact, Iraq had placed orders for some of the most advanced and expensive equipment in the Soviet inventory. Baghdad currently owes Moscow about $6 billion for past deliveries and was paying off in oil that Moscow would then sell abroad for much needed hard currency. Despite this, Moscow suspended arms sales to Baghdad.

Yet, Moscow has not made a military contribution to the multinational defense effort. Several Soviet naval vessels have operated in the Gulf region and have coordinated with the allied embargo effort, but these were standard deployments and Moscow has announced it will not play a military role except under United Nations auspices. It is also true that Moscow was slow to begin withdrawing 150 to 200 "military technicians" and several hundred civilian advisors to the Iraqi defense industry, saying they were not providing any offensive training and all would be withdrawn upon the conclusion of their contracts. As it turns out, many of these Soviet personnel, among others of the 5,000 or so Soviet citizens in Iraq, have been denied exit visas by the Iraqi government and remain Baghdad's "guests."

0050

10

The Arab World

Saddam Hussein is first and foremost a threat to the Arab world, which he itches not to lead but to command, in the sense of master, dictate and direct. But Saddam is no Saladin or Nasser. With the invasion of Kuwait, most Arab regimes recognized the threat Saddam poses to the very heart and sole of Arabism. Yet some still try to ride the wild horse of Saddamism as if it were a tame pony.

Kuwait

Kuwait has suffered a brutal invasion and tragic loss of life, and is being plundered. It recognizes Saddamism for what it is. Kuwaitis have been fighting back in many ways. A considerable resistance to the Iraqi occupation began immediately and continues today, although the harsh and brutal tactics of the occupation forces have eroded the resistance significantly. Several thousand Kuwaiti military personnel escaped the invasion and are forming Kuwaiti units in Saudi Arabia.

The Kuwaiti government in exile agreed promptly to help pay the costs of the multinational effort against Iraq. It has pledged $5 billion to the effort, split between the United States military operation and the frontline states. In fact, the Kuwaiti government has already deposited $750 million in cash into the U.S. Treasury's Defense Cooperation Account established to accept direct foreign contributions to offset the costs of Operation Desert Shield.

The Kuwaitis, regrettably, missed the boat before the invasion, declining all offers from us that might have dissuaded Iraq from attacking. Still, since the Iraqi attack was launched, their performance has been nothing short of remarkable.

The Kuwaiti Air Force, for example, resisted admirably. Although the opening act of the war cratered the runway at Ali As-Salem airport, Kuwaiti airmen manhandled their aircraft to the neighboring highway, took off and attacked targets until the airfield was overrun a few hours later. Airmen at the other airfield flew missions for two days until their base was similarly overrun.

0051

Air units from both fields retired in order to Saudi Arabia, where the Kuwaiti Air Force still exists -- about 40 aircraft in all -- and is preparing for the next round. After the fall of Kuwait, a resistance developed immediately. And, although the Iraqis offered roles in the occupation government to numerous members of the political opposition, none took up the offer. There were no quislings to be found. The Kuwaitis get an A.

Saudi Arabia

Saudi Arabia has also responded well. The Saudis have been leaders in the important tasks of countering Saddam's efforts to split the coalition confronting him and keeping him isolated within the Arab community. They were quick to invite multinational forces into their country and provide base facilities as well as most in-country needs such as fuel and water. Most significantly, they realized within days that the old "over the horizon" relationship with the United States had been de-molished. The Saudi-American alliance is now out of the closet. And the Saudis have shown no qualms about proclaiming it -- at least for now.

The Saudi government has also pledged roughly $10 billion -- $4 billion to $5 billion to offset foreign military costs and over $5 billion to assist front-line states. And, of course, the Saudis have committed their more than 65,000 military personnel to the defense effort.

So, Saudi Arabia is doing a lot in this multinational operation. It can, however, certainly afford to do what it is doing -- and more. Given the rise in oil prices and in Saudi oil production, the Saudis -- conservatively -- stand to enjoy windfall profits of roughly $150 million a day.[2] At that rate, a $10 billion Saudi contribution to the multinational military effort would absorb less than 10 weeks of increased Saudi revenues. Since the confrontation with Saddam Hussein is now almost 15 weeks old, the Saudis have already earned significantly more than they have pledged to the effort.

---

[2] This is based on the following assumptions:

	Production (million barrels per day)	X Price (dollars per barrel)	= Income (million $ per day)
First-half 1990	5.5	$16	$ 88
September 1990	7.5	$32	$240

The increase in income is thus $152 million a day. This is conservative since the October price has been substantially greater than $32 a barrel. But a conservative calculation is warranted given the volatile nature of the oil market.

0052

Money does not grow on trees, but in Saudi Arabia it does spew from derricks. More should be expected of Riyadh.

One of the fundamental issues in this confrontation is the security of Saudi Arabia. The world is helping the Saudis, and generously so. No one expects them to prostrate themselves before the armies that are coming to their rescue. But we have a right to state flatly that Riyadh should not make a profit out of this confrontation.

Ground forces from more than one dozen foreign nations have deployed to Saudi Arabia primarily to prevent an Iraqi invasion or intimidation of that country. Balancing Saudi Arabia's assets and its benefits from the multinational effort on the one hand with its contributions to the effort on the other, give the Saudis a B.

Egypt

Egypt's response to the Iraqi aggression has also been commendable. Cairo sent 2,000 troops to Saudi Arabia shortly after the invasion and promptly committed a total of 30,000 ground troops -- more than any other country apart from the United States and Saudi Arabia itself. And, it seems clear that Egypt is prepared to maintain those deployments for the long haul -- Cairo is reconstituting units in Egypt to take the place of those sent to Saudi Arabia.

Financially, Egypt is one of the hardest hit by the crisis (along with Turkey and Jordan). In addition to its military expenses, estimates are that it will lose several billion dollars a year in revenues. This includes losses from the now prostrate tourist business, from the decline in Suez Canal revenues due to the embargo, and about $1 billion a year in hard currency remittances from Egyptian workers in Iraq and Kuwait who are being dumped onto the beleaguered Egyptian economy and who now become part of Egypt's pressing social problem rather than part of its solution.

Egypt has been an active political partner as well. It has worked hard diplomatically to secure additional international political, military and financial support for the joint effort. Egyptian President Hosni Mubarak has been firm in condemning Saddam Hussein's aggression as a violation of Arab as well as international law and helping isolate him in the Arab World.

Egypt is shouldering responsibility in this crisis fully commensurate with its capabilities and doing so in a responsive manner. So, give Egypt an A-plus.

Syria

Syria has performed better than one should have expected. It is deploying about 15,000 troops to Saudi Arabia, including an armored division with more than 300 tanks. Interestingly, this division is being

0053

taken from the Golan Heights, a decision that may have significance beyond this confrontation. About 4,000 arrived in Saudi Arabia within the month after the invasion. The Syrians also called up reservists to replace the deployed forces.

In an unpublicized lapse in its performance, however, Syria has looked the other way while residents of its eastern border communities have continued their traditional trade with Iraqi towns across the border. This was the price paid for domestic peace in those communities.

Syria has not been as active as Saudi Arabia and Egypt in marshaling foreign participation in the effort, but Syrian President Hafez al-Assad has worked with Tehran in an attempt to bolster Iranian resolve in opposing Saddam and resisting Iraqi attempts to buy Iranian support. Of course, Assad is a long-time rival of Saddam's and has his own reasons for joining the multinational effort. Nonetheless, Syrian actions are clearly supportive of the joint effort and are probably just about commensurate with Syrian capabilities. And Syria also has to pay a domestic political and ideological price for its resolve. Damascus has earned a B-plus in this course (though still getting failing marks in other subjects, such as human rights compliance).

Jordan

Jordan is between a rock and a hard place. The Jordanian economy is being devastated by the crisis, more so than any other country. Prior to the invasion, it was tied inextricably to the economies of Iraq and Kuwait, which bought about a third of Jordan's total exports, including more than two-thirds of its industrial output. The World Bank estimates that Jordan could lose a quarter of its gross national product as a result of the embargo. No other country is being asked to pay this kind of penalty.

In addition to its economic crisis, King Hussein faces serious political pressures stemming primarily from the fact that the majority of his country's population is Palestinian and supportive of Saddam Hussein as a strong Arab leader committed to the future of a Palestinian homeland. These economic and political pressures have resulted in mixed signals from Amman, some providing political succor to Saddam and some supportive of the U.N. Resolutions.

As any reading of the daily media shows, Jordan has not fully complied with the embargo. But given its constraints, Jordan's compliance has been more than satisfactory. Jordan's trade with Iraq is down to a trickle. The main problem for Jordan is that this trickle has regularly appeared on the evening news. The volume of goods crossing the Syrian and Iranian borders may even exceed that crossing the Jordanian border, but those regimes don't let anyone film their border posts.

0054

Hopefully, allied financial assistance and political support will enable Jordan to continue distancing itself from Iraq. Given the domestic political pressures on the king and the economic devastation resulting from enforcement of sanctions, Jordan's performance is excellent. Give Jordan a B-plus.

More than a good grade, however, King Hussein would undoubtedly prefer a little economic help from the Saudis and Gulf Arabs who have spent the last few months treating the king like a kickball and making it harder for him to help them! The goal here should be to encourage Jordan to help. Unfortunately, the Saudi propensity for punishing King Hussein for his initial non-compliance just makes it all the harder for him to be helpful in the future. That's one reason Jordan gets higher marks than the Saudis themselves.

The rest of the Arab world

Looking at the rest of the Arab world, most countries outside the Gulf region get at best a C. Most have dodged and weaved, trying either to avoid the issue entirely or play both sides of the fence simultaneously.

But three Arab states need to be singled out -- Yemen, Libya and the Sudan, all of which get Fs because all of them are clandestinely trying to help Saddam Hussein evade sanctions. **Yemen** has a special role as the only Arab nation on the Security Council, where it has cast a string of abstentions. Yemen has a divided population, with residents of the capital favoring Iraq and the rest of the country generally anti-Iraqi. This can explain why its public diplomacy has swerved from one position to the other. Privately, however, it has cast its lot with Saddam Hussein. Yemen should not expect that to be forgotten. The **Sudan** could have sat this one out and no one would have complained given the country's political and economic chaos. But Khartoum didn't have the sense to sit it out and has instead exerted itself to help Saddam evade sanctions. As for **Libya**, no one expected much of Moammar Qadhafi -- and we haven't been disappointed.

The Islamic Republic of Iran

Iran isn't capable of any appreciable military or financial contribution at this time since the revolutionary regime has spent the past decade running the Iranian economy and military into the ground. Yet, both self-interest and historical bitterness toward Saddam dictate that it do its utmost to cut Saddam Hussein down to size. But the revolutionary zealots of the Islamic Republic are still consumed more by their mythical visions of the Great Satan than by rational analysis. Fortunately, the current leadership team of President Ali Akbar Hashemi Rafsanjani and spiritual

0055

leader Ali Khamenei provide a veneer of rationalism. Of course, they must periodically nod in the direction of revolutionary myths -- and they are calculating.

The regime is not *grossly* violating sanctions. Oddly, the Bush Administration has made a point of repeatedly defending Tehran against charges of sanctions-busting. It is unlikely that Iran will allow a pipeline to be built across the border so that Iraq can export oil -- its sole source of income with which to pay the many business firms itching to bust sanctions for a profit. A pipeline would be too obvious, now that Tehran knows we are watching. But that does not mean Iran is simon pure. Iranian foodstuffs can be found in Baghdad. And Tehran recently leased 4,000 oil tanker trucks from Turkey!

Iran will look after itself -- and only itself -- in this confrontation. That means it will grab whatever money or other benefit it can from the confrontation. It will be restrained from selling to Iraq only by Iraq's ability to pay and Iran's fears of being caught. Common western wisdom says cooperation will stop when it comes to military supplies. Uncommon Iranian revolutionary wisdom, however, argues that Saddam cannot survive an American offensive -- and that the more American troops he kills on his way to oblivion the better for Iran. So, we shouldn't be surprised if the Islamic Republic of Iran even helps the Iraqi military. Iran gets a D.

Israel

Israel is unique. The United States just wants it to audit this course or take it by correspondence. Class participation is not desired and is actively discouraged. Israel can best exercise its responsibilities by doing nothing that diverts attention from Iraq and aids Saddam Hussein in his effort to convince Arabs this is an Arab-versus-Israel dispute rather than the World-versus-Saddam.

Israel fully understands its role. We have asked it to be calm and quiet and to stay on the sidelines. It has done so. Unfortunately, Israel has fulfilled its role in a uniquely Israeli manner by frequently standing up on the sidelines, waving furiously at the press box and shouting, "See how quiet I'm being!"

The Temple Mount shooting has not helped either. The Israeli government did not plan that unfortunate incident and has suffered politically from it. But the fact remains that it distracted the United Nations from the Iraqi occupation for the better part of a month and has complicated the effort to manage a focused and unified response to Saddam's ambitions -- ambitions that threaten Israel in the long run.

0056

Japan

Japan shares Germany's key strength as well as one of its key problems in this crisis, but does not suffer from the same crowded agenda or conflicting financial obligations. Let's begin with the key strength -- Japan's economy. It is the second largest in the world. It is larger than the combined economies of France, Britain and Italy. The core of that economy is a manufacturing sector that imports more than 99 percent of the oil it burns -- about 70 percent from the Persian Gulf.

Japan's defense budget is also sizable, now ranking fifth or sixth in the world. It has built a competent, well-equipped armed force totaling 250,000 personnel -- only about 55,000 fewer than British forces. And, it has a mutual defense treaty with the United States that finds almost 50,000 American troops stationed in Japan and helping protect Japanese security interests.

Yet, with so much capacity and with so much at stake in the Middle East, Japan has sent no forces to the Gulf. It pledged financial contributions well below its capabilities six weeks after the invasion and only after intensive browbeating from the international community, especially from the U.S. Administration and Congress.

Here again, we agree with the Japanese leader, Prime Minister Kaifu, when he told his people that Japan's status as a world economic power leaves it no choice but to take an active role in global politics as well. Unfortunately, the current crisis has not provided the time for that message to take hold in the Japanese government or populace. The international community has had to respond by putting people and money on the line for common security and the Japanese are way below the curve in doing their fair share.

What *has* Japan done? In mid-September, it responded to the pressures of the United States and other allies by pledging $4 billion -- $2 billion in logistical support to the multinational defense effort, and $2 billion to the relief of front-line states. The military logistics support is to come in the form of ships and aircraft transporting troops and supplies, equipment for desert use (for example, 800 4-wheel-drive vehicles) and medical personnel.

The Japanese have had real difficulty delivering even on this type of logistic support. Transfer of the off-road vehicles to the Gulf was delayed, for example, when Japanese shipping unions refused to handle them. The deployment of Japanese medical personnel to the Gulf has been held up because Tokyo has been unable to obtain sufficient volunteers.

We have only a partial fix on the $2 billion in assistance to front-line states. Some $600 million is to come in the form of emergency commodity loans at a 1 percent interest over 30 years. And, two Japanese airlines have provided wide-body jets to fly East Asian refugees from

0057

Jordan to their homelands. This is consistent with the Japanese track record in such matters -- providing loans rather than grants and ensuring that as much of the money as possible is spent in Japan.

Japan has a real and a serious constitutional impediment. The Japanese Constitution was imposed after World War II by the United States. The United States wrote the provisions that declare: "The Japanese people forever renounce war as a sovereign right of the nation;" and bar the threat or use of force as a means of settling international disputes.

Like Chancellor Kohl, Prime Minister Kaifu is committed to an effort to relax the restrictions on the use of Japanese military personnel. But Kaifu has not merely promised action later; he has already moved. He has submitted to a special session of the Japanese Diet a bill to create a "UN Peace Cooperation Corps." There are a lot of problems even with this new proposal. The Peace Cooperation Corps would operate only under UN auspices and would be non-combatant. It may be that in order to serve in this corps, military personnel would have to temporarily resign form the Japanese armed forces and, if deployed to a crisis area, they might even be withdrawn if armed conflict broke out. But even this minimalist proposal has run into a buzzsaw of opposition, underscoring the extreme Japanese fear (shared by many of Japan's neighbors) of any foreign policies that recall pre-war Japan's foreign adventurism. It's irrational. But it's real. And it inhibits what Kaifu can do.

The Japanese clearly have a great deal of homework to do before responsibly joining the post-Cold-War world. While awaiting that homework, the rest of the class has a right to expect Japan to contribute in the one way in which it is not politically inhibited -- financially. Give Japan a C.

United States

The Bush Administration got off to a fantastic start. It recognized the threat to the world order posed by the Iraqi invasion better than any other government and moved with remarkable speed and agility to organize the world to confront Saddam Hussein.

Briefly, it got out ahead of the rest of the world, prompting the usual complaints about America's "cowboy" mentality and charges of over-reaction. But that has dissipated now. If anything, world public opinion may be ahead of American public opinion today. That is because President Bush has proven to be an inept communicator and has failed to convey to the public why we are in Saudi Arabia. Suggestions that we are deploying a quarter-million troops to shave a dime or two off the price of a gallon of gas have been allowed to fester.

The great start warranted an A-plus. But the Administration's performance has gotten a little ragged as the weeks have dragged on. So, give the United States an A-minus.

0058

Conclusion

These are not final grades. This report card covers only the first quarter. Unlike most courses, none of us know how long this one will last or how demanding the final quarter will be. But, for now, virtually everyone can and should do more, and we must continue to work closely together to present a powerful, united front so we can resolve this crisis and be far better prepared for the next one.

# # # #

Table 1

TABLE OF GROUND FORCE CONTRIBUTIONS TO MULTINATIONAL EFFORT

comprising ground troops located in Saudi Arabia
as of early November or expected reasonably soon

U.S. Army	120,000		
U.S. Marine Corps	45,000		
U.S. subtotal[3]		165,000	57%
Saudi Arabia	38,000		
Egypt	30,000		
Syria	15,000		
Kuwait	7,000		
GCC[4]	7,000		
Morocco	1,500		
Arab subtotal		98,500	34%
United Kingdom	9,000		
France	5,000		
Europe subtotal		14,000	5%
Pakistan	5,000		
Bangladesh	6,000		
Senegal	500		
Other Moslem subtotal		11,500	4%
GRAND TOTAL		289,000	100%

Iraqi Army	
in the Kuwaiti Theater	430,000
elsewhere	530,000

---

[3] These figures include nothing for the added increment the Administration began discussing at the end of October.

[4] The Peninsula Shield force of units from the Gulf Cooperation Council member states not shown above, viz., Oman, the United Arab Emirates, Bahrain, and Qatar.

0060

Table 2

TABLE OF NATIONAL CONTRIBUTIONS

covering the nations described in this report

NATION	MILITARY COMMITMENT			FINANCIAL COMMITMENT OR SACRIFICE (in $ millions)	EMBARGO COMPLIANCE	GRADE
	TROOPS TO SAUDI ARABIA	AIRCRAFT TO SAUDI ARABIA	SHIPS TO REGION			
Egypt	30,000	20	none	8,000 - 10,000 (1)	Yes	A
France	6,050 (2)	24 combat; 7 support	13	40	Yes	B
Germany	none	none	none	2,100	Yes	C
Iran	none	none	none	unknown losses and benefits	No	D
Japan	none (100 medical personnel)	none	none	4,000	Yes	C
Jordan	none	none	none	1/4 of GNP (3)	Yes (4)	B+
Kuwait	7,000	40	none	incalculable (5)	Yes	A
Libya	none	none	none	none	No	F
Saudi Arabia	65,700	180	25	10,000	Yes	B
Sudan	none	one	none	unknown	No	F
Syria	14-15,000	none	none	? (6)	Yes	B
Turkey	none	none	none	4,100 (7)	Yes	A
United Kingdom	10,000	30 (8)	12	10 (9)	Yes	B+
USSR	none	none	2	800 (10)	Yes	B
Yemen	none	none	none	2,500 in losses	No	F
US	>200,000	500	60	? (11)	Yes	A-

N.B. Footnotes will be found on the following page.

0061

걸프사태 : 한.미국 간의 협조, 1990-91. 전9권 (V.3 1990.10-12월)　67

Footnotes:

1. Egypt's losses in this estimate do not include costs associated with its military deployments; losses will be somewhat offset by debt forgiveness and direct aid. Gulf countries have forgiven about $8 billion and the U.S. $7.1 billion; Egypt is one of the primary recipients of aid from international financial contributions.

2. France, in addition to ground and air personnel in Saudi Arabia, has 1,550 naval personnel on the 13 ships involved in the region, 400 troops in the UAE, 200 in Qatar and the 4,500 troops permanently stationed across the Red Sea in Djibouti.

3. Jordan's economy is being devastated by the crisis. Pre-crisis, Iraq and Kuwait bought about a 1/3 of its exports including more than 2/3 of its industrial output; was dependent on Iraqi/Kuwaiti oil; World Bank estimates Jordan could lose 1/4 of its GNP as result of the embargo.

4. Initially, Jordan did not comply with the embargo; now, despite domestic political and economic pressures to the contrary, Jordan government enforcement has reduced trade with Iraq to a trickle. Allied assistance will help sustain compliance.

5. Kuwait has lost control of all domestic assets; Iraq is plundering Kuwait, removing much of its wealth, and exporting much of its citizenry (a Kuwaiti official estimates only about 1/4 of pre-invasion Kuwaiti citizens remain in the country; government-in-exile reportedly controls roughly $100 billion in assets and investments worldwide.

6. Syrian government claims it would have received $2 billion from Iraq if it had opened oil pipeline; had about 30,000 workers in Kuwait; costs of military deployments are unknown; but, has received almost $2 billion from Saudi Arabia and other Gulf states for its support; benefits financially from higher oil prices; EC has been considering dropping trade restrictions against it.

7. Estimated losses of $4.1 billion in one year would be from a total economy of about $100 billion; in shutting down the oil pipeline from Iraq, Turkey cut off an important export route for Saddam, along with about 70 percent of Turkey's oil supply. Scheduled to receive substantial international assistance.

8. Britain now has 30 Tornados in Saudi Arabia; 12 Jaguar ground-attack aircraft operating out of Oman; several tankers in support.

9. London has pledged $10.3 million to refugee assistance; its contribution to the EC fund is unknown; it estimates a cost of $4 million/day to support its military deployments, along with a $190 million start-up cost.

10. Iraq owes the USSR about $6 billion for past arms sales; was paying in oil that Moscow sold for much needed hard currency; Moscow has suspended arms shipments and all other trade.

11. DoD estimates a cost of $15 billion for FY91 to sustain current deployments, of which as much as half, might be offset by foreign contributions. CBO estimates U.S. FY91 costs at about $7.5 billion, with foreign contributions possibly offsetting those costs in full. U.S. is also forgiving Egypt's $7.1 billion debt and providing foreign aid to several countries in the region.

Table 3

TABLE OF NATIONAL CONTRIBUTIONS

covering nations NOT described in this report

NATION	MILITARY COMMITMENT			FINANCIAL COMMITMENT OR SACRIFICE (in $ millions)	EMBARGO COMPLIANCE
	TROOPS TO SAUDI ARABIA	AIRCRAFT TO SAUDI ARABIA	SHIPS TO REGION		
Argentina	125-150 (1)	2 (1)	2	none	Yes
Australia	none	none	2	1	Yes
Bangladesh	6,000	none	none	3,500 in losses	Yes
Belgium	none	none (2)	4	unk thru EC (3)	Yes
Bulgaria	none (4)	none	none	none	Yes
Canada	none	none (5)	3	75	Yes
Czechoslovak	200	none	none	none	Yes
Denmark	none	none	1	unk thru EC	Yes
Finland	none	none	none	1-2 ?	Yes
Greece	none	none	none (6)	unk thru EC	Yes
Iceland	none (7)	none (7)	none (7)	2.5	Yes
Italy	none	none (8)	4	150 (8)	Yes
Luxembourg	none	none	none	unk thru EC	Yes
Morocco	1,200	none	none	none	Yes
Netherlands	none	offer 18 (9)	3	unk thru EC	Yes
Norway	none	none	1	none	Yes
Pakistan	5,000 (10)	offered (10)	offered (10)	1,100 in losses	Yes
Poland	none	none	offer 2 (11)	none	Yes
Portugal	none	none	1 (12)	unk thru EC	Yes
Senegal	490	none	none	none	Yes
South Korea	none (13)	none	none	220	Yes
Spain	none	none	4	unk thru EC	Yes
Sweden	none	none	none	1-2 ?	Yes
Taiwan	none	none	none	30	Yes

0063

Footnotes:

1. Argentina offered to send 125-150 Army personnel, 2 ships, 1 C-130 transport aircraft and 1 Boeing 707; ships are scheduled to arrive in the Gulf region in early November; ground and air assets are on hold pending invitation.

2. Belgium sent several C-130 transport aircraft to the region; at least 2 operated in Jordan ferrying refugees.

3. The EC has pledged $2 billion to the Gulf effort. We do not have information on the individual member contributions to that fund.

4. Bulgaria announce in late September it was prepared to send small military contingent (probably an engineer unit to clear land mines); no information on disposition.

5. Canada sent 18 F-18s and 2 C-130s to a base in Qatar from where they can fly in support of allied operations.

6. Greece did deploy 1 frigate to the Eastern Mediterranean.

7. Iceland has no military forces.

8. Italy sent 8 Tornados to a base in the UAE, from where they can fly in support of allied operations; unclear if Italy's pledge of $150 million is in addition to a contribution thru the EC.

9. The Dutch have offered to deploy 18 F-16s but Turkey declined to base them; continue to seek a base in the region.

10. Pakistan pledged 5,000 troops, initially were being deployed in the UAE, final disposition unclear.

11. Poland has offered a hospital ship and a cargo ship, preferably for transporting Egyptian and Moroccan forces; no information on actual deployment.

12. Portugal pledged 1 transport ship for Gulf movements, sent 1 frigate to the Mediterranean, and chartered 2 merchant ships to the U.S.

13. South Korea announced intention to send a military hospital unit; no information on actual deployment.

0064

관리
번호 90-2337

분류번호	보존기간

발 신 전 보

WUS-3942   901129 1917 DY

번   호 :   종별 :

수   신 : 주   미   대사. 총영사

발   신 : 장   관   (미북)

제   목 : 아국의 페만사태 지원 관련 언론보도 시정

1. 90.11.26.자 U.S.News and World Report지는 "Desert Shield deadbeats?" 제하의 기사에서 아국이 금년도에 5,000만불의 지원을 약속하고도 독일과 마찬가지로 상금 이를 이행하지 않고 있다는 기사를 개재하였음.

2. 이에대해 미주국장은 Hendrickson 주한 미 대사관 참사관에게 아국정부가 대미 현금 지원을 일부러 지연시키고 있는 것이 아니라 국회의 추경예산 처리 절차상 다소 늦어지고 있음을 설명하고, 추경예산 배정 절차가 완료되는대로 미측에 현금을 지원할 예정임을 알림. 아울러 미주국장은 아측이 미측에 대해 기 제공한 수송지원에 대해서는 언급하지 않고 아국이 지원 약속을 이행하지 않고 있다는 동 기사내용은 시정할 필요가 있음을 지적하고 미측이 동지의 독자 투고란 (letters to editor)을 이용, 동 기사가 사실과 다른 것임을 밝혀줄 것을 요청하였음.

3. 이에 대해 Hendrickson 참사관은 좋은 생각이라 하면서 금번 페만사태 관련 아국의 수송지원 문제 등을 담당하고 있는 주한 미군 군수참모 R.E. Beale 준장 명의 투고를 통해 동 기사내용을 반박토록 하겠다고 하였음을 참고 바람. 끝.

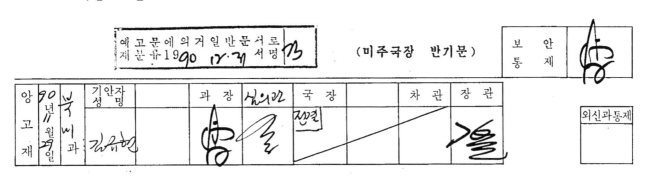

예고문에 의거 일반문서로
재분류 1990 12.31   서명 (서명)   (미주국장 반기문)

보 안 통 제
(서명)

양고재	90년11월29일	북미과	기안자 성명	김유현	과장	(서명)	국장	(서명)	차관	장관	(서명)

외신과통제

0065

U.S.News
& WORLD REPORT

NOVEMBER 26, 1990 $1.95

THE GULF CRISIS

**THE RISKS
OF INNER-CIRCLE
DIPLOMACY**

AIR TRAVELER'S GUIDE

SMART WAYS TO FLY

▶ EXCLUSIVE AIRPORT
   RATINGS

▶ ON-TIME AIRLINES

▶ TIPS FOR PAINLESS TRIPS

- 報論說 (FM. VFM. AFM)
- Letters to editor 引用
  시랑고리. (미측독린中)

0066

idea that there's no rotations ... [but] the longer you stay with nothing happening, the more people put it on the back burner, the more opposition it's going to get back home. ... No support at home: That's what a lot of us would find hardest to take."

Other costs may become clear only with time. After the crisis, Mideast experts warn, America will confront a host of troublesome issues in the Middle East. from regional arms control to the Arab-Israeli conflict. to possible rebellions against pro-Western Arab leaders, especially if the conflict ends in war. "I have no sense that they're planning for any of these," says William B. Quandt of the Brookings Institution. "When you've got five people all stretched to the limit, there is little time for anything more than crisis management." Quandt says the 1973 Arab-Israeli war "caught Henry

Desert quarters. *The troops wonder if they can ever leave*

Kissinger by surprise. But he immediately began asking, 'What position do we want the U.S. to be in when it's over?' "

Already, there are signs that some of the allies Bush and Baker are counting on may have different outcomes in mind. Yevgeny Primakov, a Soviet Mideast expert who sometimes—but not always—

reflects official thinking, last week suggested a deal that could give Iraq control over some Kuwaiti oil and territory, launch an international conference on the Arab-Israeli conflict (something Washington has long opposed), demand that Israel sign a nuclear nonproliferation agreement and leave Israel's borders guaranteed by Moscow and Washington.

But if he cannot mobilize enough domestic support to convince Hussein that he must get out of Kuwait or face destruction, Bush may be forced to accept an unpalatable diplomatic settlement or else launch an unpopular war. "Foreign policy was supposed to be his strong suit," says an old friend. "If he botches this, it's all over." ■

BY CARLA ANNE ROBBINS WITH KENNETH T. WALSH, STEVEN V. ROBERTS AND BRUCE B. AUSTER AND RICHARD Z. CHESNOFF IN SAUDI ARABIA

FOLLOW THE MONEY

Desert Shield deadbeats?

War is not only hell; it is expensive. Last week, as 200,000 more troops were dispatched to the Gulf, the Congressional Budget Office doubled its 1991 cost estimate for Operation Desert Shield—to $12 billion. If the shooting starts, that guesstimate will be the first casualty. The second may be the burden-sharing arrangements the United States has brokered with allies.

Clashes on the financial front already have begun. More than 40 countries have pledged some $20 billion in aid through 1991, but the Germans haven't provided a cent of the $260 million they pledged for 1990, nor has South Korea, which promised $50 million this year. Japan has sent $376 million, but is behind, officials say, on the remaining $624 million in promised in-kind contributions, such as equipment and airlift costs.

Those countries say the money is on the way. "We have already done quite a bit," says a Japanese diplomat. "We know there is some more to do, but we're doing our best." But the Bush administration is a bit angry. "We'd like to see faster disbursements," Treasury Under Secretary David Mulford said recently. Why the recalcitrance?

"They're balking at cold, hard cash because it has all kinds of overtones," says Lawrence J. Korb of the Brookings Institution. "It is the mercenary aspect."

There is no danger that Desert Shield will go unfunded. So far, Congress has appropriated $2 billion for

The checks are in the mail

Some wealthier nations have been slow to provide promised aid to Operation Desert Shield. As of November 13, the United States had received about $3 billion from its allies.

	PLEDGED	PAID
Kuwait	$2.5 bil.	$1.75 bil.
Pledged through 1991: Undetermined		
Saudi Arabia	$760 mil.	$760 mil.
Pledged through 1991: $10 bil.		
Germany	$260 mil.	$0
Pledged through 1991: $2.1 bil.		
South Korea	$50 mil.	$0
Pledged through 1991: $220 mil.		
Japan	$1 bil.	$376 mil.
Pledged through 1991: $4 bil.		

Note: Pledges for 1991 are money, economic aid and materiel.

the operation. Each Tuesday, the U.S. Treasury receives a $250 million wire transfer from Kuwait's government-in-exile. Saudi Arabia is covering logistic costs for U.S. troops there—"bills for gasoline, for jet fuel, for drinking water—things like that," says a Saudi official. Gasoline and jet fuel alone, he claims, cost at least $500 million a month. But the Saudis are earning $50 million to $150 million extra each *day* thanks to rising oil prices.

Nations contribute to Operation Desert Shield in four ways. They commit forces. They provide fuel and medical teams. They contribute money to the U.S. for the cost of fielding the Gulf force. And they offer economic aid to "front-line states" that bear the burden of sanctions against Iraq.

No one contends that squabbling will crack the Desert Shield, though actual fighting could change the burden-sharing equation. Korb puts the daily cost of conflict with Iraq at $1 billion, though the calculation is crude (he simply reduced by three quarters the Pentagon's old estimate of the cost of fighting the Warsaw Pact). But few challenge his math. "The fact is," says one Pentagon analyst, "no one really knows what this could cost."

BY STEPHEN J. HEDGES WITH RICHARD Z. CHESNOFF IN SAUDI ARABIA

貿公, 세계 4개 有名기업 經營戰略 비교분석

認識 높여야

- 우리나라 수출기업의 해외
- 마케팅수준이 선진국 기업
- 에 비해 뒤떨어진다는 지
- 적이 많다. 우리상품이 품
- 질만큼 대외적인 성가를

- 누리지못하는 이유이기도
- 하다. 특히 선진국의 무역
- 장벽이 갈수록 높아지고
- 값싼 노임을 기반으로 후
- 발개도국이 추격해오는등
- 국제무역환경이 악화되는
- 요즘을 해외마케팅전략을
- 적절히 강구해야한다는 소
- 리가 높다. 우리기업도 적
- 극적인 해외마케팅활동을
- 통해 고유상표를 세계시장
- 에 널리알려야할 시점에
- 이른 것이다. 최근 대한무
- 역진흥공사가 세계11개 유
- 명업체의 마케팅전략을 조
- 사발표한「세계유명업체의
- 마케팅전략」중 일부를 골
- 라 소개한다.

美, 후세인 撤軍 과녁 外交的 승리

安保理 무력사용承認 의미

焦点

軍事행동 개시는 미지수
反戰확산 與論무마 과제

0068

綜合工具및關聯機器展

事業 벌여 商品홍보

페르시아만 사태 전망과 대응 방안(안)

- 유엔 안보리 결의 678호 채택 관련 -

90. 12.

외 무 부

미 주 국

0069

1. 문제의 제기

O 유연 안보리 결의 678호 채택에 따른 향후 페르시아만 사태 전망과 이에 따른 우리의 대응책 강구 필요

```
┌──────────────── 유연 안보리 결의 678호 내용 ────────────────┐
│  - 쿠웨이트에서 이라크군의 철수등을 요구하는 페만 사태 관련      │
│    결의를 이라크가 91.1.15한 이행치 않을 경우 유연 회원국은      │
│    "필요한 모든 조치(all necessary means)"를 취할 수 있음.      │
│                                                               │
│  - 동 결의 이행을 위하여 취해지는 조치에 대하여 각국이 지원할    │
│    것을 촉구함.                                                 │
└───────────────────────────────────────────────────────────────┘
```

2. 미국의 입장

┌─────────────┐
│ 행 정 부 │
└─────────────┘

O 탈 냉전시대에 있어 무력에 의한 타국 점령 등 국제질서 교란행위 불용 의지 확고
   - 이라크군의 쿠웨이트로부터의 무조건적인 철수 등 페만사태 해결을 위한 미국 제시 4대 원칙은 타협 불가함을 재확인
   - 팔레스타인 문제는 금번 사태와는 별개라는 입장 견지

0070

ㅇ 금번 사태의 평화적 해결을 선호하고 있으나 최후의 수단으로 무력에 의한
해결 방안도 배제하지 않는다는 화전 양면 전략 구사

- 병력 15만 추가 파병 발표등 극한정책(Brinkmanship)을 통한 이라크
굴복 유도 노력 계속

- 유엔 안보리 결의 678호 채택에 성공하므로써 대이라크 무력사용에 대한
명분을 확보하고 Brinkmanship 정책에 대한 의회 및 국민적 지지 확보에
도움

- Cheney 미 국방장관 및 Powell 합참의장, 12.3. 상원 군사위 청문회시
경제제재 조치만으로는 이라크의 쿠웨이트 철수를 유도하기 어렵다며
사태해결을 위한 군사력 사용 필요성 강력 시사

· 미국 정책의 flexibility 강조

ㅇ 부쉬 대통령, 11.30. 미-이라크 외무장관 교환 방문을 전격 제의함으로써
외교적 적극 공세로 전환

- 이라크가 쿠웨이트로부터 철수하지 않을 경우, 무력사용도 불사할
것이라는 미국의 단호한 결의 전달 목적

- 또한 동 제의는 미국의 대이라크 정책에 대한 국내외적 지지확보 및
91.1.15 이후 무력을 사용할 경우에 대비한 명분 축적등 다목적용

0071

o 미 의회, 특히 민주당 지도부는 무력사용을 우려하며, 경제제재 조치가 효과를 거둘때까지 더 기다려야 된다는 입장 표명

- Thomas Foley 하원의장, George Mitchell 민주당 상원 원내총무 등 민주당 지도부는 부쉬 대통령의 11월초 추가병력 파견 결정에 부정적 입장

- 전쟁 선포권은 헌법의 규정에 따라 의회가 보유하고 있다고 주장하며, 무력사용시 의회와의 사전 협의 요구

   * 12.3. Cheney 국방장관, 군 통수권자로서의 대통령의 헌법상 권한과 유엔 안보리 결의 678호에 따라 부쉬 대통령은 군사적 조치를 취할 수 있는 권한을 보유하고 있다고 주장

o 미 의회는 페만 사태 관련 상원 군사위(11.27-12.3), 상원 외교위(12.3-5) 및 하원 외무위(12.6) 청문회 개최

- 대규모 병력증파 결정 및 무력사용시 의회사전 동의 문제 등 토의

- Baker 장관, 상.하원 외교위 증언시 UN 무력사용 결의안 통과로 평화적 해결이 불가능하다고 판단될 경우, 무력사용도 불사할 것임을 강조

   · 무력을 사용하게 될 경우 「Suddenly, Massively, and decisively」 사용될 것임을 언명

0072

o 공화당 지도부는 이라크에 대한 압력을 강화하기 위해 유엔 안보리 결의 678호와 유사한 의회 결의 채택을 위한 특별 회기를 12월초 소집할 것을 부쉬 대통령에게 권고

  - 부쉬 대통령은 이에따라 12월초 의회 특별회기 소집을 고려하고 있으나 민주당측의 부정적인 태도로 인해 상금 의회 소집 여부 미결정

  - Sam Nunn 의원 등 민주당 지도부는 부쉬 대통령의 대이라크 협상제의는 환영

여 론

o 대부분의 미국인, 이라크가 유엔 안보리 결의 내용을 91.1.15.까지 이행 하지 않을 경우 이라크에 대한 미국의 군사행동을 지지

  - 대이라크 경제제재 실패시 무력사용에 대한 지지율은 증가 추세

o 절대다수의 미국인, 부쉬 대통령의 11.30.자 미-이라크 외무장관 교환 방문 제의 지지

  * 부쉬 대통령의 페만 사태 대처방법에 대한 지지는 아직도 강력하나 과거 보다는 감소 추세

o 대이라크 경제제재 조치가 실패할 것이며 전쟁이 발발할 것이라고 생각하는 미국인수 증가 추세

0073

* 11.30-12.2.간 실시된 ABC 방송-Washington Post 공동 여론 조사 결과

  - 이라크가 유엔 안보리 결의 678호 내용을 이행하지 않을 경우, 미국의
    무력사용 지지율 : 63% (10월 중순 : 46%, 11월 중순 : 54%)

  - 전쟁발발 가능성 : 75%가 긍정 (8월말 60%)

  - 경제제재 실패 가능성 : 66%가 긍정 (8월 중순 47%)

  - 부쉬 대통령의 미-이라크 외무장관 교환 방문 제의에 대한 지지율 :90%

  - 부쉬 대통령의 페만 사태 대처방법에 대한 지지율 : 61%
    (9월 조사시 지지율 : 78%)

    · 부쉬 대통령의 페만 사태 대처방법에 대해 부정적 내지 유보적인
      그룹은 여성(51% 가 반대), 흑인(72%가 반대), 민주당원(51%가
      반대)임.

3. 이라크의 입장

  ○ 이라크는 지금까지 이라크내 서방 인질을 흥정의 대상으로 시간을 벌면서
    대이라크 경제제재 조치 참여 국가간의 결속 이완 유도정책 수행

  ○ 또한 금번 페만 사태와 팔레스타인 문제의 연계 해결을 주장하므로써 금번
    사태를 미국 대 아랍세계의 대결 구조로 전환, 국제여론의 분열 유도

0074

ㅇ 그러나 유엔 안보리 678호 채택 및 부쉬 대통령의 전격적인 협상 제의로
  궁지에 봉착, 부쉬 대통령의 외무장관 교환 방문 제의 조건부 수락

  - 국내적으로 과거 원유로 인한 부를 향유하던 지배계층의 반 후세인
    분위기 고조 및 군부의 동요 가능성 증대

  - 철수 명분이 주어지는 경우, 쿠웨이트로부터 철군 가능성 증가

4. 페르시아만 사태 전망

가. 평화적 해결 가능성

  ㅇ 유엔 안보리 결의 678호 채택후 부쉬 대통령의 미-이라크 외무장관
    교환 방문 제의를 이라크가 수락하므로써 평화적 해결 가능성 고조

    - 부쉬 대통령, 동 교환 방문을 통해 페만 사태의 부분적 해결방안은
      수용할 수 없다는 미국의 의사를 재확인하고, 유엔 안보리 결의에
      따라 사태를 해결하겠다는 단호한 의지를 후세인에게 직접 전달할
      예정

    - 후세인에게는 쿠웨이트로부터의 철수를 위한 명분이 필요하나
      미국은 부분적 해결 및 침략자에게 보상을 주는 어떠한 방법도
      반대하고 있어 타협이 쉽지 않을 전망

  ㅇ 한편, 유엔 안보리 결의 678호 채택에 따라 91.1.15.까지 쏘련, 프랑스
    등의 외교적 해결 노력 강화 예상

0075

나. 무력 사용 가능성

ㅇ 91.1.15.까지 이라크가 쿠웨이트로부터 철수하지 않을 경우 미국은
   무력에 의한 사태 해결 추구 가능성
   - 유연 안보리 결의 678호가 채택된 상황하에서 미-이라크 외무장관
     교환 방문도 성과 없을시 대내외적으로 무력사용의 명분 확보
   - 또한, 1월까지는 사우디 주둔 미군 병력이 40만으로 증가, 무력사용
     준비 완료
   - Cheney 국방장관, Kissinger 전 국무장관 등 미국내 일부에서는
     향후 중동정세 안정을 위해서 금번에 이라크의 군사력 약화,
     후세인 제거가 반드시 달성되어야 한다는 주장 강력

0076

공   란

공   란

공   란

폐만 사태 관련국 전력 비교

90.11.30.

북미과

	이라크	미국	다국적군
병력	430,000 명 (쿠웨이트 및 남부 이라크 주둔 병력)	210,000 명 (해군 불포함) (15만명 추가 파병 예정)	86,900 명(추가 파병 및 국경선 배치 병력 제외) - 이집트　29,500 명 - 사우디　20,000 명 - 영 국　11,000 명 　(14,000명 추가 파병 예정) - 쿠웨이트　7,000 명 　(GCC 연합군 10,000명에 포함) - 시리아　5,200 명 　(10,000명 추가 파병 예정, 국경선 배치 50,000 명) - 프랑스　5,000 명 - 파키스탄　2,000 명 - 모로코　2,000 명 - 방글라데쉬 2,000 명

0080

	이 라 크	미 국	다 국 적 군
			- 체 코 200 명
			- 터 키(국경선 배치 95,000 명)
탱크	3,500대 (쿠웨이트 및 남부 이라크 주둔 병력)	800 대	950 대 - 이집트 300 대 (300대 추가 지원 예정) - 영 국 250 대 (43대 추가 지원 예정) - 프랑스 200 대 - 사우디 200 대 - 시리아(300대 지원 예정)
항공기	689 대	800 대 (A.F.P. 300대 추가 파견 보도)	309 대 - 사우디 130 대 - 프랑스 75 대 - 영 국 60 대 - 카나다 18 대

0081

	이라크	미 국	다 국 적 군
			- 네덜란드　18 대
			- 이태리　　8 대
			- 아르헨티나(2대 지원 예정)
함 정	43 척	65 척	75 척
			- 영 국　　16 척
			- 프랑스　　15 척
			- 사우디　　8 척
			- 독 일　　7 척
			- 소 련　　4 척
			- 호 주　　3 척
			- 벨기에　　3 척
			- 카나다　　3 척
			- 이태리　　3 척
			- 네덜란드　3 척
			- 스페인　　3 척
			- 아르헨티나 2 척

0082

	이 라 크	미 국	다 국 적 군
			- 터 키 2척
			- 덴마크 1척
			- 그리스 1척
			- 포르투갈 1척

0083

EMBASSY OF THE
UNITED STATES OF AMERICA

Attached is letter from President Bush to
President Roh. The letter deals with U.S.
strategy on the Persian Gulf crisis. The Embassy
is providing the Ministry with a copy of President
Bush's Press Conference Statement of November 30.

There will be no signed original of the Presidential
letter.

E. Mason Hendrickson, Jr.
Minister-Counselor

0084 90. 1. 2.

Dear President Roh:

I appreciate the Repeblic of Korea's assistance to the multinational effort in the Gulf and to front line states and the role I know you personally play in that effort. Steadfastness remains a critical part of the international coalition opposed to to Iraq's invasion of Kuwait. I am encouraged to know that we can count on the continued support of allies like you to do what it takes to stay the course until the successful resolution of the crisis.

You will have heard the news that I have invited Iraqi Foreign Minister Tariq Aziz to come to Washington at a mutually convenient time during the latter part of the week of December 10. In addition, I am offering to send Secretary Baker to Baghdad at a mutually convenient time between December 15 and January 15 of next year.

The purpose behind our strategy in calling for these contacts remains the full implementation of the U.N. Security Council resolutions beginning with resolution 660 on August 2 and continuing to resolution 678 voted on November 29. The heart of these rosolutions and the core of our objectives remains the unconditional withdrawal of all Iraqi forces from Kuwait, the restoration of the legitmate government of Kuwait, and the release of all foreign citizens held against their will in Iraq and Kuwait. Our purpose -- and the purpose of the inter-national community as expressed through the United Nations Security Council -- remains the implementation of these resolutions so as to provide for stability and security in this critical region of the world.

You are aware of the build-up of American Military Forces in the region, together with the forces of our coalition partners. U.N. resolution 678 authorizes all necessary means if the preceding Security Council resolutions have not been fully implemented by January 15. Time is running out for Iraq. Its government must comply with the Security Council resolutions within the allotted time frame by January 15.

The United States intends to explore and exhaust every avenue for peace before having recourse to forceful action is authorized by U.N. resolution 678. Given our large troop deployments, no one wants to see a peaceful solution more tha the United States. At the same time, we are determined to see Iraq's aggression reversed.

In our conversations with many coalition partners and with various nations in the consultations leading to the approval of resolution 678 all of our contacts indicated interest in and encouragement of bilateral and multilateral efforts to work out a peaceful resolution of the Gulf Crisis consistent with the previous resolutions.

I want to make clear that our contacts with Iraq will not include support for or encouragement of partial solutions that reward the aggressor. Neither will we entertain concepts that would in any way prolong the Iraqi occupation and brutalization of Kuwait.

I know that you share with us the fervent hope that a peaceful solution can be found and with equal firmness share our oppostion to aggression. It is in that context and spirit of cooperation that we will continue our efforts to resist aggression and to ensure peace and security in the Gulf region.

Sincerely,   0085
George Bush

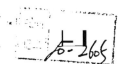

기 안 용 지

(전화 : 720-2321)

분류기호 문서번호	미북 0160- 1689					시 행 상 특별취급	
보존기간	영구.준영구. 10. 5. 3. 1.		장 관				
수 신 처 보존기간							
시행일자	1990.12.5.						

보존 기간	국 장	전 결	협 조 기 관			문 서 통 제 검열 1990.12.07	
	심의관						
	과 장						
기안책임자		김규현				발 송 인	

경 유 수 신 참 조	주 미 대 사	발 신 명 의		반송송 1990.12.07 의무부

제 목	페르시아만 사태 관련 아국 지원 추진현황

12.4. 미주국장은 Hendrickson 주한 미 대사관 참사관과의

면담시 페르시아만 사태 관련 아국의 지원 추진현황을 별첨과 같이 통보

하였음을 참고하시기 바랍니다.

> 검 토 필 (1990.12.31 ⟨서명⟩)
>
> 검 토 필 (1991.6.30 ⟨서명⟩)

첨 부 : 1. 미주국장 - Hendrickson 참사관간 면담요록 1부.

   2. 페르시아만 사태 관련 지원 추진현황. 끝.

예 고 : 91.12.31.일반

> 일반문서로 재분류(1991.12.31 ⟨서명⟩)

0086

걸프사태 관련 지원업무 추진현황

1. 지원준비조치

가) 지원계획

단위 : 만불

국 가	현 금	물 자	EDCF	쌀	기 타	합 계
미 국	5,000				3,000	8,000
이 집 트		1,500	1,500			3,000
터 키		500	1,500			2,000
요 르 단		500	1,000			1,500
시 리 아		1,000				1,000
모 로 코		200				200
I O M	50					50
쌀				500		500
행 정 비	50					50
예 비 비	700					700
91년도계획	5,000					5,000
	10,800	3,700	4,000	500	3,000	22,000

나) 90년중 집행현황

ㅇ 총 $67,972,049 및 ₩47,427,280 집행

ㅇ 잔액은 91년도로 이월집행계획

0087

다) 지원준비

ㅇ 90.10.27-11.8 간 유종하 외무차관을 단장으로한 관계부처 조사단,
이집트, 요르단, 시리아, 터키 방문, 아국 지원계획 롱보 및 지원
절차교섭

ㅇ 지원자금 860억원(1.2억불) 배정 (12.14)

ㅇ 지원물품 수출대행 업체와 계약 체결 (12.26)

2. 지원업무 추진현황

가) 이집트(3,000만불)

ㅇ 국방부 지원용 물자(700만불)

- 품목선정을 위한 군수조달참모등 4명의 군수전문가단 방한제의
(11.28)

- 이집트측 제의 긍정검토 회보했으나(11.29) 상금 회신 미접수
(12.12.독촉)

ㅇ 민수용 물자(800만불)

- 주민등록전산화 사업비 일부로 전용해 줄것을 거론했으나 아직
정식요청 미접수

- 동 사업 총소요자금 충당계획등 상세 파악 보고토록 지시(12.12)

ㅇ EDCF 자금(1,500만불)

- 이집트측 사업계획서 미접수

나) 터키(2,000만불)

ㅇ 민수용 물자(500만불)

- 터키측, 앰블런스·미니버스·트럭등 23개품목 제시(12.19.접수)

- 아측, 지원가능 품목등 롱보하고(12.27) 대행업체와 협의하여
발송 준비중

0088

□ EDCF 자금(1,500만불)

   - 터키측, 아국산 상수도용 파이프(Ductile Pipe) 구입에 사용

     희망 (12.14)

   - 동건 현재 검토중(경협 2과, 재무부)

다) 요르단(1,500만불)

□ 민수용 물자(500만불)

   - 설탕, 미니버스, 각종 생필품 총24개 품목등 제시(12.24)

   - 현재 조속 지원가능한 품목선정중

□ EDCF 자금(1,000만불)

   - 폐수처리공장 사업계획서 제시(12.11)

   - 동건 현재 검토중(경협2과, 재무부)

라) 시리아(1,000만불)

   - 시리아 국방장관, 전액 미니버스로 지원희망 서신발송(11.21)

   - 아측, 외고경로(주일대사관)을 통해 고섭토록 제의 했으나(11.24)

     상금 회신 미접수

마) 모로코(200만불)

   - 희망품목 7개제시(방독면, 침투보호의, 텐트등)

   - 국방부 및 고려무역(주)과 협의하여 발송 준비중

바) 기 타

(1) 미국 (총 8,000만불)

□ 현금지원 : 5,000만불 집행

□ 수송지원 : 1,700만불 집행

□ 잔　　액 : 1,300만불 91년 이월

0089

(2) 국제기구 (56만불)

　　° IOM　　　: 50만불 집행

　　° UNESCO : 　3만불 집행

　　° ICRC　　 : 　3만불 집행

(3) 쌀

　　° 당초 1,000만불로 예정되었으나 500만불은 예비비로 배정

　　° 쌀 수출은 FAO 및 농산물 수출국과 협의해야하고 미국측에서 동의하지 않고있어 현재 보류중

　　° 내년도에 조치계획 검토

(4) 행정비(50만불)

　　° 정부조사단 중동지역 순방

　　° 걸프사태 관련 공여국 조정회의 참석

　　° 중동지역 아국 공관원용 방독면 구입

　　° 의료지원 조사단 사우디 방문

0090

걸프사태 관련 지원업무 진행일지

1. 이집트

가) 지원규모 : 일반물자 1,500만불, EDCF 자금 1,500만불

나) 추진현황

10.29. 조사단 방문시 이집트 국방부 12개 희망품목제시(700만불상당)

10.30. 800만불 상당의 물자에 대해서는 희망품목 추후제시 약속

11. 3. 상기 12개품목 상세자료 송부 (가격, 카탈로그)

11.21. 품목선정 및 접수계획 수립 독촉지시

11.28. 이집트측, 품목선정위한 군수조달참모등 4명의 군수전문가단
파한제의(경비는 지원비에서 지출)
외무부측 통보예정품목 및 EDCF 자금 사용계획서는 15개
관계부처 실무회의 검토후 통보예정

11.29. 이집트 군수전문가단 방한 긍정검토 통보
(단순한 지원품목 선정외에 아국산 방산품 홍보기회 감안)

12.11. 이집트 내각사무 및 행정개혁장관의 일반물자 지원비 8백만불의
주민등록전산화 사업에의 전용신청관련, 주 카이로 총영사 수교
문제와 연계추진 건의

12.12. 이집트측 공식입장 조속 파악 및 전산화사업의 총소요 자금계획
등 상세검토 보고토록 지시

12.15 주 카이로 총영사, 주재국 행정능력 미비로 조기집행 불가능 보고
※ 주민등록전산화 사업
- 90.7.21-7.28. 이집트 주민등록청장 방한, 내무부,
KOTRA, Dacom 과 협의
- 총 사업비 5,000만불 이상소요
- 90.11.28-12.29간 현황조사차 아국전문가 2명 파견

0091

- 90.12.1-12.8. 체신부, KOTRA, Dacom 관계자 이집트방문
- 이집트 내각사무 및 행정개혁장관, 일반물자 지원비 800만불의 주민등록 전산화 사업에 전용 요청
- 12.11. 주 카이로 총영사, 이집트측 요망사항 동의하여 수교문제와 결부시켜 추진할것 검토중임을 보고
- 12.12. 총소요자금 충당계획등 상세검토사항 보고지시

2. 요르단

가) 지원규모 : 생필품 500만불, EDCF 1,000만불

나) 추진현황

10.31.	조사단 방문시 희망품목 3개 제시 (설탕 1만4천톤, 25인승 미니버스, 강관)
11.11-11.20.	설탕 및 모터싸이클에 대한 문의 및 회신수차 왕복
11.21.	요르단측 요청사항 상세 및 접수계획 보고토록 독촉지시
11.28.	요르단측, 마이크로버스 50대, 나머지 설탕으로 지원제의
11.30.	아측 공급사정 감안, 설탕 1,000톤 (60만불상당), 마이크로버스 (최대 171대)로 조정토록 지시
12.11.	요르단측 입장 조속 회보토록 독촉지시
12.14.	요르단측 희망품목 보고
	- 설탕 1천톤 (60만불)
	- 미니버스 50대 (128만불)
	- 쌀 (312만불)
12.18.	쌀 대신 타품목 선정지시
12.19.	요르단측, 쌀 대신의 식품류등 품목제시
12.21.	식품류이외 가전제품, 자동차류로 조정지시
12.24.	주 요르단 대사, 아측이 조기지원가능 품목 선정요망
12.29.	요르단측 요망감안, 아측 공급계획 통보예정

0092

3. 터키

가) 지원규모 : 일반물자 500만불, EDCF 자금 1,500만불

나) 추진현황

11. 6.   조사단 방문시 터키측, 8개 희망품목제시 및 양국 적십자간
         협의를 통한 지원방식 제의

11.21.   품목선정 독촉지시

11.26.   품목 최종확정과 접수계획 수립 독촉 및 적십자사 아닌 터키
         정부의 물품접수 원칙 통보

12. 1.   터키측, 적십자사와 협의후 결과통보 예정 및 정부대정부간
         물품인도방식 동의

12.11.   터키측입장 조속 회보토록 독촉지시

12.22.   터키측 지원희망물자 파편 도착

         - EDCF 자금으로 Ductile Pipe 구입희망(주요도시상수도용)

12.24.   터키측 요청고려, 아측 공급 사정 통보

12.24.   주한 터키 대사관, 긴급 지원요망 품목 통보

12.27.   터키측 긴급지원 요망품목 공급사정 문의(혈액냉장고)

4. 시리아

가) 지원규모 : 일반물자 1,000만불

나) 추진현황

11. 4.   조사단 방문시 아측지원 일단 보류입장

11.21.   시리아 국방장관, 버스(600만불)와 마이크로버스(400만불)
         지원요청 서한을 주 요르단 대사관으로 발송

11.24.   외교경로를 통해 협의할 것과 가급적 주일 시리아 대사가
         방한하여 토의록 작성할 것 제의

0093

11.27. 주 일 대사에 상기건 통보

11.27. 주 이란 시리아 대사, 주 이란 대사 방문하여 지원문제 및
        양국수교문제에 대한 의견교환

11.28. 주 이란 대사에 그간 경위 통보 및 시리아 대사 접촉대비
        지시

5. 모로코

가) 지원규모 : 일반물자 200만불

나) 추진현황

10.27. 대 모로코 지원계획 통보 및 지원대상 물품리스트 송부

11.27. 모로코측 희망품목 8개 제시 및 가격문의

11.27. 희망품목 가격통보 및 품목 최종선정 독촉지시

12.11. 모로코측 입장 조속 회보토록 독촉지시

12.14. 모로코측 지원 희망품목 접수

        - 방독면 150개

        - 방독면 정화통 150개

        - 침투보호의 156착

        - 일반수술기구 10조

        - 대형텐트 100개

        - 개인텐트 72,200개

12.15. 물품수출 대행업체에 지원준비 지시

12.20. 국방부에 비축물자 구매협조 요청

12.28. 국방부, 비축물자 지원업체로 (주) 대우 선정, 통보

                            합계 2백만불 상당

                            0094

6. 국제기구

가) IOM

　○ 영사교민국, 50만불 지원(기집행)

나) UNESCO 난민학생 교육비 지원

　○ 11.27 UNESCO, 이집트, 요르단 난민취학자녀에 대한 특별교육비
　　189만불의 일부 지원요망

　○ 지원현황

　　- 국제기구조약국, 걸프만사태 지원금에서 3만불 지원예정

다) 국제적십자사(ICRC) 특별예산사업 지원

　○ 국제기구조약국, 걸프사태 지원금에서 3만불 지원예정

0095

페만 사태 관련 한미 협조문제

o 동서 냉전 체제가 와해되고 화해와 협력의 새로운 국제질서가 형성되는 시기에
발생한 이라크의 쿠웨이트 무력침공을 국제사회가 여하히 해결하느냐하는 것은
탈냉전시대에 있어 지역분쟁 해결의 모델 케이스가 될 것임.

o 북한의 무력 침략으로 쓰라린 역사적 경험을 한바 있고 또한 북한이 아직도
대남 무력적화통일 정책을 포기하지 않고 있는 특수한 상황에 처해 있는 우리
로서는 국제사회에서 불법적인 무력침략 행위가 용납되어서는 안된다는 국제법의
원칙과 국제정의를 존중하고 UN 안보리의 대이라크 제재 결의를 존중하여
페르시아만에 평화와 안정을 회복하려는 미국의 노력을 적극 지지하고 또한
지원하고 있음.

o 우리는 페만 사태 해결을 위해 미국이 주도하고 있는 국제적 노력에 2억 2천
만불을 지원하기로 약속하고, 이와는 별도로 의료지원단을 파견키로 한바 있으며,
현재 동 약속을 성실히 이행하는 중임.
  - 아국의 지원중 90년도 미국에 지원하기로 약속한 현금 5,000만불은 우리
    나라의 국내정치 일정상 다소 지연이 되었으나 지난해 12.26. 송금 조치가

0096

되었으며, 항공기 및 선박에 의한 3,000만불의 수송지원은 90년말까지
1,750만불 상당의 지원이 이미 실시되었음. 특히, 항공수송의 경우에는
금년 3월말까지의 지원 계획이 수립되어 실시중에 있음.

- 한편 기타 다국적군 참여국에 대한 지원과 전선국가 등에 대한 경제지원도
  관계국들과의 협의를 통해 지원이 차질없이 추진되고 있음.

- 또한 우리는 사우디에 의료지원단을 가능한 신속히 파견하기 위하여 현재
  정부 교섭단을 사우디에 파견, 사우디측과 협의를 계속하고 있으며, 교섭이
  원만히 진행될 경우 국회 동의 등 국내 절차를 거쳐 오는 2월경에는 의료
  지원단을 사우디에 파견할 수 있을 것으로 전망하고 있음.

o 한편 우리의 이와같은 적극적인 지원 노력에도 불구하고 일부 미 의회 의원 및
  언론이 우리가 페만 사태 해결을 위한 지원에 미온적이라는 그릇된 인식을 갖고
  있는데 대해 유감스럽게 생각함. 금번 사태와 관련, 미국에 대한 항공 수송
  지원은 우리나라가 최초로 실시하였음은 우리의 지원 의지를 보여주는 좋은
  징표인 것임.
  앞으로 이러한 미국내 일부 인식을 바로하기 위한 미 행정부의 노력을 당부함.

o 우리는 페르시아만 사태 해결을 위한 미국의 노력에 대해 확고한 지지와 아울러
  지원을 하고 있음을 다시한번 말씀드리며, 금번 사태 해결을 위한 미국의 노력이
  하루속히 결실을 맺어 중동지역에 평화와 안정이 회복되기를 바람.

0097

Korea-U.S. Cooperation Regarding the Gulf Crisis

o In this post-Cold War era of a new international order based on
   reconciliation and cooperation, the manner in which the international
   society resolves the case of Iraq's military occupation of Kuwait will
   become a model case of the resolution of regional crises.

o Korea, with the bitter experience of North Korea's military invasion
   and still facing the stubborn North Korea which refuses to renounce
   its policy of communizing the Korean peninsula by force, respects
   the principle of international law and justice that such military
   invasion as has been committed by Iraq should never be condoned by
   international society, and fully supports the U.S. efforts to restore
   peace and stability in the Gulf region as has been dictated in the
   relevant U.N. Security Council Resolutions.

o We have pledged 220 million U.S. Dollars to the multi-national efforts
   led by the U.S. to resolve the Gulf Crisis, and are carrying out the
   disbursement as planned.

   - Our pledge to the U.S. of a cash support of 50 million U.S. Dollars
      has been transmitted on Dec. 26 last year after a short delay due
      to Korea's domestic political agenda. Out of the 30 million U.S.
      Dollar pledge of air and sea transportation support, 17.5 million
      has been disbursed by the end of 1990. Especially, the plan for

0098

the air-borne transportation support has been established for until
the end of comming March.

- The economic support to the multi-national efforts and to the
  front-line states is also being carried out appropriately in
  consultation with the countries concerned.

- Aside from the above, we have sent a government delegation to
  Saudi Arabia to discuss a prompt dispatch of a medical support team.
  If the consultation goes on smoothly, we expect to be able to
  dispatch the medical support team to Saudi Arabia within the month
  of February after taking necessary domestic procedures like the
  approval by the National Assembly.

o However, we regret that some people in the U.S. Congress and the press
  circle have the wrong idea that Korea is lukewarm in participating in
  the multi-national efforts to resolve the Gulf Crisis, despite all
  our efforts made to the utmost of our capability. The fact that Korea
  was the first to provide air transportation support to the U.S. well
  indicates our willingness to provide support. I would like to ask the
  U.S. government to try to correct the misconception held by some
  Americans.

o I would like to reassure you of our firm and full support to the U.S.
  efforts to resolve the Gulf Crisis. We earnestly hope that the efforts
  of the U.S. and other peace-loving countries of the world will bear
  fruit and result in a quick restoration of peace and stability in the
  Middle East.

면 담 요 록

1. 일   시 : 1990.12.18(화) 11:00-12:00

2. 장   소 : 미 국방부 Carl Ford 동아태 담당 부차관보실

3. 면 담 자

아 측	미 측
반기문 미주국장	Carl Ford 미 국방부 동아태
유명환 주미대사관 참사관	담당 부차관보외 3명
김규현 북미과 사무관(기록)	

4. 면담요지

미 주 국 장 : (브라질, 멕시코 방문이 field trip 성격이었음을 설명후)
본인의 금번 방문 목적은 특별한 의제 협의를 위한 것은 아니며,
몇가지 사안에 대한 의견 교환을 갖기 위한 것임.

첫째로, 그간 한.미 관계에 갈등의 한 요인이었던 SOFA 개정
문제가 타결되어 다행스러우며 SOFA 개정 문제 해결로 노무비
분담을 위한 특별 협정도 조만간 양측간에 합의를 볼 수 있을
것으로 기대됨. 한편, 이와관련 91년도 예산안에 계상되었던
노무비 분담 예산이 국회심의 과정중 일부 삭감되었으나 SOFA
개정 완료 및 노무비 분담을 위한 특별협정이 체결되고 나면
명년 1월 개최 예정인 임시 국회에서 추경을 통한 예산 확보에
별다른 어려움은 없을 것으로 봄.

0100

이와관련 언론에 보도된 Gregg 대사의 외무장관앞 서한 내용에
대해 야당 및 재야측에서는 내정간섭이라고 하고 있으나 별
문제는 안될 것으로 봄.

한편, 우리정부의 P3C 초계기 구입 결정과 관련 프랑스 정부는
불만을 표출하였으나 우리 국방부측의 설명을 듣고 어느정도
양해를 하게 된 것으로 알고 있음.

둘째로, 군의료단 사우디 파견 문제와 관련 우리는 사우디측과
이미 협의를 개시 하였으며, 현재 사우디측의 공식 반응을
기다리고 있는 중임.

또한 페르시아만 사태 해결을 위한 우리의 지원 약속과 관련
지난 11월 추가경정 예산을 통해 필요한 재원을 확보하여 현재
집행을 하고 있으며 대미 현금지원 5,000만불도 조만간 뉴욕
소재 미 연방준비 은행의 방위협력 구좌에 입금될 것으로 보고
있음. 아울러 대미 수송지원의 경우, 연말까지 항공수송 지원
24회, 선박지원 3회 등 총 1,700만불 상당의 지원이 완료될
예정임. 그리고 항공수송 지원의 경우 명년 3월말까지
선박수송을 포함, 총 3,000만불 범위내에서 매주 2회 정도의
지원이 계속될 것임.

한편, 명년도 다국적군 활동지원 약속액 2,500만불의 구체적
집행 계획에 관해서는 미측과 추후 협의를 할 생각임.

현재 우리의 지원 집행은 순조로이 진행되고 있으며 우리정부와
국민은 미국의 사태 해결 노력을 적극 지지하고 있음을 발씀
드림. 또한 우리는 페만 사태가 조속 평화적으로 해결되기를
원하고 있음.

0101

Ford 부차관보: 금번에 한.미간 상호 관심사에 대해 의견을 나눌 수 있게 된 것을 기쁘게 생각함.

미국은 동아태 지역 국가중 한국, 일본, 필리핀에 대해서는 특별한 이해를 갖고 있음.

최근 정치적인 문제가 됐던 SOFA 개정 문제가 한.미간에 합의를 보게 된 것은 다행한 일임.

또한 노무비 분담을 위한 특별 협정도 서명을 위한 준비가 순조로이 진행되고 있어 비용분담의 틀이 마련되고 있음도 반가운 일임.

또한 현재 사우디 주둔 미군의 경우, 매 사단마다 MASH가 배치되어 있어 미군으로서는 한국측의 MASH가 필요치 않은 상황임. 그러나 다국적군, 특히 이집트와 모로코군은 MASH가 없고 의료지원이 충분치 않은 상태이므로 이들에 대한 의료지원을 제공하게 되면 매우 유의할 것으로 봄.

사우디에 대한 MASH 파견 문제는 미국의 대사우디 고섭 경험에 비추어 볼때 한국측이 사우디측에 대해 계속 진전 상황을 점검하면서 보다 적극적으로 추진해야 된다고 봄.(grab its neck and shake) 그렇지 않을 경우, 사우디 관료들은 거의 움직이지 않을 것임.

사우디는 왕국인 관계로 거의 모든 결정을 국왕이 하게 되는데 감히 국왕에게 나아가 직접 품의하는 관리가 드문 것도 고섭이 지연되는 중요한 이유임.

미 주 국 장 : 사우디측과의 미측 고섭 경험은 우리에게도 도움이 될 것으로 봄.

0102

Ford 부차관보 : 사우디측과의 군의료단 파견 고섭에 대한 대안을 제안코자 함.
즉 사우디측과 군의료단 파견을 위한 고섭을 계속 추진하되,
영어 구사가 가능한 의사, 간호원 및 의료 보조원 등을 미군
의료단에 개별적으로 배속시키는 방안을 한국 정부가 검토해
주길 바람. 한국 정부가 관심이 있을 경우, 우리는 추후
일반적인 자격요건 등을 제시할 것임.

미 주 국 장 : 미측의 제안을 즉각 장관께 보고하는 한편 사우디측과의 고섭도
촉진시키도록 하겠음.

Ford 부차관보 : 또한 사우디측과의 고섭을 촉진하기 위하여 의료 서비스가
가장 절실한 이집트측과 의료단 파견 문제를 협의하는 방법도
생각해 볼수 있을 것임.
페르시아만 사태와 관련 우리는 한국측이 제공해 주고 있는
수송지원에 대해 특히 감사드리며 수송지원이 계속되길 기대
하고 있음.

한편, 한국측의 P3C 구매결정과 관련 프랑스측의 불만은 이해
되나 P3C는 프랑스 제품보다 가격이 저렴하고 엔진이나 레이다
성능이 뛰어남. 동 결정으로 인하여 한국측이 프랑스와의
관계에 야기되는 손실보다는 미국과의 관계에서 얻는 득이
훨씬 클 것임.
우리는 한국 정부의 금번 결정을 깊이 기억할 것이며, 본인은
한국 정부의 동 결정을 한.미 관계의 긴밀함을 실증하는 사례
로서 의회 등에 대해 계속 홍보할 작정임.
한국 정부의 P3C 구매 결정에 대해서는 Cheney 장관과 Mosbacher
장관이 특히 만족해 하고 있음을 참고로 말씀드림.

0103

미 주 국 장 : 아국정부의 P3C 구매결정은 우리가 한.미 관계에 부여하는
중요성을 실증하고 있는 것임. 최근 우리 정부는 한반도에서의
긴장완화와 평화구조 정착을 위해 쏘련 및 중국과의 관계개선을
적극적으로 추진하고 있으나 이는 정상적인 국가간의 건전한
쌍무적 관계로서의 관계개선 추진이며, 우리가 쏘련과 지역
또는 세계적 차원에서 파트너로서의 관계 발전을 추구하고 있는
것은 아님.

한편, 유연결의 678호와 관련 페만 사태에 대한 전망은 ?

Ford 부차관보 : 부쉬 대통령과 Cheney 장관을 개인적으로 잘 알고 있는 본인은
전쟁이 일어날 가능성이 있다는 것임(We may have war).
사담 후세인은 지금 불장난을 하고 있으나(He's playing with
fire) 그는 결국 후회하게 될 것임.
전쟁이 일어나면 한국측이 미국의 입장을 지지하는 강한 성명을
내주기 바람. 전쟁으로 최초로 희생되는 미군 병사가 생길
경우 미국내 여론은 감정적으로 될 가능성이 있으며 이때
우방국이 미국에 대해 어떠한 지원과 협조를 제공했는지 떠들어
대기 시작할 것임.

✓ 우리가 곤경에 처해 있을때 우리의 친구들이 취한 행동은 길이
기억될 것임.

한편, 부쉬 대통령이 무력사용을 결정하게 될 경우, 미군의
희생을 최소화하기 위한, 보안유지의 필요성에 따라 한국 등
우방국과의 사전 협의나 통고가 없게 될 것이며, 이경우 한국
측의 이해가 있기를 바람.
본인도 직책상 무력사용 개시 이전 3-4시간 전에야 동 결정을
겨우 알수 있게 될 것임.

0104

페만 사태 전망과 관련, 본인이 너무 비관적인 견해를 피력한
것 같으나 아직 어떠한 결정도 내려진 것은 없음을 말씀드림.

미 주 국 장 : 우리는 미국의 페만 사태 해결 노력을 지지하며, 능력의 범위
내에서 최대한 지원하고 있음을 다시 한번 말씀드림.

Ford 부차관보: 다국적군 활동지원의 일환으로 한국 정부가 모로코에 대하여
대 화생방전 장비를 지원해줄 것을 요청함.

미 주 국 장 : 본인이 출장을 떠나기전 동건 관련 귀하께서 운 장군 앞으로
보낸 서한 사본을 접한바 있음. 현재로서는 모로코에 대한
방독면 등 지원에 문제는 없을 것으로 봄.
한편, 우리는 우리의 북방외교에 대한 미국의 지원에 감사하고
있음. 북방외교의 궁극적 목표는 북한을 고립상태로부터
개방의 길로 끌어내어 국제사회에 책임있는 일원으로 참여
시키므로써 한반도에서 긴장을 완화하고 평화통일 기반을 조성
하고자 하는 것임.
우리의 북방외교에 대한 미국의 계속적인 지원을 당부함.

Ford 부차관보: 우리는 한국의 눈부신 외교적 성과에 깊은 인상을 받고 있는
바, 한.쏘 정상회담이 상항에서 개최된 것은 우연이긴 하나
북방외교에 대한 미국의 지원을 상징화하고 있다고 보아 긍지를
느꼈음.
최근 한.쏘 관계의 진전으로 북한과 쏘련과의 관계에 쐐기를
박는 효과를 나타내고 있는데 금번 노 대통령의 방쏘는 쏘련과
북한의 소원한 관계에 결정타(coup de grace)적인 효과를 가져
올 것으로 봄.

　　　　　　　한편, 미 국방부는 북한의 핵문제에 대해 깊은 우려를 갖고
　　　　　　　있는 바, 북한 핵문제 해결을 위해서 미.북한 접촉 수준 격상
　　　　　　　등 방안도 거론된 바 있음. 북한의 핵문제에 대한 대처 방안에
　　　　　　　대해 한국측이 생각하고 있는 방향 등을 미측에 제시해 주길
　　　　　　　바람.

미 주 국 장 : 북한 핵문제는 1차적으로 우리의 안보에 대한 위협인만큼 우리도
　　　　　　　지대한 관심을 갖고 있음.
　　　　　　　이와관련 우리는 미국 정부가 북한이 접근을 시도하고 있는 서방
　　　　　　　동맹국 7개국에 대해 취한 demarche에 대해 사의를 표함.
　　　　　　　북한 핵문제는 앞으로 한.미간에 더욱 긴밀한 협의를 통해 대처
　　　　　　　해 나가야 될 것임.

Ford 부차관보 :

　　　　　　　우리는 북한이 당장 핵을 개발할 능력이 있다고는 보지는
　　　　　　　않지만 그렇다고 해서 하루라도 시간을 낭비할 수는 없다는
　　　　　　　입장이며, 이에따라 쏘련, 중국, 일본 등과 함께 북한에 대해
　　　　　　　압력을 가하고 있는 것임.

미 주 국 장 : 우리도 북한의 IAEA와의 핵 안전조치협정 체결 및 이행 유도를
　　　　　　　위해 일본 정부와 긴밀히 협의를 하고 있으며, 우리로서도
　　　　　　　최선을 다하고 있음.
　　　　　　　분망한 중에도 시간을 내어 준데 대해 감사하며, 앞으로 더욱
　　　　　　　긴밀한 협조를 기대함.　　끝.

0106

112　걸프 사태 한미 협조 2

관리 번호	90/ 2409

원 본

외 무 부

종 별 :

번 호 : USW-5616　　　　　　　　　일 시 : 90 1219 1623

수 신 : 장관(미북,통일)

발 신 : 주 미 대사

제 목 : 페만 사태 분담금

연:USW-5490

　1.DALLARA 재무부 차관보는 당관 앞 별첨 서한으로 페만사태 분담금 약속 및 지원
금액 일람표를 보내오면서 수정 및 추가 사항이 있는경우 조속 통보해 줄것을 요청해
옴.

　2. 미국의회, 언론등에서는 페만사태의 장기화에 따른 추가 경비 부담에 우려를
표명하고 있으며 특히 우방국들이 이미 약소한 금액마저도 조기 시행을 하지 않는데
대해불만을 표시하고 있음.

　3. 당관에서는 동원조 예산이 이미 국회를 통과한 만큼 신속한 시행이
뒤따를것이라고 설명하고 있으나, 향후 미국 조야에서 원조 이행에 소극적인
우방국들에 대한 불만이 표면화 될 우려가 있는점을 감안, 우리의 원조 시행 액수를
미측에 조속 통보코자 하니, 진전 사항 있을 경우 즉시 회시 하여 주기 바람.

　첨부:USW(F)-3529 (2 매)

　(대사 박동진- 국장)

　91.3.31. 까지

미주국　　통상국

PAGE 1　　　　　　　　　　　　　　　　　　90.12.20　07:18

　　　　　　　　　　　　　　　　　　　　외신 2과　통제관 FE

　　　　　　　　　　　　　　0107

관리
번호 90-2411

외 무 부

종 별 : 지 급

번 호 : USW-5643

일 시 : 90 1220 1743

수 신 : 장관(미북)

발 신 : 주미대사

제 목 : 페만사태 다국적군지원

    연:USW-4601(90.10.11), 미국(경)764-186(90.10.16)

    연호 다국적군 지원관련, 미국방부는 현금 지원분의 송금시기를 당관에 문의하여 오고 있는바, 진전사항 있으면 회시바람.

    (공사 손명현-국장)

    예고:91.3.31 까지

미주국   중아국

90.12.21   08:24
외신 2과 통제관 BW

0108

분류번호	보존기간

발 신 전 보

WUS-4216   901221 1812   CG

번 호 :   종별 :

수 신 : 주   미   대사 총영사

발 신 : 장 관 (미북)

제 목 : 페만 사태 분담금 집행

대 : USW-5616, 5643

1. 표제 관련, 11.17. 제2차 추경 예산안이 국회를 통과함에 따라 그간 필요
국내 절차를 밟아 EDCF 4천만불, 쌀지원 1천만불을 제외한 1억2천만불(860억원)이
12.15. 기획원으로 부터 배정되어, 금 12.21. 재무부로 부터 상기 전액이 당부에
영달 조치됨.

2. 상기에 따라 대미 현금 5천만불 지원과 대 IOM 50만불 지원은 내주초
송금 예정이며, 수송 지원은 연말까지 화물 수송기 지원 24차, 선박 지원 3차등
총 1,717만불의 지원이 가능할 것으로 예상됨.

3. EDCF 4천만불, 군수물자 지원 1,500만불과 생필품 지원 2,450만불
집행은 수원국과의 협의가 지연되고 있어 일부를 제외한 지원액 대부분의 년내
집행이 어려울 것으로 예상되나, 금년중 불용액은 사고 이월이 가능하여 내년중
계속 집행에는 문제가 없음을 참고 바람.

4. 한편, 지난 12.18. 국회 예결위 및 본회의는 91년도 예산안중 215억원
(3천만불)만을 91년도 페만 사태 분담금으로 통과시켜, 잔여 2천만불은 91년도
재무부 EDCF 예산으로 집행하거나 91년도 추경 예산에 반영할 예정이므로, 91년도
지원분 재원 확보에는 문제가 없으며, 지원 방법, 지원 대상국등은 상급 검토중에
있음.   / 계 속 /

중동·아국장

보안통제

앙고재	90년 12월 21일	북미과	기안자 성명		과장 심의관	국장	1차관보	차관	장관	외신과통제

5. 군 의료진 파견 문제 관련, 사우디 국방부 통합군 사령부의 Al-Hussain 준장은 12.19. 주사우디 대사 면담시 군이동 외과 병원의 91.1.15. 이전 파견 완료를 희망하고, 양국간 실무협의를 위한 실무 협의팀의 사우디 파견을 요청하는 한편, 아국 MASH팀 사우디 파견시 식량, 연료, 의약품 및 시설 사용료 등 각종 보급 및 주변 경계 임무 수임도 약속하였음을 귀관의 참고로만 하기 바람.   끝.

(차관 유종하)

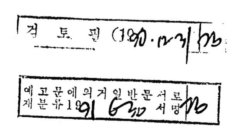

DEPARTMENT OF THE ARMY
HEADQUARTERS, EIGHTH UNITED STATES ARMY
APO SAN FRANCISCO 96301·0009

REPLY TO
ATTENTION OF:

DJ-T-P   DEC 2 4 1990

MEMORANDUM FOR Minister of Foreign Affairs, Seoul, Korea

SUBJECT: Liaison Visit to the United States for Desert Shield Shipping

1. Your liaison person visit to the United States to coordinate face to face
the operation and loading of the Korean Flag Shipping has been invaluable.
It has eliminated problems and minimized confusion.

2. To insure proper charges and verification for the detention charges of
the MV Jedda, request you send a liaison to the United States prior to final
sailing. Your cooperation has been greatly appreciated and an excellent
working relationship has developed between the U.S. and ROKG.

FOR THE ASSISTANT CHIEF OF STAFF, J4:

MATTHEW F. DI FIORE
Colonel, US Army
Ch, Trans Div, ACofS, J4

0111

관리
번호 90-2594

분류번호	보존기간

발 신 전 보

번   호 : WUS-4254   901226 1756   DN   종별 : 지급

수   신 : 주   미   대사 . 총영사

발   신 : 장 관   (미북)

제   목 : 대미 현금지원

대 : USW-5643

연 : WUS-4216

1. 페만사태 관련 대미 현금지원 5,000만불을 외환은행 광화문 지점을
통하여 금 12.26(수) 뉴욕 소재 미 연방준비 은행 방위협력 구좌에 송금 조치하였는
바, 과관은 이를 국무부 및 국방부측에 통보하고 미측이 적절한 방법으로 아국의
현금지원 사실을 홍보토록 조치 바람.

2. 한편, 미주국장은 명12.27(목) 상기 현금지원 사실을 구상서로
Hendrickson 주한 미 대사관 참사관에게 통보 예정임을 참고바람.   끝.

(미주국장 반기문)

예고 : 91.6.30일 반

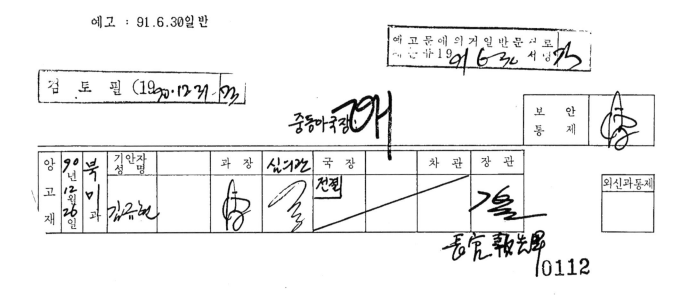

검 토 필 (19 90.12.31)

예고문에의거일반문서로
재분류함 19 91 6 30 서명

앙 고 재	90 년 12 월 26 일	북 미 과	기안자 성 명 김용현		과 장	신기관	국 장 전결		차 관	장 관		외신과통제

보 안 통 제

0112

OMB 90 - 878

The Ministry of Foreign Affairs presents its compliments to the Embassy of the United States of America and has the honour to inform the latter that the Ministry ~~made a wire transfer~~ remitted on December 26, 1990 ~~in~~ the amount of U.S. Dollars Fifty Million (US$ 50,000,000), being cash contribution from the Government of the Republic of Korea for Desert Shield, to the U.S. Treasury for credit in the Defense Cooperation Account (Acct. No. 97X5187).

The Ministry would like to add that the above~~said transfer~~ contribution mentioned was made via electronic funds transfer from Kwanghwamun Branch of Korea Exchange Bank. to the Federal Reserve Bank in New York the.

The Ministry of Foreign Affairs avails itself ~~to~~ of this opportunity to renew to the Embassy of the United States of America the assurances of its highest consideration.

Seoul, December 26, 1990

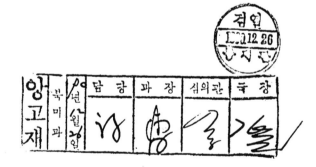

0113

MINISTRY OF FOREIGN AFFAIRS
REPUBLIC OF KOREA

OMB 90 -

The Ministry of Foreign Affairs presents its compliments to the Embassy of the United States of America and has the honour to inform the latter that the Ministry remitted on December 26, 1990 the amount of U.S. Dollars Fifty Million (US$ 50,000,000), being cash contribution from the Government of the Republic of Korea for Desert Shield, to the U.S. Treasury for credit in the Defense Cooperation Account (Acct. No. 97X5187).

The Ministry would like to add that the above-mentioned contribution was made via electronic funds transfer from Kwanghwamun Branch of the Korea Exchange Bank to the Federal Reserve Bank in New York.

The Ministry of Foreign Affairs avails itself of this opportunity to renew to the Embassy of the United States of America the assurances of its highest consideration.

Seoul, December 26, 1990

0114

관리
번호 90-2604

외 무 부

종 별 :

번 호 : USW-5711

일 시 : 90 1227 1810

수 신 : 장관(미북,중근동)

발 신 : 주 미 대사

제 목 : 대미 현금 지원

대 WUS-4254

1. 대호관련, 금 12.27. 당관 유명환 참사관은 국무부 RICHARDSON 한국과장을 접촉, 표제 관련 송금 사실을 봉보하고, 여사한 아국의 지원이 미국 조야에 알려질수 있도록 적절히 홍보하여 줄것을 협조 요청함.

특히 유 참사관은 명년초 의회 개원시 각종 청문회등에서 페만사태 관련 각동맹국의 다국적군 지원 내역등이 많은 관심을 끌것으로 예상되는점등을 감안,국무부측이 시기를 놓치지 않고 의회에 대해 아국의 이러한 지원 내용을 적절히 알리는것이 긴요할것으로 본다고 설명한바, 동 한국과장은 국무부로서도 가능한 최선의 노력을 다하겠다고 답변함.

2. 한편 상기 관련, 당관은 의회내 페만 사태 관련 담당 인사들(특히 국방,외무위 소속 상하원 의원 및 보좌관과 동 위원회 전문위원등)에 대해 아국의 지원 내역을 홍보할 계획임을 첨언함.

(대사 박동진- 국장)

예고:91.6.30. 일반

검 토 필 (19 90 12 31 23)

예고문에의거 일반문서로
재분류 19 91 6 30 서명 23

미주국   중아국

90.12.28   09:48
외신 2과 통제관 BW

0115

외 무 부

종 별 : 지 급

번 호 : USW-5665

일 시 : 90 1221 1832

수 신 : 장관(미북,중근동,미안,마그)

발 신 : 주 미 대사

제 목 : 페만 사태 해결 전망

당지 언론 분석및 주재국 각계 인사 접촉등을 토대로 당관에서 작성한 표제전망을 하기 보고함.

1. 미국의 입장

가. 미 행정부는 금번 사태 관련, 이락군의 쿠웨이트로 부터의 완전 철수등미국의 기본 목표에는 여하한 변화도 없다는 점을 계속 강조하고 있으며, 걸프지역 주둔 미군 증파를 통해 이러한 목표가 달성되지 않는 경우의 무력 사용 가능성을 강력하게 암시하는등 소위 "극한 정책"도 계속 추구하고 있음.

나. 또한 11.29 유엔 안보리가 대 이락 무력 사용 허용 결의안을 통해 내년1.15 을 이락군 철수 시한으로 제시함으로서 미국의 여사한 극한 정책은 국제적 승인을 받게된 셈인바, 특히 미국의 이러한 강경 노선이 이락측이 인질 석방 결정을 내리게된데에도 주효한 것으로 보임.

다. 한편, 미측은 부쉬 대통령이 선 제의한 미-이락 양국 외무장관 교환 방문 관련, 베이커 국무장관의 이락 방문이 1.3 이전 이루어져야만 한다는점을 내세우면서 아지즈 이락 외상의 방미를 보류시키고 있는바, 이러한 미측의 태도에서도 금번 사태의 부분적 해결을 반대하는 부쉬 행정부의 입장이 분명하게 나타나고 있음.

2. 이락의 입장

가. 상기와같이, 미국의 병력 증파, 유엔 안보리 결의안 통과등으로 국제적압력이 가중되고 있는 상황임에도 불구, 이락측은 인질 석방 이외에 별다른 태도의 변화를 보이지 않고 있음.

나. 오히려 이락측은 베이커 국무장관의 바그다드 방문 일자를 유엔 안보리결의안상의 철수 시한 직전인 1.12 로 제시하는등 일종의 - 지연 작전-을 전개하는 한편, 금번 사태와 팔레스타인 문제의 동시 해결을 지속적으로 주장하는등

미주국   차관   1차보   2차보   미주국   중아국   중아국   청와대   안기부

90.12.22   10:23

외신 2과 통제관 FE

0116

일종의 -연계 작전-도 펴고 있음.

　다. 기본적으로 이락측은 여사한 시간끌기 작전으로 잃을것이 없다는 입장으로
보이며, 또 이러한 와중에서 미국내 여론이 보다 더 심각한 분열상을 보이거나 대이락
다국적 봉쇄 전선이 와해됨으로서 현재 상황에서 사태가 고착화되는것을 최대의
목표로 추구하고 있는것으로 보임.

　3. 전망

　가. 이락군의 부분적 철수 가능성

　-WEBSTER CIA 부장도 12.15 자 WP 지와의 인터뷰시 언급한것 처럼, 당지
일각에서는 이락측이 미군등 다국적군의 공격 임박 시점에 쿠웨이트 로부터
급작스럽게 부분 철수할것으로 기대하고 있음(또한 12.18 자 NYT 지 보도등 최근 당지
언론 보도에 의하면, 이락측이 루마일라 유전 지대및 페르시아만으로의 진출에
필수적인 부비얀도와 와르바도의 2 개 도서등 쿠웨이트 북부 지역만을 자국의 영토로
편입하기 위해 새로운 경계선을 확정하는등 부분적 철군의 움직임을 보이고있다함)

　- 현재 미국은 베이커 국무장관의 연례 NATO 외무장관 회담 참석 기회등을 활용,
여사한 부분 철군으로는 사태가 해결될수 없다는점을 대이락 봉쇄 전선 참여국등에게
설득시키기 위해 노력하고 있으나, 실제 이락측이 부분 철군을 행동으로 옮기는 경우
현재와같은 강도의 다국적 봉쇄 전선이 유지되기는 어려울것임(특히 쉐바르드나제 소
외상의 사임 으로 인해 소련측이 지금까지의 대미 공동 보조 노선에서 일탈하는 경우,
대이락 다국적 봉쇄 노선은 치명적 상처를 입게될것임)

　-한편, 걸프 사태의 당사자격에 해당하는 아랍권 일각에서 여사한 부분적 해결을
금번 사태의 궁극적 해결 방안으로 수락하는 움직임을 보이고, 이러한 움직임에 대한
국제적 지지가 확산되는 경우 미측으로서도 부분적 철수 이전과같은정도의 국제적
지지를 확보키는 어려울것임.

　- 또한 일단 이러한 여건이 조성되는 경우 미국내적으로도 반전 분위기가 보다 더
확산될것이며 의회 및 언론등의 대이락 공격 여부에 관한 논의가 보다 더 분분해
질것인바, 이러한 상황하에서 부쉬 행정부가 대이락 무력 사용 결정을내리기는
어려울것임.

　-즉 이락측이 전격적으로 부분 철군을 단행하는 경우, 미국으로서는 전면적무력
사용이 사실상 불가능해질것이며, 국제 여론과 국내 분위기도 이완 현상을
보일것인바, 이러한 상황하에서 페만 사태는 부분적 해결 상태의 고착화 방향으로

PAGE 2

0117

(대사 박동진-차관)
91.12.31 일반

0118

진전될것임.

나. 미국의 대이락 공격 가능성

-1.15 까지 이락측이 전면 철수를 하지 않는경우 대이락 공격을 개시한다는것이 지금까지 공표된 미국의 공식 입장이므로, 설사 전기와같이 이락군의 부분철수가 이루어 진다 할지라도 미국의 군사력 사용 가능성을 완전히 배제하기는어려운 측면이 있음.

-다만, 이러한 경우 미측은 지상전을 통한 인명 손실을 최소화 하고, 이락의 반격 능력을 소멸시키기 위해 우선 집중적인 공중 폭격으로 이락의 세균 무기저장고등 군수 시설, 후방 보급선 및 미사일 기지등을 강타할 가능성인 클것으로 보임.즉 이락측의 부분 철군에 대한 대응 방안으로서, 미측은 공군력 사용이라는 제한적 작전을 전개함으로서 이락측 으로 하여금 미국의 전면 공격 가능성을 보다 더 심각하게 인식하도록 유도하고자 할 가능성이 있음.

다. 참고 사항

-쉘 소 외상의 사임등 예측하지 못했던 변수들이 등장하고 있고 금번 사태 향방의 관건을 쥐고 있는 훗쎄인 대통령의 내심을 아무도 정확히 해석하지 못하는 상황이므로 확정적 예측을 하기는 곤란하나, 현 상황하에서는 전기 -가-항의 부분 철수 가능성이 클것으로 보임.

-훗쎄인 대통령은 이러한 부분적 해결을 얼마든지 자신의 외교적 승리로 설명할수 있을것이며, 부쉬 대통령으로서는 대이락 공격 여부에 관한 진퇴 양난에 빠질것임.

- 특히 여사한 부분적 해결책이 아랍권의 공감을 얻는 경우, 미측으로서는 이러한 부분적 해결 방안을 거부하기 어려운 입장에 빠질것인바, 적어도 형식적으로는 미군 파병이 사우디측 요청에 의했던것이므로, 사우디측 요청으로 다시 철수 한다는 명분을 내세울수도 있을것임.

-또한 부쉬 행정부는 지금까지의 논리를 발전시켜, 미국의 극한정책으로인해 그나마 부분적 철군이라도 유도할 수 있었다고 국내적으로 자신의 입장을 합리화 시킬수도 있을것이며, 국제적으로는 대이란 억지력으로서의 이락의 효용을 재평가 하는 한편 대이락 무기 금수등의 조치는 계속 유지하고자 할것임.

-그러나 이락군의 쿠웨이틀부터의 전면 철수등 기존의 4 대 목표가 여한한 BLUFFIN 요소도 포함하지 않고 있는 미 행정부의 진전한 목표라면 전기 -나-항과같이 우선 공군력 사용이 부분적 철군에 대한 대응 방안 으로서 검토될것임.

<table>
<tr><td colspan="7" align="center">정 리 보 존 문 서 목 록</td></tr>
</table>

기록물종류	일반공문서철	등록번호	32334	등록일자	2009-02-05
분류번호	721.1	국가코드	US	보존기간	영구
명　칭	걸프사태 : 한.미국 간의 협조, 1990-91. 전9권				
생 산 과	북미1과/중동1과	생산년도	1990~1991	담당그룹	
권 차 명	V.4 1991.1월				
내용목차	1.17 백악관, 유엔 안보리 결의 실천을 위한 미국 및 연합국의 대이라크 군사작전 임박 통보 　　　주한미국대사관, 군사작전 개시 및 백악관 대변인 공식 발표 통보 　　　노태우 대통령, Bush 대통령 앞 친서 전달 1.19 주한미군, 주한미군용 장비 수송(선박1척 1회) 지원 요청 1.29 주한미국대사 앞 정부의 추가지원 결정내용 통보 1.30 걸프전 관련 한국 정부의 추가 지원 결정 공식 발표 　*　페르시아만 사태 보고, 1991.1.17, 　　　걸프전쟁과 대책, 1991.1.17, 　　　페르시아만 사태 현황과 대응책, 1991.1.18, 　　　걸프전쟁 관련 대미 추가지원 문제에 관한 대미 협의 및 조치계획(안), 1991.1.26, 　　　걸프사태 관련 대미 추가지원 문제 검토(안), 1991.1.26 　　　걸프사태 관련 추가지원 대미 통보, 1991.1.29 포함				

0001

공   란

공 란

공   란

공   란

공　　란

공   란

공   란

공   란

외 무 부

종 별 :

번 호 : USW-0059   일 시 : 91 0107 1657

수 신 : 장관(봉일,미북,교통부,항만청)

발 신 : 주 미 대사

제 목 : 한.미 해운 협의

　　1. 당관 김 해무관은 금일 해운 항만청 백옥인 외항과장과 함께 미군 수송 사령부(MSC MILITARY SEALIFT COMMAND)를 방문 JOHN J. ROCHE 수송 계약과장과 아국의 사막 방패 작전 해상 수송 지원 관련 문제를 협의한바, 동내용 다음 보고함.

　　가. 한진해운 -젯다-호의 DETENTION CHARGE 처리

　　나. 사막 방패 작전 수송지원을 위한 아국 위험물 적재 선박이 싱가폴항에서 해상 급유가 가능토록 MSC 극동 지역 상령부와 싱가폴 당국간 동 문제 협조 지원

　　다. DETENTION CHARGE 예방과 효율적인 선박 배선을 위해 소요 선박 및 수송일정에 대한 긴밀한 사전 협조 유지

　　2. 한편 백옥인 과장과 김 해무관은 미 해사청 BOURDON 국제 정책국장및 TREICHEL 국제 과장을 별도 만나, 한. 미 해운 현안 해결을 위한 최근 아국 정부의 노력및 진전 상황을 설명한바, BOURDON 국장은 금년들어 아직도 주요 현안에 대한 일정 제시등 구체적 조치가 없는 상황에서 자기로서도 더이상 FMC 등을 설득할수 없는 입장이라며, 해운 분야에서 양국간 밀월 시대(HONEYMOON PERIOD)가 지나갔음을 지적하였는바, 금번 서울 개최 한. 미 경제 협의회에서는 최소한 TRUCKING 등 현안에 대한 향후 개방 일정 제시등이 불가피할것으로 판단되니 적극 검토하여 주기 바람. BOURDON 국장은 또한 금년 4-5 월경 미 해사청장을 수석으로한 미 해운 대표단의 서울 방문으 계획과 함께 SKINNER 운수성 장관의 아국을 포함한 극동 지역 방문 계획 연기(당초 1 월에서 2 월 말경 예상)내용을 알려 주었음.

　　3. 백과장과 김 해무관는 MSC 부사령관 WALLY SANSONE 부제독의 요청에 따라 동인을 예방하였으며, 이자리에서 SANSONE 부제독은 아국의 사막 방패작전 수송 지원에 깊은 사의를 표하였음.

　　(공사 손명현-국장)

통상국　　2차보　　미주국　　교통부　　해항청

PAGE 1   91.01.08　　08:44

외신 2과　통제관 FE

0010

91.6.30 까지

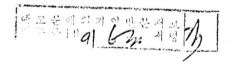

PAGE 2

원 본

외 무 부

종 별 : 지급

번 호 : USW-0097   일 시 : 91 0109 1837

수 신 : 장관(미북,미안,중근동,정이,연기)

발 신 : 주미대사

제 목 : CARL FORD 부차관보 접촉

당관 이승곤 공사는 금 1.9 이임을 앞두고 CARL FORD 국방부 부차관보와 오찬을 가졌음. 동 오찬 석상에서 FORD 부차관보는 한미 양국간의 몇가지 공동 관심사에 대해 언급하였는바, 요지 다음과같이 보고함.

1. 페만 사태

가. 미국의 입장에 대한 각국의 협조

0 현재까지 미국이 사우디, 이집트 및 걸프 제국등 전선국가들과 지속적인 결속을 유지하는데에는 아무런 문제점이 없음. 오히려 이들 국가들은 경제 제재 조치가 효력을 발휘하지 못한데 대해 실망하여 강경한 군사 조치를 취할것을 미국에 요구하여왔으며 오히려 미국이 이를 저지하고 있는 실정임.

0 EC 국가들은 최근 유화적인 입장을 취하여 이락측과 타협하는듯한 태도를보이고 있으나 미국으로서는 이를 수용할수 없는 입장임. 특히 불란서는 가장 타협적인 입장을 취함으로서 미국의 정책 수행에 지장을 주고 있는것이 사실임.미국으로서는 불란서가 페만 사태에 있어 연합국으로부터 이탈하여 독자적인 노선을 취하는 경우가 있더라도 이에 무관 할것임.

0 소련은 대체적으로 미국의 입장을 지지하여 왔으며, 이러한 태도는 쉐 외상의 사임에도 불구하고 변화가 없음. 다만 소련이 경제 제재 조치를 위반하여 물자 수송을 시도하다가 미국에 적발된적이 있으나 동 제재 조치 실시에 협조하고 있음. 이락 주재 소련인은 대부분 이미 귀국하였거나 귀국중에 있음.

0 중국은 초기부터 페만 사태 해결에 미온적이었으며 유엔등 국제 기구에서중립적 입장을 취하였음. 중국은 페만 사태를 미국과의 접촉에 있어 LEVERAGE 로 사용하려하고 있으나 미국으로서는 이를 수용할수 없는 입장임.그러나 미국은중국을 페만 사태 해결에 방해되는 국가로 생각하지는 않고 있음.

미주국	장관	차관	1차보	2차보	미주국	중아국	정문국	외연원
청와대	총리실	안기부						

PAGE 1   91.01.10   09:40

외신 2과 통제관 BW

0012

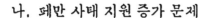

나. 페만 사태 지원 증가 문제

0 페만 사태 관련 소요 경비는 현재 미국이 약 50 프로(병력, 인건비, 수용비, 유지비등포함), 사우디, 쿠웨이트 및 걸프 제국이 약 40 프로, 그리고 기타 우방국이 나머지 10 프로를 부담하고 있음. 그러나 이는 동 사태 발생 초기인 작년 8-9 월에 결정된것이며, 그후 병력의 대폭 증가등 많은 변화가 있었으므로 더많은 경비가 소요되고 특히 미 의회가 우방국의 지원 증액을 요청하는 실정이므로 미 행정부로서는 부득이 우방국에 지원 증가를 요청해야 할 입장에 있음.

0 상기 지원 증가 요청안은 초안 작성 단계에 있어 정확한 액수를 알수 없으나 한국의 경우 사태 초기에 요청한 정도가 될 가능성이 있음. 지원 내역에 있어서는 각국 사정에 따라 다르나 일본에 대해서는 경제 지원 보다는 현금을, 그리고 한국에 대해서는 현금, 수송, 군수 물자 및 기타 지원(물자등)의 순위로 요청할것으로 보임.

0 요청 시기와 관련, 현재 미측으로서는 우선 1 월 하순경에 액수를 제시하지는 않고 개괄적인 추가 지원 요청을 한후, 구체적 액수 및 내역을 결정 각국에제시할것으로 고려하고 있음.

다. 의회 반응에 대한 행정부 입장

0 페만 사태에 대한 의회의 입장은 전반적으로 호전되고 있으나, 행정부로서는 의회가 취하고 있는 입장이 사태 해결에 장애가 된다고 보지는 않고 있음.

0 사견으로서는 일단 무력 행사가 개시되면 의회및 국민이 행정부 결정을 지지할것으로 기대하며, 다만 무력 사용 경과및 결과에 대해 국민이 비판 또는 반대를 할수 있다고 생각함.

PAGE 2

0013

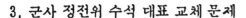

3. 군사 정전위 수석 대표 교체 문제

0 한국군 장성으로 수석 대표를 교체하는 안은 규정상으로나 실질적 문제에있어서 아무런 하자가 없다고 생각함. 다만 교체 시기를 현재로 택한 이유는 총리 회담등 남북 대화가 계속되고 있고 또한 최근 북한이 태도를 바꾸는듯한 기미를 보이고 있기 때문임.

0 동 문제와 관련하여, 소련이 최근 소.북한 관계에 비추어 특별한 반응을 보일것으로는 기대하지 않으나, 중국의 경우에는 북한의 태도와 무관한 독자적인입장을 결정, 표시할것으로는 예상치 않고 있음.

0 만약 북한이 수석 대표 교체를 반대하고 정전위 참석을 거부하 경우, 미국으로서는 이를 관망할것이며 북한이 필요하여 회의를 소집할때까지 기다려 볼 작정임.

(대사 박동진-국장)

91.12.31 일반

검 토 필 (19 .)

일반문서로 재분류(19 .)

PAGE 3

0014

면 담 요 록

1. 일   시 : 91.1.10(목) 10:30-

2. 장   소 : 미주국장실

3. 면담자 : 반기문 미주국장 (조병제사무관 배석)

   E. Mason Hendrickson 미참사관

4. 면담요지

(국무부 한국과장 일정 문제)

국 장 : - Richardson 과장이 주미 한국대사관(유명환 참사관)을 통하여
         표시한 희망에 따라 체한중 외무차관 예방을 주선키로 하였음.

참사관 : - Richardson의 방한이 참으로 시의적절한 것이라고 생각함.
          Kaifu 수상의 방한, Rogachev 차관의 방한등 중요한 외교활동이
          한국에서 일어나고 있는 시점임.
        - 동 과장은 방한중 한.미 양자관계 이외에도 한.쏘관계, 한.일
          관계, 중동문제등과 관련하여 외무부 관계자와 의견교환을
          원하고 있음.
        - 시간 제약이 있으니 여러명이 한꺼번에 참여하는 원탁토의가
          좋을 것으로 생각함.

국 장 : - 유용한 방안이라고 생각하며, 토의를 주선하겠음.
        - 시간은 1.16(수) 15:00로 하는 것이 어떨지? 이경우, 14:30까지
          본인 사무실로 와서 약간의 대화를 가질 수 있을 것임.

참사관 : - 그렇게 하겠음.

(패르샤만 사태 관련)

참사관 : - 참고로, 미국은 현재 바그다드 대사관에 잔류중인 5명을
            1.12까지 철수시키기로 결정하였음. 한국측의 계획은 어떤지?

국 장 : - 한국도 3명을 제외하고는 전원 철수를 지시하였음.
            - 철수시 미측은 특별기를 사용할 계획인지?

참사관 : - 일반 사용 여객기를 사용할 것으로 보나, 확인하여 보겠음.

국 장 : - 「패」만 위기고조와 관련, KAL의 수송지원이 몇가지 현실적인
            어려움을 겪고 있음.
            - 보험료가 약 10배정도 인상되었고, 승무원의 안전문제에 대한
            우려도 커지고 있음.
            - 전쟁이 발발하게 되면, 전쟁 구역내로의 운항이 불가능하게 될
            것으로 보는바, 미측의 의견이 있는지?

참사관 : - 공식적인 입장은 본부에 조회하겠으나, 우선 일차적인 의견은,
            i) 안전문제, 보험료 문제등 KAL의 어려움을 이해하나,
            ii) 지원계속이 줄수 있는 정치적인 의미와 실제적 필요성에
                비추어, 지원을 계속할 필요가 있다고 보며,
            iii) 가능한 대안으로는, 전쟁구역 인근의 최근 접점까지
                운항하던가, 안전한 외곽지역에서 미군 수송기와 연결
                운행하는 방안을 고려할 수 있겠음.
            - Beal 장군과 협의하여 어떤 것이 적절한 대안이 될지 알아
            보겠으며, 한국측에서도 검토해 주기 바람.

국 장 : - 한국측은 원칙적으로 지원을 계속한다는 입장이나 민간 항공사인
            KAL측의 안전등에 대한 우려는 이해해야 할 것이며, 따라서,
            어떠한 대안이 있어야 한다는 의견임.

                                        0016

(군의료진 파견)

참사관 : - 작일 RisCassi 사령관이 국방부측과 협의 과정에서 군의료진
          파견 선발대의 사우디 영내 진입을 위하여 필요한 경우 미군용기로
          수송 지원이 가능함을 언급하였으니 참고바람.

국 장 : - 감사함.

(전시 접수국 지원협정)

참사관 : - SOFA 개정 타결등 분위기가 개선됨에 따라, 미측은 양국간
          현안의 전반적인 진전과 해결을 희망하고 있으며, 그중의
          한가지로 전시 접수국 지원 협정의 조속한 서명을 바람.

국 장 : - 한국측이 WHNS 협정 체결 자체를 반대하는 것이 아니나, 현재
          정부내 유관부처의 의견을 서면 문의하고 있는 중이라 시간이
          걸리고 있음.

참사관 : - WHNS협정도 국회 송부가 필요한지?

국 장 : - 국회의 동의를 받아야 함. 그러나, 금번 임시국회에 상정하는
          것은 시간제약등이 있어 기술적으로 불가능함.
        - WHNS 협정과 관련하여, 그간 미측에서는, 외무부가 SOFA개정
          교섭을 위하여 WHNS협정 교섭을 방해하였다는 견해가 있었던
          것으로 알고 있으나, 이는 명백한 오해였음을 다시 한번 지적
          하고자 함.

참사관 : - 사실 당시 미측은 그렇게 생각하였으며, 당시의 정황으로 미루어
          그렇게 밖에 달리 볼수가 없었음.
        - 언제쯤 협정 서명이 가능할지?

0017

국 장 : - 현 시점에서 시간 계획을 정할수는 없음.

- 현재 부내 조약국과 여타 정부내 관련부처의 의견을 수렴중이나,
협정안중 일부 규정의 의미가 불분명한 것들이 있어 보다
신중한 검토와 협의가 필요한 것으로 생각하고 있음.

- 물론, 한국측은 기본적으로는 이 협정이 한.미 안보협력 관계
강화에 기여하리라는 점은 충분히 인정하고 있음.

참사관 : - 미측으로서는 한국측이 문제점이 있다고 보는 사항에 대해
언제던지 협의할 준비가 되어 있으며, 한국측의 견해를 듣고
싶어함.

국 장 : - 알겠음. 조만간 협의가 있을 것으로 기대함.   끝.

0018

발 신 전 보

번 호 : WUS-O122   910112 1522 AO   종별 :

수 신 : 주   미   대사 ,총영사

발 신 : 장 관 (미북, 미안)

제 목 : 군 의료 지원단 사우디 파견

연 : WUS- 115

1. 금 1.12(토) 미주국장은 Hendrickson 주한 미 대사관 정무 참사관을 초치
표제관련 정부 방침을 아래 내용대로 설명하였음.

가. 의료 지원단 구성 :

ㅇ 기본 구성은 단본부(36명), 행정부(37명), 군의관 26명 포함
진료부(49명), 간호부(32명), 총 154명

ㅇ 군의관 구성은 정형외과 5, 일반외과 4, 마취과 3, 신경외과 2,
방사선과 2, 치과 2, 가정의 2, 내과 1, 병리과 1, 총 26명

나. 부대 위치

ㅇ 알누아이라아 *Al-Nuairia* (사우디 동북부 3만 규모의 도시, 쿠웨이트/사우디
국경 남방 120Km, 다란 북서쪽 180Km, 리야드 동북방 500Km)
소재 사우디군 야전병원

ㅇ 병원시설, 의료장비, 보급 및 급식은 사우디측 제공 예정

/계속 .....

보 안
통 제

앙고재 | 91년1월12일 | 북미과 | 기안자 성명 | | 과 장 심의관 | 국 장 전결 | 차 관 | 장 관 | | 외신과통제

다. 파견 일정

  ○ 사전 조사단은 1.15. 출발 예정이며 의료진 17명, 지원요원
    3명, 현지 협조팀 6명등 총 26명으로 구성

  ○ 본대는 국회 동의 직후인 2월 첫주 출발 예정

라. 예 산

  ○ 91년도 정부 예비비로 98.2억원(13.75 백만불)을 계상 예정

마. 지위 협정

  ○ 28개 대사우디 지원 공여국과 기체결한 협정과 유사한 General
    Agreement 및 Arrangement Agreement를 현재 사우디 정부와 상세
    분안 고섭중

바. 미측 협조사항

  ○ 유사시 대비 예비 보급, 통신, 긴급 후송지원 체제 유지
  ○ 사기, 복지 시설의 공동 이용

사. 국회 동의안 추진일정

  ○ 당정 협조   : 1.14-15
  ○ 국무회의 의결   : 1.17
  ○ 대통령재가 및 국회 송부 : 1.18-21
  ○ 국방위 의결 처리   : 1.24
  ○ 본회의 의결 처리   : 1.25   일반문서로 재분류(1991.12.31)

  2. 미주국장은 상기 면담시 제1차 한.쏘 정책협의회에서 쏘측이 제기한
한반도 안보관련 문제에 대한 아국 입장을 상세 설명 하였음. 끝.

                                        (미주국장 반 기 문)

예고 : 91.12.31.일반
                                        검 토 필 (1991.6.30) 7b

                                              0020

관리
번호 91-64

외 무 부

종 별 : 지 급

번 호 : USW-0157

일 시 : 91 0114 1808

수 신 : 장관(미북,미안,중근동)

발 신 : 주 미 대사

제 목 : 군 의료 지원단 사우디 파견

대 WUS-0122, AM-0007

대호 관련, 당관 유명환 참사관은 1.12(토)및 1.14(월)각각 NSC 아시아 담당관 PAAL 보좌관 및 국무부 정무 차관실 KARTMAN 보좌관을 면담, 표제 파견 사실을 설명하였던바, 양 보좌관은 공히 한국측이 1.14 선발대 파견을 통해 전쟁 발발 이전에 인원을 걸프 지역에 부입키로 결정한것은 중요한 의미를 갖는것으로본다고 언급하고, 여사한 의료 지원 부대 파견 공표를 통해 한국이 동맹국으로서의 역할을 수행하고 있는것으로 평가한다고 부언함.

(대사 박동진-차관)

91.12.31 일반

검 토 필 (19 6.30)

문서료 재분류(19)

미주국   장관   차관   1차보   미주국   중아국   청와대   안기부

페만 개전시 이라크측 대규모 테러활동 전개 정보

1991. 1.

외 무 부

0022

> 미국 정부는 페만 사태가 무력충돌로 확대시 유연결의에 호응한 모든
> 국가들을 대상으로한 이라크측의 대규모 테러 활동이 자행될 것임을 통보
> 하여 오면서, 여사한 테러 활동의 사전 예방을 위한 한국 정부의 협조를
> 요청하여 왔는 바, 당부 조치사항 등 관련사항을 아래 보고드립니다.

미측 통보 내용 (별도)

o 페만 사태가 무력 충돌로 확대시 유연 결의에 호응한 모든 국가들을 대상으로
  한 이라크측의 대규모 테러가 감행될 것임.
  - 이라크 ~~정부~~ 요원, 이라크에 동정적인 테러 단체 및 동 사태를 이용하려는
    여타 테러 단체 등
  - 일본 적군파, 아부니달 그룹, 팔레스타인 해방전선 등

o 각 요원들은 이미 활동지역에 배치 완료되어 별도 훈령없이 개전후 24-48
  시간내 공작 개시가 예상됨.

미측 조치 내용

o ~~미 행정부~~ 정부는 우방국들과의 긴밀한 협조하에 ~~상~~ 테러 행위들의 발생을 사전
  예방 ~~코져함~~.
  - 예상 테러 공작에 관한 정보교환 ~~등~~

o 미국 주재 이라크 외교관 ~~추방~~ 조치.
  - 총 160명 中 대사 포함 4명은 잔류시키고 ~~나머지~~ 12명을
    1, 15간 출국요구
  - ~~관계~~ 행동반경을 ~~동~~ 25 마일시내로 제한
o 테러 혐의자들에 대해 * 신문, 기록수색, 록명조사 등 대대적
  조사활동 벌이기 중 ~~~~ ~~~~.

o 각 ~~위행공서~~에 대해 경비태세상 ~~~~ 차기가 ~~~~ ~~~~에 지정관 확대도 협조 요망
  - 한, 마, 영국과 ~~~~ 불교리비 관련조치 기대
  - 주한 이라크 대사관 및 내 정보수집 가능한 한 신속한 유방에 대해 요망

0023

o 전 재외공관장에 상기 정보를 타전하고 공관원, 교민 등의 안전대책 수립과
  사증 심사에 철저를 기하도록 지시함.

o 국가안전기획부, 내무부, 법무부 및 국방부에도 상기 정보를 통보하고 관련 대책을
  협조를 요청함.
  - 한.미간 정보기관 및 군기관간 협조채널 긴밀화 필요.

o 주한미군당사관은 원래 대사에게서 그명으로서 전면 접속타했다고
  답약하고 있으므로 이 문제에는 0 1만도의 리어라는 초세래는
  보오는것으로 단다.
  - 단, 시러번번 이때나 이는의 동태는계속 0 주시돈오.

0024

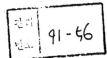

이라크의 테러活動에 관한 情報

1991. 1.

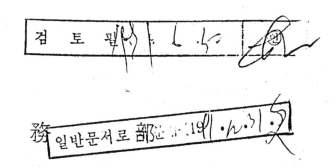

검 토 필

外　　　務　一반문서로 部

美國 政府는 페灣 事態가 武力衝突로 擴大時 유엔 決議에 呼應한 모든 國家들을 對象으로한 이라크측의 大規模 테러 活動이 자행될 것임을 通報하여 오면서, 如斯한 테러 活動의 事前 豫防을 위한 韓國 政府의 協調를 要請하여 왔는 바, 當部 措置事項 等 關聯 事項을 아래 報告드립니다.

美側 通報 및 要請 內容

o 페灣 事態가 武力 衝突로 擴大時 유엔 決議에 呼應한 모든 國家들을 對象으로 한 이라크측의 大規模 테러가 敢行될 것임

- 이라크 要員, 이라크에 同情的인 테러 團體 및 同 事態를 利用하려는 餘他 테러 團體 等

- 日本 赤軍派, 아부니달 그룹, 팔레스타인 解放前線 等

o 各 要員들은 이미 活動地域에 配置 完了되어 別途 訓令없이 開戰後 24-48時間內 공작 開始가 豫想됨

o 各 友邦國에 따라 法制度上 差異가 있을 수 있으나 可能한 最大限의 協調를 要請함

- 韓.美 兩國間 協調體制 緊密化 期待

- 駐韓 이라크 大使館員內 情報要員이 있을 경우 迅速한 追放 考慮 要請

0026

美側　措置　內容

○　友邦國들과의　緊密한　協調下에　테러　行爲들의　發生을
　　事前　豫防

　　──　豫想　테러　工作에　관한　情報交換

○　美國　駐在　이라크　外交官　減縮

　　-　總　16名中　六使包含　4名만을　殘留시키고　12名을
　　　1. 15限　出國토록　措置

　　-　行動半徑을　25마일　以內로　制限

○　테러　嫌疑者들에　대한　審問,　家宅搜索,　追放措置等
　　大大的　調査活動　倍加中

措置　事項

○　全　在外公舘長에　上記　情報를　打電하고　公舘員,
　　僑民　等의　安全對策　樹立과　査證　審査에　徹底를
　　기하도록　指示함

○　國家安全企劃部,　內務部,　法務部　및　國防部에도
　　上記　情報를　通報하고　各部處別　關聯　對策을　樹立
　　하도록　協調를　要請함

　　-　韓. 美間　情報機關　및　軍　機關間　協調채널
　　　緊密化　必要

0027

ㅇ 駐韓 이라크 大使舘은 現在 大使代理外 2名으로서
全員 純粹 外交官으로 把握되고 있으므로 어들에
대한 別途의 制裁措置는 現在로서는 不要한 것으로
判斷됨

- 但, 事態進展에 따라 이들의 動態는 繼續
  注視 必要

끝.

0028

5. BEGIN TALKING POINTS:

-- THE UNITED STATES GOVERNMENT BELIEVES THAT IN THE CASE OF HOSTILITIES IN THE PERSIAN GULF, THE WORLD COMMUNITY WILL FACE A WIDE-SPREAD TERRORIST CAMPAIGN CARRIED OUT BY IRAQI AGENTS, BY TERRORIST GROUPS ALLIED OR SYMPATHETIC TO IRAQ, AND BY OTHERS SEEKING TO TAKE ADVANTAGE OF THE SITUATION FOR THEIR OWN ENDS. EACH OF US AND OTHERS PARTICIPATING IN THE UNITED NATIONS CONSENSUS ON IRAQ'S INVASION AND OCCUPATION OF KUWAIT IS A POTENTIAL TARGET AND SCENE FOR SUCH ATTACKS. WE BELIEVE THAT US INTERESTS WILL BE TARGETED WIDELY.

-- THE PREPARATIONS FOR MANY SUCH TERRORIST ATTACKS ARE PROBABLY ALREADY COMPLETE. WE ESTIMATE THAT TEAMS OF TERRORISTS ARE IN ALL LIKELIHOOD ALREADY IN PLACE AND THAT THEY MAY WELL HAVE ORDERS TO IMPLEMENT THEIR OPERATIONS WITHOUT FURTHER INSTRUCTIONS WHEN HOSTILITI'S COMMENCE. WE BELIEVE THAT MANY OF THE PROFESSIONAL TERRORISTS, SUCH AS OPERATIVES OF THE ABU NIDAL ORGANIZATION, THE PALESTINE LIBERATION FRONT AND IRAQ ITSELF, MAY WELL GO INTO ACTION AS SOON AS THE FIRST 24 TO 48 HOURS OF HOSTILITIES.

-- OUR GOVERNMENTS HAVE BEEN WORKING TO PREPARE FOR SUCH AN ONSLAUGHT INDIVIDUALLY AND JOINTLY, FOR EXAMPLE, BY SHARING INTELLIGENCE ON POSSIBLE TERRORIST OPERATIONS. WE NEED TO CONTINUE OUR PREPARATIONS TO PREVENT AND REACT TO SUCH INCIDENTS.

-- GIVEN THE POSSIBILITY OF HOSTILITIES IN THE GULF, IT IS PRUDENT TO HAVE POLITICAL AGREEMENT TO DO EVERYTHING POSSIBLE TO FORESTALL THE EXPECTED TERRORISM. ONE MEASURE WHICH COULD ACCOMPLISH THAT END IS A PRE-EMPTIVE MOVE AGAINST INDIVIDUALS WHOM WE HAVE GOOD REASON TO SUSPECT OF INVOLVEMENT IN PREPARATIONS OF TERRORIST OPERATIONS.

-- DEPENDING ON EACH OF OUR LEGAL CONSTRAINTS, THIS COULD INCLUDE QUESTIONING OF INDIVIDUALS, SEARCHING OF RESIDENCES, AND EXPELLING INDIVIDUALS, WHERE JUSTIFIED AND POSSIBLE. IN THE CASE OF SUSPECT DIPLOMATS, IMMEDIATE EXPULSIONS SHOULD BE CONSIDERED.

-- WE BELIEVE SUCH ACTIONS COULD VERY WELL TURN UP INCRIMINATING EVIDENCE. HOWEVER, EVEN IF INDIVIDUALS CANNOT BE HELD OR EXPELLED, WE BELIEVE THAT THE QUESTIONING OF SUSPECTS COULD DISRUPT A NUMBER OF PLANNED TERRORIST ACTIONS BY DIRECTLY DETAINING THOSE INVOLVED IN TERRORIST PLOTS AND BY FRIGHTENING OTHERS PLANNING SUCH ACTIVITIES.

-- WE INTEND TO UNDERTAKE INTENSIFIED INVESTIGATIVE

ACTIVITY IN THE UNITED STATES WITH THE OUTBREAK OF
HOSTILITIES. THIS WOULD INCLUDE CONDUCTING STRATEGIC
INTERVIEWS. AS YOU KNOW, WE ARE ALSO REDUCING THE IRAQI
DIPLOMATIC PRESENCE IN THE UNITED STATES. WE HOPE YOUR
GOVERNMENT WILL AGREE TO ACT IN PARALLEL WITH US TO THE
DEGREE POSSIBLE UNDER YOUR LEGAL SYSTEM. IF YOU DO, WE
SUGGEST THAT THE DETAILS OF COORDINATION FOR SUCH
ACTIONS BE WORKED OUT BETWEEN OUR SPECIAL SERVICES
THROUGH ESTABLISHED LIAISON CHANNELS.

-- IN ADDITION, WE WOULD WELCOME YOUR IDEAS ON OTHER
MEANS TO COUNTER THE EXPECTED TERRORIST THREAT. WE LOOK
FORWARD TO WORKING WITH YOUR GOVERNMENT CLOSELY ON THIS
AND RELATED MATTERS, RECOGNIZING THAT EACH COUNTRY'S
LEGAL SYSTEM IS DIFFERENT.

6. FYI FOR INFORMATION ADDRESSEE: WE WILL BE
DISPATCHING AT A LATER DATE TAILORED CABLES TO
ADDITIONAL GOVERNMENTS ASKING THEM TO TAKE RELATED
ACTIONS AND INFORMING THEM OF OUR ACTIONS, WHERE
APPROPRIATE. EAGLEBURGER
BT
#0323

NNNN

S E C R E T   STATE   010323/03

0030

-- WE APPRECIATE THE ☐PERATION PROVIDED TO DAT☐ ☐O
COUNTER AND PRE-EMPT ☐ TERRORIST THREAT POSED ☐☐ IRAQ
AND THOSE SYMPATHETIC TO IT. HOWEVER, WE BELIEVE THE
THREAT REMAINS VERY SERIOUS.

-- YOU HAVE NO DOUBT SEEN THE REPORTS OF A BOMB
DISCOVERED NEAR THE US AMBASSADOR'S RESIDENCE IN
JAKARTA, OF AN ANTI-US TERRORIST PLOT FOILED IN BANGKOK,
AND OF AN IRAQI TERRORIST WHO BLEW HIMSELF UP IN MANILA
TRYING TO ATTACK A US CULTURAL CENTER. IN THE MANILA
CASE, THE GOVERNMENT OF THE PHILIPPINES SUBSEQUENTLY
EXPELLED AN IRAQI DIPLOMAT LINKED TO THE FAILED
TERRORIST PLOT. THESE AND OTHER INCIDENTS REVEAL A
WORLD-WIDE PATTERN OF PRO-IRAQI TERRORIST ACTIVITY.

-- BASED ON INFORMATION DEVELOPED SINCE HOSTILITIES

BEGAN, WE HAVE GOOD REASON TO BELIEVE THAT IRAQ HAS
DISPATCHED PROFESSIONAL TERRORISTS TO A WIDE RANGE OF
COUNTRIES IN ORDER TO ATTACK THE INTERESTS OF THE UNITED
STATES AND OTHER MEMBERS OF THE GULF COALITION.

-- WE BELIEVE THAT IRAQ HAS TRAINED HUNDREDS OF
AGENTS -- IRAQI CITIZENS AND OTHERS -- IN TERRORIST
TECHNIQUES IN RECENT MONTHS AND DISPATCHED A NUMBER OF
THEM IN TEAMS TO CARRY OUT OPERATIONS.

-- WE HAVE REASON TO BELIEVE THAT THESE INDIVIDUALS
HAVE ACCESS TO SOPHISTICATED EXPLOSIVE DEVICES, IN SOME
CASES PROVIDED BY IRAQI EMBASSIES. WE ALSO BELIEVE THAT

MANY OF THESE INDIVIDUALS ARE TRAVELING ON OFFICIAL AND
DIPLOMATIC IRAQI PASSPORTS AND RECEIVE FULL SUPPORT FROM
IRAQI EMBASSIES.

-- JUDGING FROM THE INFORMATION ALREADY UNCOVERED,
WE BELIEVE THAT IRAQI AGENTS ARE ALSO TRYING TO PROVIDE
LEADERSHIP AND EXPERTISE TO LOCAL RADICALS WHO OPPOSE
THE ROLE OF THE U.S. AND OTHERS IN THE GULF AND WHO ARE
WILLING TO USE TERRORISM TO PURSUE THEIR GOALS.

-- IN ADDITION TO DIRECT IRAQI AGENTS, WE HAVE GOOD
REASON TO BELIEVE THAT PROFESSIONAL PALESTINIAN
TERRORISTS FROM SUCH GROUPS AS THE ABU NIDAL
ORGANIZATION AND THE POPULAR LIBERATION FRONT OF ABU
ABBAS ARE ACTIVELY PLANNING PRO-IRAQI TERRORIST
OPERATIONS.

-- IN LIGHT OF THIS, WE URGE THAT YOU AGAIN CONSIDER
AS MANY PRE-EMPTIVE MEASURES AS POSSIBLE GIVEN YOUR
LEGAL SYSTEM TO COUNTER THE TERRORIST THREAT. THE STEPS
MAY PROVE ESSENTIAL TO INSURING THE SAFETY OF OUR
PERSONNEL AND PROPERTY.

-- (IF APPROPRIATE) AS WE HAVE SUGGESTED BEFORE, WE
URGE THAT IRAQIS SUSPECTED OF TERRORISM-RELATED
ACTIVITIES BE EXPELLED WHETHER THEY CARRY DIPLOMATIC
PASSPORTS OR NOT. GIVEN THE SUPPORT ROLE BEING PLAYED
BY IRAQI EMBASSIES IN THIS WORLD-WIDE CAMPAIGN, WE ALSO
URGE THAT ANY OFFICIAL IRAQI PRESENCE BE REDUCED TO THE
ABSOLUTE MINIMUM AND BE PLACED UNDER THE CLOSEST
SURVEILLANCE AND RESTRICTIONS.

0031

872

Tony — an analysis that
is not deep, but is what I
enjoyed our conversation
all the best

Tony

0032

페만사태의 무력 충돌로의 확대시

이라크측 테러활동 증가 예상

(91.1.12(토) 주한 미 대사관 제공 정보)

1. 페만 사태가 무력충돌로 확대시 미 행정부는 이라크 요원, 이라크에 동정적인
   테러 그룹 및 동 사태를 이용하려는 테러 단체들에 의한 대규모 테러 활동에
   직면할 것이라는 우려를 표명함.
   - UN 결의에 호응한 모든 국가들이 대상

2. 동 테러리스트들의 공작 준비는 완료 상태임.
   - 각 요원들의 활동 지역에의 배치는 이미 완료되었으며 별도 훈령없이
     전쟁 발발과 동시 공작 개시 예상
   - Abu Nidal 그룹, Palestine Liberation Front 및 이라크 정부등은 개전직후
     24-48시간내 공작개시 예상

3. 미국 정부는 단독 또는 우방국들과의 협조하에 대처할 예정임.
   - 예상 테러 공작에 관한 정보 교환등

0033

4. 미 행정부로서는 사전 대비책의 일환으로 우방국과의 사전 정치적 합의가
   현책이라 생각함.
   - 협의자들에 대한 사전 예방조치등

5. 각 우방국 법제도 상이에 따라 제한이 있을 수 있으나 다음 조치들이 가능함
   - 협의자 심문, 가택 수색, 추방
   - 외교관중 협의자의 즉각적 추방 조치등

6. 상기와 같은 조치들은 증거 포착 및 테러 공작 중도 무산에 기여할 것으로 봄.
   - 추방 또는 억류까지는 못하더라도 협의자 심문 정도는 큰 효과 발휘 예상

7. 현재 미 행정부는 상기 움직임과 관련, 대대적인 조사활동을 배가중에 있음.
   - 이라크 외교관수 감축
   - 한국 법률이 허용하는한 최대한의 협조를 기대
   - 기존 정보기관 및 군협조 채널을 통한 상세사항 협조 용의 표명

8. 동건과 관련 한국 정부의 대안 또는 충고를 환영함.
   - 향후 양국간 협조체제 긴밀화 기대
   - 기타 관련사항 상세는 계속 제공 예정

0034

폐灣事態가 武力 衝突로 擴大時

이라크側 테러活動 增加 豫想

1. 폐灣 事態가 武力衝突로 擴大時 美 行政府는 이라크 要員, 이라크에 동정적인
   테러 단체 및 同 事態를 이용하려는 여타 테러 團體들에 의한 大規模 테러에
   직면할 것이라는 憂慮를 表明함.
   - UN 決議에 呼應한 모든 國家들이 對象

2. 同 테러리스트들의 공작 準備는 完了 狀態임.
   - 各 要員들의 活動 地域에의 配置는 이미 完了되었으며 別途 訓令없이
     戰爭 勃發과 동시에 공작 開始 豫想
   - Abu Nidal 그룹, Palestine Liberation Front 및 이라크 政府等은 開戰後
     24-48時間內 공작 開始 豫想

3. 美國 政府는 단독 또는 友邦國들과의 協調下에 對處할 豫定임.
   - 豫想 테러 工作에 관한 情報 交換等

4. 美 行政府로서는 대비책의 一環으로 友邦國과의 事前 政治的 合意가 현책이라
   생각함.
   - 嫌疑者들에 대한 事前 豫防措置等

0035

5. 各 友邦國 法制度 相異에 따라 制限이 있을 수 있으나 다음 措置들이 可能함

   - 嫌疑者 審問, 家宅 搜索, 追放

   - 外交官中 嫌疑者의 即刻的 追放 措置等

6. 上記와 같은 措置들은 證據 捕捉 및 테러 工作 중도 무산에 寄與할 것으로 봄.

   - 追放 또는 抑留까지는 못하더라도 嫌疑者 審問 정도는 큰 效果 發揮 豫想

7. 現在 美 行政府는 上記 움직임과 관련, 大大的인 調查活動을 倍加中에 있음.

   - 이라크 外交官數 減縮

   - 韓國 法律이 許容하는한 最大限의 協調를 期待

   - 旣存 情報機關 및 軍協調 채널을 통한 詳細事項 協調 用意 表明

8. 同件과 關聯 韓國 政府의 代案 또는 忠告를 歡迎함.

   - 向後 兩國間 協調體制 緊密化 期待

   - 其他 關聯事項 詳細는 繼續 提供 豫定

0036

발 신 전 보

WUS-0134   910114 1742   AO   종별: 긴급

번   호 : _____

수   신 : 주   미   대사. 총영사

발   신 : 장 관   (미북)

제   목 : 페만 특별기 운항

    1. 페만 지역 교민 철수 등 목적으로 대한항공 특별기(B-747)가 아래와

같이 운항함(현지 시간)

           1.14(월) 12:00   서울 출발 (KE 8011)

                 15:40   (방콕 도착 : 경유)

                 18:40   (방콕 출발)

                 22:40   리야드 도착

           1.15(화) 00:10   리야드 출발

                 01:20   암만 도착

                 02:50   암만 출발 (KE 8012)

                 05:30   바레인 도착

                 07:00   바레인 출발

                 17:30   (방콕 도착 : 경유)

                 18:30   (방콕 출발)

           1.16(수) 01:40   서울 도착

예고문에 의거 일반문서로
재분류 199 . 6. 30 서명

/ 계 속 /

중동아프리카국장 :

| | 보 안
통 제 | |

0037

　　　　2. 상기 특별기는 아국 군 의료지원 조사단 26명과 페만 지역
아국 교민에 제공할 방독면 2000착을 리야드까지 수송한 후, 페만 지역 아국
교민중 1차 철수 대상자 400여명(리야드 270여명, 암만 90여명, 바레인 40여명)을
탑승 시켜 귀환 예정임. (공관원 가족 및 고용원 약50명 포함). 끝.

　　　　　　　　　　　　　　　　(미주국장 반기문)

예고 : 91.6.30. 일반

0038

발 신 전 보

WUS-0160   910116 1325 CG

번   호 : _____   종별 : _____

수   신 : 주   미   대사 ~~총영사~~

발   신 : 장 관   (미북)

제   목 : 페만사태 관련 아국지원 홍보

대 : USW(F)-0162

   대호 1.15.자 W.P.지 보도내용은 국방성 자료를 근거로 했음에도 불구, 기타
지원국 부분에 아국 위 의료지원단 파견, 다국적군 및 주변국 경제지원 내용이 누락되었는
바, 국방부는 물론 W.P. 및 N.Y.T. 등 주요언론에 페만사태 관련 아국 지원 내용에
관한 홍보자료를 작성 전달하여 추후 아국 지원 내용이 주재국 언론을 통해 적절히
홍보되도록 조치하고 결과 보고바람.   끝.

(미주국장 반 기 문)

검토필 (199(.6.?? .)

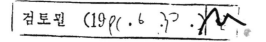

일반문서로 재분류(199(.(2.)1.)

보 안 통 제	

앙 고 재	91 년 1 월 16 일	북 미 과	기안자 성명		과 장	심의관	국 장	전결	차 관	장 관		외신과통제

0039

외 무 부

관리번호 : H-8P

종 별 : 지 급

번 호 : USW-0222

일 시 : 91 0116 1830

수 신 : 장관(미북),미안,중근동)

발 신 : 주 미 대사

제 목 : 폐만 사태 관련 아국 지원 홍보

대 WUS-0160

1. 표제관련 금 1.16 당관 유명환 참사관은 국무부 정무 차관실 KARTMAN 보좌관을 접촉하여 1.15 자 WP 지 보도의 오기를 지적하고 아국의 지원 내용이 국방부등 유관부서의 공보채널등에 적절히 배포될수 있도록 협조 요청함.

2. 한편, 당관 김영복 서기관도 국무부 한국과 MCMILLION 부과장에게 여사한 요청을 전달하고 당관 무관부를 통해서도 국방부측에 동 요청을 전달한바 미측은 유념하겠다는 반응을 보임.

(대사 박동진-국장)

91.12.31 까지

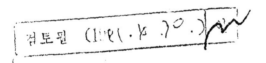

검토필 (1991.6.30.)

일반문서로 재분류(1991.12.31.)

미주국   장관   차관   1차보   미주국   중아국

분류번호	보존기간

발 신 전 보

WUS-0172   910116 1926 CG   종별 : 자경

번 호 :

수 신 : 주   미   대사.총영사

발 신 : 장 관   (미북)

제 목 : UN 안보리 철군시한 경과 관련 대변인 성명 발표

대 : USW-0158

UN 안보리 철군시한 경과와 관련, 1.16. 19:00(KST) 발표한 외무부 대변인

성명을 별첨 타전함.

첨 부 : 상기 성명 국.영문 1부.   끝.

예 고 : 91.6.30. 일반

예고문에 의거 일반문서로
재분류 19 (. 6.) ○ 서명

(미주국장 반 기 문)

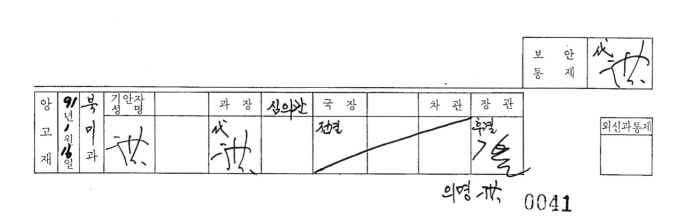

보 안 통 제	

앙고재	91년 1월 16일	북미과	기안자 성명		과장 심의관	국장		차관	장관

외신과통제

의명   0041

유엔 안보리 철군 시한 경과후

외무부 대변인 성명

1991. 1. 16.

ㅇ 대한민국 정부는 유엔 안보리 결의가 설정한 철수 시한이 지났음에도 불구하고 이라크 정부가 쿠웨이트에 불법 주둔중인 이라크군을 아직 철수치 않고 있음을 유감스럽게 생각한다.

ㅇ 우리 정부는 이라크 정부가 지금이라도 전세계 평화 애호인의 염원에 부응하여 유엔 안보리 결의가 요구하고 있는 바와 같이 쿠웨이트로부터 즉각 철군할 것을 거듭 촉구하는 바이다.

ㅇ 대한민국 정부는 이 기회를 빌어 페르시아만 지역에 파견된 다국적군의 헌신적인 평화유지 회복 노력에 경의를 표하고 이를 높이 평가하는 바이다.

끝.

0042

Statement by the Spokesman of
the Ministry of Foreign Affairs

January 16, 1991

o It is with deep regret that Iraq has refused to comply with the deadline set by the U.N. Security Council Resolution for the withdrawal of its troops illegally occupying Kuwait.

o The Government of the Republic of Korea once again urges the Iraqi government to respect the aspiration of all the peace-loving people of the world and immediately withdraw its troops from Kuwait as demanded by the U.N. Security Council Resolution.

o The Government of the Republic of Korea takes this opportunity to express its deep respect and high tribute to the multinational forces deployed to the Gulf region for their dedicated efforts and sacrifice to ~~safeguard~~ restore peace and security.

0043

원 본

외 무 부

종 별 : 지 급

번 호 : USW-0229   일 시 : 91 0116 1137

수 신 : 장관(미북)

발 신 : 주 미 대사

제 목 : 페만 관련 대변인 성명

대 WUS-0172

1. 대호 대변인 성명, 백악관 PAAL 보좌관, 국무부 KIMMITT 차관보및 국무부 한국과측에 각각 전달함.

2. 미측은 아국의 확고한 지지 표명에 사의를 표명하면서, 한. 미간의 계속적인 긴밀한 협조가 그 어느때 보다도 중요한 시기라는 반응을 보임.

(대사 박동진-국장)

91.6.30 일반

미주국

PAGE 1   91.01.17   13:51
                                            외신 2과 통제관 BT

                                            0044

외 무 부

종 별 : 긴 급

번 호 : USW-0230　　　　　　　　일 시 : 91 0116 2341

수 신 : 장관(미북,중근동)

발 신 : 주미대사

제 목 : 부쉬 대통령앞 친서

　　대 WUS-0177

　　1. 대호, 친서 관련 당관 유참사관은 1.16(수) 저녁 전문 접수 즉시 백악관 NSC 의 아시아 담당 PAAL 보좌관에게 우선 전화로 통보하였으며, 본직은 명일 아침 국무성을 통해 문서로 전달 예정임을 보고함.

　　2. 상기 관련 동 보좌관은 아측의 신속한 지지 표명에 사의를 표하고, 계속 긴밀히 협조하여 줄것을 희망한다고 말함.

　　(대사 박동진-국장)

　　예고:91.12.31 일반

일반문서로 재분류(1991.12.31)

검 토 필 (19)

미주국	장관	차관	1차보	2차보	중아국	청와대

미국정부가 한국정부에 보낸 긴급 전문 멧세지

o 미 대통령은, 핵심 연합국과의 협의하에, 이라크와 쿠웨이트내에 있는
  이라크 군대에 대하여 군사 작전 개시를 명령하였음.

o 연합군이 이라크내 군사적, 전략적 목표를 공격하는 것은 이라크의
  파괴, 점령 또는 해체가 아니라, 쿠웨이트의 해방을 목적으로 한 것임.

o 미 대통령의 결정은 1.15이후 '필요한 모든 수단'의 사용을 허용한 유엔
  안보리 결의 678호에 따른 것임.

o 그간, 미국과 동맹국들은 평화적인 방법에 의한 이라크의 철수를 위하여
  가능한 외교적 노력을 다하였으나, 이라크는 이러한 모든 노력을 거부
  하고, 쿠웨이트의 해체와 대량살상 무기의 제조를 계속하였음.

o 군사작전을 수행함에 있어, 미국과 동맹군들은 민간인 희생을 최소화
  하는등 제네바 협정의 모든 규정을 존중할 것임.

o 이라크에 대해서도 생.화학 무기와 핵무기등 대량살상 무기의 사용을
  피하도록 하고, 쿠웨이트내 유전파괴나 미국과 동맹국 시민들에
  대한 테러행위가 있을 경우에는 이라크 지도층이 모든 책임을 져야할
  것임을 경고하였음.

o 이라크의 테러 공격 가능성에 대비하여 미국인과 시설에 대한 보안 조치
  강화를 위한 귀국의 협조를 요청함.

o 이번 적대행위가 가능한 한 조속히 종결되기를 기대하며, 이라크는
  쿠웨이트에서 무조건적이고 즉각적인 완전 철수를 함으로써 더 이상의
  파괴를 피할 수 있음.

o 유엔 안보리 결의 678호에 따라, 미국은, 다국적군에 대한 귀국의
  지지와, 적절하다면 계속적인 기여를 요청함.

o 미국은 상황이 전전됨에 따라, 귀국과의 협의를 계속할 것임.   끝.

0046

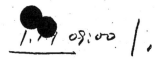

-- IN CONSULTATION WITH KEY MEMBERS OF THE
INTERNATIONAL COALITION, THE PRESIDENT HAS ORDERED U.S.
FORCES TO COMMENCE MILITARY OPERATIONS AGAINST IRAQI
FORCES IN IRAQ AND KUWAIT. U.S. AND COALITION FORCES
HAVE INITIATED COMBAT OPERATIONS.

-- ALTHOUGH COALITION FORCES ARE STRIKING MILITARY AND
STRATEGIC TARGETS IN IRAQ, OUR GOAL IS NOT THE
DESTRUCTION, OCCUPATION OR DISMEMBERMENT OF IRAQ. IT IS
THE LIBERATION OF KUWAIT.

-- THE PRESIDENT'S DECISION IS PURSUANT TO AND IN
COMFORMITY WITH UN SECURITY COUNCIL RESOLUTION 678,
WHICH AUTHORIZES THE USE OF "ALL NECESSARY MEANS" AFTER
JANUARY 15 TO IMPLEMENT RELEVANT UN SECURITY COUNCIL
RESOLUTIONS AND TO RESTORE INTERNATIONAL PEACE AND
STABILITY IN THE AREA.

-- THE PRESIDENT TOOK THIS STEP ONLY AFTER EXHAUSTING
ALL DIPLOMATIC OPTIONS AND AFTER HAVING DETERMINED THAT
THE GOVERNMENT OF IRAQ WOULD NOT COMPLY PEACEFULLY WITH
THE UNITED NATIONS SECURITY COUNCIL RESOLUTIONS CALLING
UPON IT TO WITHDRAW FROM KUWAIT.

-- THE GOVERNMENT OF IRAQ WAS GIVEN EVERY OPPORTUNITY
TO WITHDRAW. THE UNITED STATES AND ITS COALITION
PARTNERS TOOK EVERY STEP POSSIBLE TO LEAVE IRAQ IN NO
DOUBT OF THE CONSEQUENCE OF A FAILURE TO COMPLY WITH THE
UNSC RESOLUTIONS BY JANUARY 15.

-- THE U.S. STRONGLY PREFERRED THAT IRAQ COMFLY
PEACEFULLY WITH ALL UNSC RESOLUTIONS, AND THE
INTERNATIONAL COMMUNITY MADE EXHAUSTIVE DIFLOMATI-
EFFORTS TO THAT END. IRAQ HAS REJECTED OR IGNORED:

- - SECRETARY BAKER'S DIRECT TALKS WITH FOREIGN
- MINISTER TARIQ AZIZ ON JANUARY 9 AND THE PRESIDENT'S
- WRITTEN LETTER TO SADDAM HUSSEIN OF JANUARY 5;

- - THE PERSONAL EFFORTS OF UNSYG PEREZ DE CUELLAR
- DURING HIS MISSION TO BAGHDAD ON JANUARY 12-13, AND
- HIS APPEAL ON JANUARY 15 TO WITHDRAW UNCONDITIONALLY;
- AND

- - SUPPORTING EFFORTS BY THE EUROPEAN COMMUNITY, THE
- ARAB LEAGUE, THE NON-ALIGNED MOVEMENT, AND NUMEROUS
- COUNTRIES AND PRIVATE AND PUBLIC INDIVIDUALS.

0047

- IN THE COURSE OF THESE EFFORTS, IRAQ WAS ASSURED
THAT, IF IT WITHDREW PEACEFULLY: (1) IT WOULD NOT BE
ATTACKED; (2) IT COULD NEGOTIATE A PEACEFUL RESOLUTION
OF ITS DIFFERENCES WITH KUWAIT AFTER WITHDRAWAL AS
STATED IN UNSC RESOLUTION 660; (3) ECONOMIC SANCTIONS
NOT RELATED TO THE MILITARY ESTABLISHMENT WOULD BE
QUICKLY REVIEWED; (4) THE U.S. SOUGHT NO PERMANENT
GROUND PRESENCE IN THE REGION; AND (5) THE U.S. WOULD
CONTINUE TO SEEK PEACEFUL RESOLUTION OF THE ARAB-ISRAELI
DISPUTE.

-- ALL SUCH DIPLOMATIC EFFORTS WERE REJECTED BY IRAQ.

-- ECONOMIC SANCTIONS AND THE UN EMBARGO FAILED TO FORCE
IRAQI COMPLIANCE, AND THERE WAS NO INDICATION THAT THEY
WOULD DO SO IN THE FORSEEABLE FUTURE.

-- IRAQ WAS CONTINUING THE DISMANTLEMENT OF KUWAIT, THE
STRENGTHENING OF ITS FORTIFICATIONS, AND THE MANUFACTURE
OF ADDITIONAL WEAPONS OF MASS DESTRUCTION.

-- INDEED, IRAQ MADE CLEAR IT DID NOT RECOGNIZE THE
UNSC RESOLUTIONS AND WOULD NOT COMPLY WITH THEM.

-- FURTHER DELAY WOULD ONLY HAVE PROLONGED THE SUFFERING
OF THE KUWAITI PEOPLE AND INCREASED RISKS TO THE
COALITION FORCES.

-- U.S. AND COALITION OPERATIONS ARE BEING CARRIED OUT
IN FULL COMPLIANCE WITH AFFLICABLE INTERNATIONAL
CONVENTIONS ON THE LAWS OF ARMED CONFLICT, INCLUDING
ATTEMPTING TO MINIMIZE CIVILIAN CASUALTIES.

-- WE HAVE WARNED IRAQ TO AVOID THE USE O WEAPONS OF
MASS DESTRUCTION (CHEMICAL, BIOLOGICAL, AND NUCLEAR)
AND TO RESPECT ITS OBLIGATIONS UNDER THE LAW OF ARMED
CONFLICT AND THE GENEVA PROTOCOL OF 1924. USE OF SUCH

TACTICS AND WEAPONS WILL OCCASION A DRAMATIC ESCALATION
OF HOSTILITIES AND OBJECTIVES.

-- WE HAVE ALSO MADE CLEAR THAT WE WILL HOLD THE IRAQI
LEADERSHIP RESPONSIBLE FOR ANY DESTRUCTION OF KUWAIT'S
OIL FIELDS AND FOR ANY ACTS OF TERRORISM CARRIED OUT
AGAINST THE U.S. OR OUR ALLIES.

-- IN LIGHT OF THE PLANS OF IRAQ AND GROUPS ACTING ON
ITS BEHALF TO CONDUCT TERRORISM AGAINST AMERICAN TARGETS
THROUGHOUT THE WORLD, WE SEEK YOUR COOPERATION IN
ENHANCING THE SECURITY OF OUR CITIZENS AND FACILITIES.
WE ARE READY TO WORK WITH YOU IN COUNTERING TERRORIST
THREATS.

0048

-- WE HOPE TO BRING HOSTILITIES TO CONCLUSION AS SOON
AS POSSIBLE, CONSISTENT WITH THE FULL IMPLEMENTATION OF
UNSC RESOLUTIONS.

-- IRAQ CAN STILL AVOID FURTHER DESTRUCTION BY
UNCONDITIONAL, IMMEDIATE, AND COMPLETE WITHDRAWAL FROM
KUWAIT.

-- SECURITY COUNCIL RESOLUTION 678 REQUESTED ALL STATES
TO PROVIDE APPROPRIATE SUPPORT FOR ACTIONS TAKEN BY
STATES COOPERATING WITH KUWAIT TO IMPLEMENT THE SECURITY
COUNCIL DECISIONS.

-- MY GOVERNMENT, THEREFORE, REQUESTS ~~YOUR PUBLIC~~
SUPPORT OF (AND, IF APPROPRIATE, CONTINUED CONTRIBUTIONS
TO) THE COALITION EFFORT. I HAVE BEEN ASKED TO REPORT
PROMPTLY YOUR PUBLIC STATEMENT.

-- WE WILL CONTINUE TO CONSULT WITH YOUR GOVERNMENT AS
THE SITUATION DEVELOPS.

0049

STAFF DRAWDOWN OF IRAQI EMBASSY

-- ON JANUARY 12, THE UNITED STATES ORDERED THE EMBASSY
OF IRAQ IN WASHINGTON TO REDUCE ITS STAFF TO A TOTAL OF
FOUR PERSONS, INCLUDING THE AMBASSADOR.

-- OUR PRIMARY OBJECTIVE IS TO REDUCE IRAQ'S CAPABILITY
TO ORCHESTRATE TERRORISM IN THE EVENT OF GULF
HOSTILITIES. THE GOVERNMENT OF IRAQ HAS REPEATEDLY
THREATENED TO INITIATE TERRORIST ATTACKS AGAINST THE
INTERESTS OF THE NATIONS PARTICIPATING IN OPERATION DESERT
SHIELD.

-- WE HAVE PERMITTED A SMALL STAFF TO REMAIN IN THE
UNITED STATES TO ALLOW THE EMBASSY TO FUNCTION AS A
CHANNEL OF COMMUNICATION. WE ARE NOT BREAKING DIPLOMATIC
RELATIONS.

-- WE URGE YOU TO CONSIDER ACTIONS APPROPRIATE TO
CIRCUMSTANCES IN YOUR CAPITAL, IN PARTICULAR TO EXPEL
KNOWN OR SUSPECTED IRAQI INTELLIGENCE AGENTS AS SOON AS
POSSIBLE. EXPULSION OF SUCH PERSONS WOULD SEVERELY
CURTAIL IRAQ'S ABILITY TO CARRY OUT ITS TERRORIST
THREATS.

-- WE STAND READY TO COOPERATE WITH YOU IN COUNTERING
THESE THREATS.

페만 전쟁 발발시
부쉬 대통령앞 대통령 친서(안)

각 하,

본인은 각하를 비롯한 미국 정부가 그간 기울여 온 금번 페르시아만 사태의 평화적 해결을 위한 노력과 전 세계인의 평화 염원에도 불구하고, 이라크가 유엔 안보리가 요구한 철군 시한을 거부함으로써 사태가 전쟁으로 발전하게 된 것을 매우 유감스럽게 생각하고 있습니다.

또한 본인은 이 자리를 빌어 각하와 ~~박 행정부의 노력에 부응하여~~ EC 제국, 주변 아랍 제국과 유엔이 기울여 온 사태의 평화적 해결을 위한 노력에도 경의를 표하고자 합니다.

90년8월2일 이라크의 불법적인 쿠웨이트 침공으로 시작된 금번 사태에 대해 그간 한국 정부는 깊은 우려를 표하여 왔으며, 국제 사회에서 무력에 의한 불법적인 침략 행위는 결코 용납되어서는 안된다는 국제법과 국제 정의의 원칙에 입각하여 유엔 안보리의 대이라크 제재 결의를 적극 지지하여 왔습니다. 또한 대한민국 정부는 각하의 요청에 따라 국제 평화 유지 노력에 적극 참여하고자 다국적군에 대한 군비 지원과 전선국가에 대한 경제 원조를 제공하였으며, 평화를 위한 각하의 숭고한 노력에 조금이나마 도움이 되고자 다국적군에 대한

0051

의료 지원을 위해 사우디에 ~~현구군~~ 의료 지원단 파견을 결정하고 선발대를 지난 1월 14일 현지로 파견한 바 있으며, 본대는 국회 동의 절차가 끝나는 대로 2월 초까지 파견할 예정임을 알려드립니다.

각하의 영도하에 ~~미국의 신속한 군사 작전이 성공하여~~ 쿠웨이트내 이라크 군의 완전 축출을 포함한 ~~당초의~~ 목표가 조기에 달성되고, 중동 지역은 물론 전 세계의 평화와 안정이 조속히 회복되기를 기원합니다.

유민의 재반건의가 조속히 이행되기

한국 정부와 국민을 대표하여 각하와 미국민들의 숭고한 노력이 결실을 맺게 되기를 다시 한번 기원합니다.

경   구

노 태 우

중동아국장

(Translation)

January 16, 1991

Excellency :

It is with deep regret to note that, despite all the diplomatic efforts made by you and the United States Government and the fervent aspiration of all the peace-loving people of the world, the crisis has turned into a war due to Iraqi rejection of the United Nations Security Council Resolution demanding the unconditional withdrawal of its troops from Kuwait.

I would like to reassure you the full support of the Government and people of the Republic of Korea for the resolute military measures taken by the Unites Stated under your eminent leadership.

At the request of the United States, the Government of the Republic of Korea has participated in the international efforts to maintain world peace and stability by sharing financial burdens of multinational forces and by providing the frontline states with economic assistance. In addition the Korean Government has dispatched a medical support group to Saudi Arabia to provide medical care for the multinational forces.

0053

On behalf of the Government and people of the Republic of Korea, I would like to convey once again my most ardent and sincere hope that the noble sacrifice and efforts of the American people will bear fruit to bring about an early restoration of peace and stability in the Gulf region.

With my warmest regards,

/s/   Roh Tae Woo

His Excellency
  George Herbert Walker Bush
    President of the United States of America

0054

각 하,

본인은 각하께서 페르시아만 사태의 평화적 해결을 위해 그간 기울여 온 외교적 노력과 전 세계인의 평화에 대한 간절한 염원에 따라, 이라크 정부가 유엔 안보리의 철군 결의를 수용함으로써 사태가 평화적으로 해결되게 될 수 있는 전기가 마련된 것을 매우 기쁘게 생각합니다.

이 기회를 빌어 본인은 한국 국민과 더불어 각하의 영도하에 미국이 그간 취해 온 결연한 의지와 조치들에 대해 경의를 표하고자 합니다.

유엔이 설정한 이라크군 철군 시한을 전후하여 페르시아만 지역 정세가 전쟁 발발 일보 직전으로 치닫고 있을때 공포와 불안에 떨었던 전 세계인들도 각하의 위대한 업적에 대해 감사한 마음을 갖고 있으리라 확신합니다.

본인은 한국 정부와 국민을 대표하여 각하와 미국 국민들의 숭고한 노력과 희생으로 얻은 평화의 결실에 대해 다시한번 감사의 뜻을 전하고자 합니다.

경 구

노 태 우

양 고 재	91년 1월 16일	담 당	과 장	심의관	국 장	차관보	차 관	장 관
		박	徐					

0055

(Translation)

Excellency :

I am very much delighted to note that, by virtue of the diplomatic efforts made by you and the United States Government and the fervent aspiration of all the peace-loving people of the world, the Gulf Crisis has been resolved peacefully due to Iraqui compliance with the United Nation Security Council Resolution demanding the unconditional withdrawal of its troops from Kuwait.

Taking this opportunity, I would like to convey to you the deep respect of the people of the Repubic of Korea for the resolute measures taken by the United States Government under your eminent leadership.

I firmly believe that all the peace-loving people of the world, who were in a state of fear and anxiety as the situation in the Gulf region threatened to turn into a war, will deeply appreciate your devoted efforts to achieve a peaceful resolution of the Crisis.

0056

On behalf of the Government and people of the Republic of Korea, I would like to convey once again my sincere appreciation for the noble sacrifice and efforts of the American people which made possible the early restoration of peace and stablity in the Gulf region.

With warmest regards,

Sincerely yours,

/S/ Roh Tae Woo

His Excellency
 George Herbert Walker Bush
  President of the United States America

0057

(Translation)

January 17, 1991

Dear Mr. President :

The Government of the Republic of Korea has expressed its deep concern over the current Gulf crisis generated by the Iraqui occupation on August 2, 1990 of Kuwait by force, and has strongly supported the UN Security Council Resolutions in the light of the Principle of intenrnational law and justice that armed agression should never be tolerated in the international community.

I would like to take this opportunity to show respect to the efforts being made by you and your Government and also by the EC and many Arab countries and the United Nations to work out a peaceful resolution of the crisis. It is most deplorable that despite all the efforts and the aspiration for peace of all the world the crisis has turned into a war due to Iraqui rejection of the deadline for the unconditional withdrawal of its troops from Kuwait set by the U.N. Security Council Resolution.

In this regard, the Government of the Republic of Korea has supported international efforts for a peaceful settlement by sharing financial burdens of multinational forces and by providing the frontline states with economic support to help maintain world peace and stability. In addition to this,

0058

I am pleased to inform you that the Korean Government is soon going to dispatch a medical support group to Saudi Arabia to provide medical care for the multinational forces, which I hope will be a small help to their noble efforts for peace.

I would like to share the most ardent and sincere wish of the Korean people with all the peace-loving people of the World that a quick and successful operation by the brave American soldiers soon expel all the Iraqis from Kuwait and bring about an early restoration of peace and stability in the Gulf region.

With my warmest regards,

Sincerely,
/S/
Roh Tae Woo

His Excellency
George Herbert Walker Bush
President of the United States of America

0059

MINISTRY OF FOREIGN AFFAIRS
REPUBLIC OF KOREA

January 17, 1991

Dear Mr. Hendrickson ;

Upon instruction, I'm transmitting herewith
the cable message of President Roh Tae Woo addressed
to President George Bush.

I would appreciate if you would convey the
message to the highest destination.

Sincerely yours

Ban Ki Moon
Director General
American Affairs Bureau

0060

발 표 문

（외무부）

91. 1. 17.
09:45시 발표

1. 1.17 (목) 09:00시 (워싱톤 시간
1.16. 17:00시) 주미대사는
백악관측으로 부터 ~~미 이라크 군사~~
~~작전개시~~ (유엔 안보리 결의 실천을 위한
미국 및 연합군의 대 이라크 군사작전이
임박하다는 연락을 받았다고
보고해 왔음.

2. 또한는 1.17 (목) 09:15시 주호는
미대사관측은 군사작전이 09:00시에
개시되었고, 09:10시 백악관
대변인 이를 공식 발표한 사실을
외무부에 통보하여 왔음.

0061

분류번호	보존기간

발 신 전 보

WUS-0177   910117 1002 FI

번   호 :   종별 :

수   신 : 주   미   대사 , 총영사

발   신 : 장   관   (미북)

제   목 : 부쉬 대통령앞 친서 송부

　　　페르시아만 전쟁 발발과 관련된 부쉬 대통령앞 노 대통령 친서를 별첨
타전하니 즉시 전달하고 결과 보고바라며, 본부는 동일 내용을 주한대사관에도
전달하였음을 참고바람.

　　　첨부 : 상기 친서 국.영문 각 1부. 끝.

　　　예고 : 91.12.31. 일반

검토필 (19 91. 6. 7 .   (미주국장 반 기 문)

일반문서로 재분류(19 12.31.

	보 안 통 제	

앙고재	91년 1월 7일	북미과	기안자 성명		과장	심의관	국장		차관	장관		외신과통제

0062

President of the Republic of Korea

(Translation)

January 16, 1991

17, 1991

Excellency,

It is with deep regret to note that, despite all the diplomatic efforts made by you and the United States Government and the fervent aspiration of all the peace-loving people of the world, the crisis has turned into a war due to Iraqi rejection of the United Nations Security Council Resolution demanding the unconditional withdrawal of its troops from Kuwait.

I would like to reassure you the full support of the Government and people of the Republic of Korea for the resolute military measures taken by the United States under your eminent leadership.

At the request of the United States, the Government of the Republic of Korea has participated in the international efforts to maintain world peace and stability by sharing financial burdens of multinational forces and by providing the frontline states with economic assistance. In addition the Korean Government has dispatched a medical support group to Saudi Arabia to provide medical care for the multinational forces.

On behalf of the Government and people of the Republic of Korea, I would like to convey once again my most ardent and sincere hope that the noble sacrifice and efforts of the American people will bear fruit to bring about an early restoration of peace and stability in the Gulf region.

With my warmest regards,

Sincerely yours,

/s/ Roh Tae Woo

His Excellency
  George Herbert Walker Bush
    President of the United States of America

0063

대 한 민 국 대 통 령

1991년 1월 16일

각 하,

본인은 각하가 그간 기울여 온 페르시만 사태의 평화적 해결을 위한 외교적 노력과 전 세계인의 평화에 대한 간절한 염원에도 불구하고, 이라크가 유엔안보리의 철군 결의안을 거부함으로써 사태가 전쟁으로 발전하게 된 것을 매우 유감스럽게 생각합니다.

본인은 한국국민과 더불어 각하의 영도하에 미국이 취한 결연한 군사적 조치를 전폭적으로 지지합니다.

대한민국 정부는 미국의 요청에 따라 국제평화 유지노력에 적극 참여하고자 다국적군에 대한 군비지원과 전선국가에 대한 경제원조를 제공하여 왔으며, 다국적군에 대한 의료지원단을 사우디아라비아에 파견중에 있습니다.

한국정부와 국민을 대표하여, 본인은 각하와 미국민들의 숭고한 노력과 희생이 평화의 결실을 가져 오기를 다시한번 기원합니다.

노 태 우

미 합중국
  죠지 부시 대통령 각하

0064

외 무 부

종 별 : 긴 급

번 호 : USW-0241   일   시 : 91 0117 1020

수 신 : 장관(미북,대책반,중근동)

발 신 : 주미대사

제 목 : 걸프 작전(제12신 ,아국의 지지 성명)

　　1. 노 대통령의 걸프작전 지지 서한 과 관련, 당지 CNN 이 1.16. 23:00 한국,
일본, 호주가 걸프작전을 전폭적으로 지지하는 성명을 발표 하였다고 보도한데 이어금
1.17. U.S.A. WORLD TODAY 가 동 사실을 간략히 보도 하였음을 보고함.

　　첨부: USW(F)-0191 참조

　　(대사 박동진- 국장)

미주국	장관	차관	1차보	2차보	중아국	중아국	정문국	청와대
총리실	안기부	대책반						

PAGE 1   91.01.18   00:39 CG

외 무 부

종   별 : 긴 급

번   호 : USW-0253　　　　　　　　　　　일   시 : 91 0117 1504

수   신 : 장관(미북,대책반,중근동)

발   신 : 주 미 대사

제   목 : 걸프작전 (제 20신: 부쉬 대통령앞 친서 보도)

　　연: USW-0241

　　1. 1.17자 W.P 지는 U.S. ALLIES VOICE SUPPORT OF MOVE 제하의 기사에서 스페인, 일본, 호주, 뉴질랜드 및 한국 정부로 부터 미국의 공격작전을 지지하는 멧세지가 있었다고 전하면서, 특히 미국이 취한 결연한 군사적 조치를 전폭적으로 지지한다는 노 대통령의 서한 내용을 인용 보도했음.

　　2. 동기사 별첨 FAX 송부함.(USW(F)-0193)

　　(대사 박동진-국장)

미주국	장관	차관	1차보	2차보	중아국	중아국	정문국	정와대
종리실	안기부	대적반						

PAGE 1　　　　　　　　　　　　　　　　　　　　　　　91.01.18　　05:15 CG

외신 1과 통제관

0066

2 : USN(F) - 019

선 : 중 관 (미북, 대책반, 중국동)발신 : 주미대사

목 : 걸프 작전 (북-미 대통령앞 친서 보도)   (1 매)

U.S. Allies Voice Support of Move; Castro Demurs

By Richard Homan
Washington Post Foreign Service

Initial international reaction to the U.S.-led attack on Iraq was largely limited to strong expressions of support from traditional American allies, while most other countries—many apparently taken by surprise—said nothing or simply reported the bombing raids without substantive comment.

Swift declarations of support for the multinational use of force to drive Iraq from Kuwait came from Spain and four U.S. allies in Asia: Japan, Australia, New Zealand and South Korea.

As of late last night, the only strong condemnation came from Cuban President Fidel Castro, who learned of the raids as he gave a news conference to Western reporters in Havana. "My feeling is one of sorrow, of deep bitterness," he said. "The responsibility for the war falls on those who fired the first shot ... essentially, the United States."

The Arab world, which has been split between participation in the anti-Iraq alliance and support of Iraqi President Saddam Hussein was slow to react, and in the Soviet Union, Tass, the official news agency, reported that the United States had begun hostilities but made no comment of its own.

Neighboring Iran, long hostile to the United States and only recently on good terms with Iraq after an eight-year war, reported the bombing raid on its Tehran Radio but noted pointedly that "at present the only source of news from Iraq is American correspondents in Baghdad."

Jordan, which has both backed Saddam politically and expressed adherence to the U.N.-imposed sanctions, delayed reporting the opening of the war until nearly three hours after most of the world learned of it, the Los Angeles Times reported from Amman. There was no immediate statement from King Hussein's government.

The Los Angeles Times quoted a ranking aide to President Hosni Mubarak as saying that the Egyptian president, who is a key Arab participant in the multinational force, first learned of the attack on U.S. cable television.

Palestine Liberation Organization official Basam Abu Sharif told the Associated Press in Tunis, "It is unfortunate that [President] Bush decided to kill to protect the Israeli occupation" of the West Bank and Gaza Strip.

At the United Nations, Secretary General Javier Perez de Cuellar, who made an unsuccessful last-minute appeal to Saddam this week to leave Kuwait in conformance with a dozen U.N. Security Council resolutions,, expressed "sorrow," Reuter reported. "I can only be saddened by the beginning of hostilities," he told reporters.

Japan, the sole member of the Group of 7 major industrialized nations that has sent no troops to the gulf, expressed "resolute support for the use of military force . . . as a final measure to restore peace and drive out the invader." Prime Minister Toshiki Kaifu, after an emergency cabinet meeting early today, pledged that "we will provide as much support as we possibly can for the action of the concerned nations and as much assistance as we can for the refugees."

Australian Prime Minister Bob Hawke, who yesterday ordered warships of his country into action in the gulf, condemned Saddam's "aggression," which he said "has plunged the world into a terrible and needless crisis." New Zealand Prime Minister Jim Bolger said everyone hoped and prayed that Saddam would "at last see reason" with the onset of war, the AP reported.

South Korean President Roh Tae Woo, in a message to Bush, said: "I, along with the people of the Republic of Korea, fully support the resolute military actions" the U.S.-led force had begun.

In Madrid, a spokesman for the Foreign Ministry said Spain supported the attack.

One of the few negative reactions in Europe came from Georges Marchais, leader of the French Communist Party. He said those who had allowed the war with its "cortege of killings and indescribable misfortunates" have "a heavy responsibility to the human race." Marchais said these included "Saddam Hussein who provided the excuse, George Bush who wanted it and decided to carry it out and the leaders of the countries who engaged in it, among them, alas, France."

In Falls Church, as Kerry Cadden watched news of the invasion on television about 10 p.m., her telephone rang. It was a man named John Carter, calling from Wales, who had dialed America at random after watching the same events at 3 a.m. his time. He had just wanted to "extend his thanks and that of all of his friends to all Americans for all we're doing in the Mideast for Kuwait and democracy." Cadden said.

"You're always there when we need you and you always do the right thing," she quoted him as saying.

Jan. 17, 1991
WP

외 무 부

종 별 : 지 급

번 호 : USW-0259

일 시 : 91 0117 1637

수 신 : 장관(미북,대책반,중근동)

발 신 : 주 미 대사

제 목 : BUSH대통령앞 친서 전달

대:WUS-0177

연:USW-0230

1. 연호, 당관 김봉규 공사는 1.17(목) 국무부 ANDERSON 동.아태국 부차관보를 면담, 노대통령의 친서를 전달함.

2. 동 부차관보는 이와관련 아측이 전폭적인 지지 표명을 신속히 하여준데 감사한다고 하면서 군의료단 파견을 앞당기도록 조치한 것은 한국에 대해 좋은 인상을 가져다줄뿐만 아니라 평가를 받을 것으로 본다고 말함.

3. 동인은 이어 자신은 노대통령을 크게 존경하고 있으며 노대통령의 북방정책을 전폭 지지하며, 한. 소 수교, 중공과의 관계 개선등 북방정책의 성과를 환영한다고 말함.(대사 박동진-국장)

예고:91.12.31 일반

검토필 (1991.6.30.)

일반문서로 재분류(1991.12.31.)

미주국   장관   중아국   대책반

PAGE 1

91.01.18   08:01

외신 2과 통제관 FE

0068

외 무 부

관리
번호 91-15

원 본

종 별 : 지 급

번 호 : USW-0271

일 시 : 91 0117 1854

수 신 : 장관(민북,중근동,대책반)

발 신 : 주 미 대사

제 목 : 쿠웨이트사태 지원 관련 W.P 지 보도

대:WUS-0160

연:USW-0222

1. 대호, 당관 김봉규 공사는 1.17(목)국무부 동.아태국 ANDERSON 부차관보를 면담한 기회에 1.15. 자 W.P 지 보도 관련 아국의 지원 내용이 누락된것에 대해 관심을 촉구하고 국무부가 관계부처와 적극 협조하여 충분한 홍보효과를 거둘수 있도록 하여 줄것을 요청함.

2. 이에 대해 동 부차관보는 미 국방부에서 제공된 자료에도 오류가 많다고 수긍하면서 유념하겠다고 답변함. 동인은 이어 아측이 걸프사태 초기 부터 신속한 지원을 하엿고 재정지원 및 의료단 파견을 하고 있으나 이를 추진하는 과정에서 가급적 LOW-KEY 를 유지하려는 입장이었기 때문에 대 언론 홍보면에도 이와같은 점이 반영된 것이 아니냐고 반문함.

3. 대호 관련 당관은 미 국방부 관계자 및 W.P, N.Y.T 등 주요 언론에 대해서도 아국의 쿠웨이트 지원 내용을 재차 홍보할 예정임. (대사 박동진-국장)

예고:91.12.31 까지

검토필 (1991. 6. 30.)

쿠웨이트문서로 재분류(1991.02.31.)

미주국   중아국   정문국   안기부   대책반

걸프 事態 報告

---

1. 事態 推移와 展望

2. 各國의 反應과 措置

3. 外交的 對應策

1991.1.17.

外 務 部

0070

<h1 style="text-align:center">- 目 次 -</h1>

添附 : 1. 大統領의 부쉬 大統領앞 親電(1.17)

　　　2. 政府 代辯人 聲明(1.17)

　　　3. 페灣의 軍事力 配置 狀況

1. 事態 推移와 展望

　가. 開戰 經緯

　　ㅇ 美國이 主導하는 多國籍軍은 바그다드 現地 時間 91年 1月 17日(木)
　　　03時 00分(서울 時間 1.17. 09:00, 워싱턴 時間 1.16. 19:00)에
　　　바그다드市 사담 國際 空港 일대 및 정유 시설등 戰略 施設物에 대한
　　　先制 奇襲 空中爆擊을 개시함.

　　ㅇ 말린 피츠워터 白堊館 代辯人은 軍事 作戰 開始를 1.17(목) 09:10시
　　　간략히 발표함 ("사막의 태풍작전" Operation Desert Storm)

　나. 戰 況

　　ㅇ 체니 國防長官 및 파월 合參議長, 1.17. 11:00(서울 時間) 共同
　　　記者會見을 통해 戰況 브리핑을 實施
　　　- 最初 空襲 參與國은 美, 英, 사우디, 쿠웨이트等 4個國임.
　　　- 空襲 地域은 이라크 및 쿠웨이트 全域으로서 이라크의 攻擊
　　　　能力 無力化를 위한 것임.
　　　- 現在 最初 空襲에 參加한 戰爆機들은 任務 遂行後 歸還中임.
　　　- 한편, 同 空襲時 이라크 空軍의 抵抗은 없었음.

- 1 -

0072

다. 對我國 通報

o 1.17(목) 07:00시(워싱톤 時間 1.16. 17:00時) 駐美 大使는 白堊館
   側으로 부터 유엔 安保理 決議 實踐을 위한 美國 및 聯合國의 對
   이라크 軍事 作戰이 臨迫하다는 連絡을 받았다고 報告해 왔음.

o 美 國務部 앤더슨 亞.太 擔當 次官補 代理는 作戰 개시 3分後인
   1.17(목) 09:03(서울 時間) 駐美 大使에 電話로 緊急 通報해 옴.

o 또한 1.17(목)09:15시 駐韓 美 大使館側은 軍事作戰이 09:00시에
   개시되었고, 09:10시 白堊館 代辯人이 이를 公式 發表한 事實을
   外務部에 通報하여 왔음.

o 또한 美國 政府는 우리 政府에 대해 今番 軍事的 措置의 背景과
   不可避性을 說明하고 友邦國들의 支援을 要請하는 緊急 멧세지를
   1.17(목) 09:40시 駐韓 美大使館을 통해 外務部에 傳達해 옴

- 2 -

0073

라. 美國 및 이라크 動向

(美 國)

ㅇ 行政府 :

- 부쉬 大統領은 1.17(木) 11:00(서울 시간) 對國民 演說을 통해
  今番 先制 武力使用의 不可避性을 說明하고 美國民의 團結을
  호소함.

ㅇ 議 會 :

- 톰 폴리 下院議長, 戰爭이 迅速하게 최소한의 犧牲을 치르고
  끝나기를 希望

ㅇ 言 論 :

- 美國內 各種 TV, 言論은 對이라크 武力 攻擊을 부쉬 大統領의
  不可避한 選擇이라는 觀點에서 報道하고 있음.

(이라크)

ㅇ 이라크側은 美國의 空襲에 對空砲로 對應하고 있는 外에는 特別한
  公式 反應을 尙今 보이지 않고 있음.

- 3 -

0074

° 이스라엘의 介入을 誘導함으로써 多國籍軍의 團結 瓦解를 企圖할
　可能性이 있음.

마. 展　望

　1) 短期 速決戰

　° 多國籍軍의 壓倒的인 戰力에 비추어, 短期間內에 이라크가 쿠웨이트로부터
　　全面 撤收할 可能性

　2) 事態 長期化

　° 이라크가 이스라엘을 攻擊함으로써 擴戰될 可能性
　　- 아랍對 美國. 이스라엘의 對決로 發展될 경우 아랍 結束의 弛緩
　　　으로 事態 長期化 可能性
　　- 다만, 이스라엘 介入時에도 이집트, 시리아, 사우디가 多國籍軍
　　　에서 離脫할 可能性은 크지 않다고 보는 見解가 있음.

　3) 이라크의 部分 撤收 및 休戰 提議

　° 多國籍軍의 壓倒的 戰力에 비추어 이라크가 쿠웨이트로부터 部分
　　撤收를 단행한 후 休戰 및 協商을 제의함으로써 非戰非和의 膠着
　　狀態 可能性
　　- 美國은 유엔 安保理 決議에 따른 無條件 完全 撤收 立場 堅持

- 4 -　　　　　　　　　　　　　　　　　　0075

2. 各國의 反應과 措置

가. 유 엔

ㅇ 유엔 安全保障理事會는 1.17. 12:30(뉴욕 時間 1.16. 22:30)
  非公式 協議 開催 推進中

나. 主要 國家別

ㅇ 이스라엘 : 이라크의 生化學 攻擊에 對備, 國民들에게 警戒令 發動

ㅇ 蘇　　聯 : TASS 通信, 美國의 이라크 爆擊 事實을 論評없이 報道
  유엔 安保理 決議 支持 表明

ㅇ 日　　本 : 今日 午前 09:40 時 安全 保障 會議를 召集하고 首相을
  對策 本部長으로 하는 대책반을 구성함.
  - 首相의 對國民 멧세지 發表

ㅇ 카 나 다 : 멀루니 首相 緊急 閣僚會議 召集

ㅇ 쿠　　바 : 카스트로 大統領, 美國의 軍事 行動 非難

ㅇ 프 랑 스 : 프랑스 議會는 프랑스軍의 參戰을 許容하는 決議案을
  1.16. 採擇

- 5 -

3. 外交的 對應策

(對美 外交)

　○ 부쉬 大統領에 대한 大統領 名義 친전 發送(1.17. 09:40)

　　- 駐美 大使舘 및 駐韓 美大使를 통해 同時 傳達

　　- 美國 및 多國籍軍의 措置에 대한 積極 支持 闡明

　○ 政府 代辯人 聲明 發表 (1.17 10:00)

　○ 對美 輸送 支援 繼續

　　- 我側의 多國籍軍 支援의 一環으로 1.18(금)로 豫定된 델라웨어州
　　　Dover 基地로부터 푸랑크프르트行 軍需物資 航空 輸送을 豫定대로
　　　實施 決定 (大韓航空)

　　- 追後 輸送 支援은 美側과 協議, 繼續 實施 豫定

　○ 美國의 追加 財政支援 要請이 있을시 適切한 水準에서 積極 受容
　　　美國으로 하여금 信賴할 수 있는 友邦이라는 認識을 갖도록 함.

　　- 1.17. 美 政府의 緊急 멧세지에서도 繼續的인 支援 要請

　○ 페湾 事態를 契機로한 美國의 旣存 友邦 關係 再評價 展望에 따른
　　　外交的 對備

　　- 日本, 獨逸의 微溫的 支援 態度에 대한 美國內 否定的 視角 考慮

　　- 我國의 對美 協調 姿勢 浮刻

- 6 -

0077

(유엔 外交)

ㅇ 유엔 安保 理事會 緊急 召集等 動向 銳意 注視

   - 유엔 安保理 理事國과의 緊密한 協議 維持

(對中東 外交)

ㅇ 事態 解決後 對中東 中長期 對策 樹立

   - 對外 關係에 있어서의 中東의 重要性 감안

     · 原油 依存度 約70%

     · 建設 進出 80%(수주액 기준)

     · 戰後 復舊事業 參與 可能性

     · 國際 舞臺에서의 아랍-回敎國의 支持 緊要

   - 폐灣 事態 以後 中東 勢力 再編에 對備 事前 對策 講究

     · 사담 후세인의 政權 維持 與否

     · 걸프 地域 王政 崩壞 可能性

     · 시리아, 이란의 軍事 强國化等 새 版圖 形成에 對備

(南.北韓 關係)

ㅇ 北韓의 對內外 動向 銳意 注視

   - 폐灣 事態에 便乘한 北韓의 對南 策動 可能性 對備

- 7 -

ㅇ 北韓의 我側 醫療 支援團 派遣等 非難 감안, 南北 對話 回避 구실로

　利用할 可能性에 대한 對應策 마련

(經濟 外交)

ㅇ 國際 原油價, 原資材 價格 動向 隨時 把握

ㅇ 戰後 復舊 事業에의 參與 可能性도 別途 檢討

(僑民 安全 對策)

ㅇ 殘留 僑民 現況(1.17. 現在)

　- 이라크 : 24名(現代 23, 公館 雇傭員 1人)

　- 이스라엘 : 약90名

　- 사우디 : 4,980名

ㅇ 第2次 僑民 撤收 KAL 專貰機 派遣 推進中(1.18)

　- 戰爭 勃發로 인한 사우디 空港 閉鎖로 카타르, UAE 等 餘他 隣近

　　國家 空港 使用 可能性 確認中

ㅇ 걸湾 戰爭 水域内 我國 船舶 安全 措置 講究 指示(1.16. 現在 3隻)

- 8 -

0079

o 폐灣 地域 居住 僑民에 대한 安全 對策으로 防毒面 2천 셋트를

  1.14(月) 12:00 KAL 特別機便을 利用, 사우디 리야드에 空輸함.

o 이라크 및 Abu Nidal, 팔레스타인 解放 戰線 等 親 이라크 勢力,

  非아랍圈 回教徒, 北韓 工作員等에 의한 테러에 對備토록 全在外公館에

  訓令

  - 韓.美間 緊密 協調 維持

  - 폐灣 地域 6個 公館員(사우디, 요르단, 바레인, 카타르, 아랍에미레이트,

    젯다)에 대한 身邊 安全 講究의 一環으로 戰爭 保險 追加 加入

o 테러에 對備, 駐韓 公館中 多國籍軍 參與 國家 公館에 대한 安全 措置

  強化 및 關係部處 協調

o 危險 地域에 대한 我國人 旅行 自制 勸告

o 外務部 本部, 中東地域 公館 및 미.일, 유엔등 主要國家 駐在 在外公館

  非常勤務 體制 確立

  - 폐灣 非常 對策 本部 運營

  - 非常 外交 通信網 點檢

  - 醫療 支援團과의 通信網 連結

- 9 -

(國內 措置 事項)

　　ㅇ 國　會

　　　　- 外務 統一委員會 報告(1.18)

　　　　- 民自黨 黨務會議 報告(1.18)

　　ㅇ 言　論

　　　　- 隨時 報道 資料 提供 및 發表

　　　　- 出入 記者團, 政治部長, 編輯局長, 論說委員等에 대한 事態 進展

　　　　　및 政府 對策 說明

添附 : 1. 大統領의 부쉬 大統領앞 親電(1.17)

　　　 2. 政府 代辯人 聲明(1.17)

　　　 3. 폐灣의 軍事力 配置 狀況.　　끝.

- 10 -

<添附 1>

대통령의 부쉬 대통령앞 친전(1.17)

각 하,

　본인은 각하께서 그간 기울여온 페르시아만 사태의 평화적 해결을 위한 외교적 노력과 전 세계인의 평화에 대한 간절한 염원에도 불구하고, 이라크가 유엔 안보리의 철군 결의안을 거부함으로써 사태가 전쟁으로 발전하게 된 것을 매우 유감스럽게 생각합니다.

　본인은 한국 국민과 더불어 각하의 영도하에 미국이 취한 결연한 군사적 조치를 전폭적으로 지지합니다.

　대한민국 정부는 미국의 요청에 따라 국제평화 유지 노력에 적극 참여하고자 다국적군에 대한 군비 지원과 전선국가에 대한 경제원조를 제공하여 왔으며, 다국적군에 대한 의료 지원단을 사우디 아라비아에 파견중에 있습니다.

　한국 정부와 국민을 대표하여, 본인은 각하와 미국 국민들의 숭고한 노력과 희생이 평화의 결실을 가져오기를 다시 한번 기원합니다.

경 구

노 태 우

0082

정부 대변인 성명

1991. 1. 17

　　평화적 해결을 희구해 온 전 세계인의 여망에도 불구하고 페르시아만에서 끝내 전쟁이 발발했습니다.

　　정부는 이라크가 쿠웨이트를 불법점령 함으로서 일어난 그간의 페르시아만 사태에 깊은 우려를 표하여 왔으며, 국제사회에서 불법적인 무력침략 행위가 결코 용납되어서는 안된다는 국제법과 국제정의에 입각하여 유엔 안보리의 대이라크 제재 결의를 적극 지지하여 왔습니다.

　　그러나, 페르시아만 사태의 평화적 해결을 위해 유엔 안보리가 요구한 철군 시한을 이라크가 끝내 거부함으로서 사태가 전쟁으로 발발하게 된것을 개탄해마지 않습니다.

　　우리는 이와같은 반문명적 침략행위를 유엔의 결의에 따라 응징하기 위해 나선 다국적군과 미국의 행동에 전폭적인 지지를 표합니다.

0083

정부는 유엔의 평화유지 노력에 적극 참여하고저 다국적군에 대한 군비지원 및 관련 전선국가에 대한 경제원조를 제공하였으며, 또한 다국적군의 의료지원을 위해 사우디에 의료지원단을 파견할 예정입니다.

정부는 이번 전쟁의 파장이 한반도 안전과 국가이익에 미치는 영향을 감안, 비상한 경각심으로 이번 사태에 대처하고 있습니다.

우리 국군은 어떠한 상황 아래에서도 국가의 안보를 굳건히 유지하기 위해 물샐틈 없는 경계 태세에 있음을 밝혀두는 바입니다.

여.야를 비롯한 각계 각층의 국민 여러분은 정부가 마련한 비상대책에 적극 호응하여 기름 한방울, 전기 한등이라도 아끼는 근검절약을 통해 위기적 상황을 슬기롭게 극복하도록 함께 노력해 주실 것을 당부하는 바입니다.

전쟁 피해가 예상되는 지역에 거주하는 교민과 이 지역을 여행하는 우리국민, 그리고 항해중인 선박은 현지 공관의 지시를 받아 안전대책을 강구해 주시기 바랍니다.

정부는 이라크측이 동 지역의 평화와 안정이 조속히 회복되기를 바라는 국제 사회의 염원을 존중하여 쿠웨이트로부터 즉각 철수할 것을 다시한번 촉구하는 바입니다.

0084

<添附 3>

페르시아만의 군사력 배치상황

91.1.16.현재

	이 라 크 군	다 국 적 군	
병력	188 만명 (정규군 55만명, 민병대 85만명, 예비군 48만명)	789,430 명 - 미 국 - GCC - 터어키 - 영 국 - 이집트 - 시리아 - 프랑스 - 파키스탄 - 방글라데쉬 - 카나다	41만5천명 15만5백명 10 만명 3만5천명 3만2천5백명 2만1천명 1만7천명 7천명 6천명 2천명

※ GCC (페르시아만 협력 위원회) : 사우디, 바레인,
오만, UAE, 카타르, 쿠웨이트 등 6개국

0085

걸프사태 : 한.미국 간의 협조, 1990-91. 전9권 (V.4 1991.1월) 211

	이 라 크 군	다 국 적 군
		- 모로코 　 2 천명
		- 세네갈 　 5 백명
		- 니제르 　 4백80명
		- 체 코 　 2 백명
		- 온두라스 　 1백50명
		- 아르헨티나 　 1 백명
탱크	4,000대	3,983 대
		- 미 국 　 2,000 대
		- GCC 　 800 대
		- 이집트 　 400 대
		- 프랑스 　 350 대
		- 시리아 　 270 대
		- 영국 　 163 대
전투기	500 대	1,794 대
		- 미 국 　 1,300 대

0086

	이 라 크 군	다 국 적 군
		- GCC 330 대
		- 영 국 50 대
		- 터어키 42 대
		(나토 파견)
		- 프랑스 40 대
		- 카나다 24 대
		- 이태리 8 대
함정	15 척 (프리깃함 4척, 쾌속정 11척)	173 척 - 미 국 55 척 (항공 모함 6척 포함 - 아메리카호, 케네디호, 미드웨이호, 레인저호, 루즈벨트호, 사라토가호) - GCC 36 척 - 영 국 18 척 - 프랑스 12 척 - 이태리 10 척 - 터어키 9 척

0087

	이 라 크 군	다 국 적 군
		- 독 일 8 척
		- 벨기에 6 척
		- 카나다 3 척
		- 호 주 3 척
		- 네덜란드 3 척
		- 스페인 3 척
		- 아르헨티나 2 척
		- 소 련 1 척
		- 덴마크 1 척
		- 그리스 1 척
		- 포르투갈 1 척
		- 노르웨이 1 척

0088

걸프 戰爭과 對策

91. 1.

外　　務　　部

目　　次

I. 戰爭 槪要

1. 開戰 背景

  가. 이라크의 撤軍 拒否 立場 固守

   o 屈服에 의한 政治的 地位 또는 權力 喪失보다는 "帝國主義 超强國"에 대한
     대항을 통해 오히려 政治的 基盤 强化 可能 계산
    - 戰爭에 패배하더라도 1956년 낫세르와 같이 政治的으로는 아랍의 영웅이
      될 것으로 期待
    - 戰爭이 始作되면 美國 및 유럽에서의 反戰 雰圍氣 및 아랍世界의 反美
      感情 非難등으로 이라크의 完全 敗北前에 休戰이 可能할 것으로 상정

  나. 經濟制裁 措置 效果에 대한 西方側의 懷疑

   o 經濟制裁 措置를 통한 이라크의 撤收 誘導 不可 判斷

  다. 冷戰以後 國際秩序 維持에 있어서 秩序 攪亂行爲 不容 意志 貫徹

   o 國際社會에서 不法行爲에 의해 政治的 問題를 解決할 수 없다는 先例 確立

  라. 이라크에 의한 철저한 쿠웨이트 破壞 및 解體에 대한 國際的 公憤

-1-   0091

2. 多國籍軍의 戰爭 目標

　가. 美國의 旣存 4대 目標

　　ㅇ 쿠웨이트로부터 이라크軍의 卽刻的, 無條件的인 撤收

　　ㅇ 쿠웨이트 正統 合法 政府의 復歸

　　ㅇ 美國人의 生命 및 安全保護

　　ㅇ 中東 地域의 平和와 安定回復

　나. 美國의 政治.戰略的 目標

　　ㅇ POST-COLD WAR 時代에 있어 새로운 世界秩序 確立
　　　- 美國의 繼續的인 指導的 役割 確保
　　　- 地域紛爭의 防止 및 地域勢力間 覇權 爭奪戰, 특히 弱肉强食的
　　　　侵略行爲 抑制

　　ㅇ 世界 原油 市場과 供給의 安定化

　　ㅇ 사우디, 이스라엘, 터키등 中近東地域의 美國 核心 友邦國에 대한 安全保障

　　ㅇ 域內 勢力 均衡 및 安定 體制 構築
　　　- 이라크의 覇權 追求 封鎖

0092

- 2 -

다. 多國籍軍의 軍事作戰 目標

ㅇ 쿠웨이트로부터 이라크軍의 逐出

　－ 美國의 軍事作戰은 이라크의 破壞나 占領이 아니라는 점을 수차 公開的
　　으로 闡明

　　・ 이라크內로의 地上戰 擴大의 경우 招來될 수 있는 長期戰에 대한
　　　美國民의 拒否感,

　　・ 이라크에 대한 지나친 報復時 政治的 副作用,

　　・ 아랍측 聯合軍 일부의 軍事目標 擴大 反對 등 考慮

ㅇ 이라크의 核 開發能力, 生.化學武器 및 미사일 破壞를 통한 中東地域
　平和 및 安定威脅 要素 除去

- 3 -

0093

3. 이라크의 戰略

　가. 금번 戰爭을 政治戰 樣相으로 展開

　　ㅇ 쿠웨이트와 팔레스타인 問題(이스라엘)의 連繫

　　ㅇ 이스라엘에 대한 아랍의 聖戰으로 擴大

　나. 사우디, 이집트, 시리아의 反이라크 聯合 瓦解

　　ㅇ 對 이스라엘 攻擊을 통한 아랍世界의 反유태 感情 觸發

　다. 長期戰化

　　ㅇ 戰爭 遂行이 困難하게 될 3月 以後까지 遲延 戰術

　　ㅇ 西方 世界에서의 테러活動 積極化

　　ㅇ 美國內의 反戰무드 誘發로 美國의 戰爭 계속 遂行 意志 弱化
　　　- 地上戰時 美軍의 人命損失 極大化 기도

　　ㅇ 多國籍軍의 團結 弛緩

-4-

0094

4. 多國籍軍의 戰爭 시나리오

가. 이라크의 戰爭能力 除去 및 쿠웨이트 奪還

※ 3段階 戰爭 計劃

- 1 段階 : 지휘, 統制, 通信(3C) 情報(I) 미사일, 戰鬪機, 飛行場,
  核.化學 武器 製造 施設 등 破壞

- 2 段階 : 軍需, 兵站, 輸送網 등 破壞
  - 쿠웨이트內 이라크軍에 枯死 作戰

- 3 段階 : 쿠웨이트에 대한 地上軍 攻擊으로 쿠웨이트 解放

나. 戰爭의 舞臺를 이라크.쿠웨이트에 局限

ㅇ 이라크의 對 이스라엘 攻擊 能力 破壞

ㅇ 이스라엘의 參戰 沮止

다. 短期戰

ㅇ 長期戰時 憂慮되는 政治的 負擔 考慮(反戰運動 등)

ㅇ 사막地域의 氣象條件 考慮

Ⅱ. 戰 況

1. 戰鬪機 매일 1,000回 이상 出擊, 토마호크 미사일 196機 發射(1.19.現在), 80%의 作戰 成功率

2. 이미 2段階 作戰 實施中

   ° 1段階 作戰計劃이 完結된 것으로 보이지 않으며, 상금도 일부 지휘, 通信, 移動 미사일, 空軍機 등이 作動中

3. 多國籍軍의 被害率은 越南戰의 1/6에 不過

4. 3段階 作戰을 위한 態勢 突入

5. 이라크側 戰鬪態勢 整備, 散發的 反擊 進行中

   ° 移動形 SCUD 미사일에 의한 이스라엘 攻擊

   ° 小規模 戰鬪機 出擊에 의한 空中 邀擊

6. 이라크, 世界 各地에서 테러活動 開始

```
┌─────────────── * 今番 戰爭의 特徵 ───────────────┐
│                                                   │
│   - 國際秩序의 改編 過程에서의 戰爭                │
│                                                   │
│   - 政治戰 및 軍事戰의 混合                        │
│                                                   │
│   - 유엔 歷史上 最大의 會員國 介入                 │
│     (28個國이 多國籍軍 參與)                       │
│                                                   │
│   - 最尖端의 科學技術에 의한 戰爭                  │
│                                                   │
│   - 冷戰時代와 같은 美.蘇 代理戰 性格이 아님.      │
│                                                   │
└───────────────────────────────────────────────────┘
```

Ⅲ. 展　望

1. 多國籍軍, 1월말까지 最大限의 空中攻擊 敢行

　　ㅇ 이라크軍의 移動 미사일 발사기 破壞(移動 미사일 발사기는 30-40개 남아
　　　있는 것으로 推定)

　　ㅇ 攻擊 目標의 擴大
　　　- 一般市民 生活에 影響을 미치는 施設破壞로 民心離叛을 통해 후세인
　　　　政權에 負擔 加重

　　ㅇ 이라크의 戰爭遂行 能力 事實上 除去

2. 多國籍軍側, 이스라엘의 參戰 自制 繼續 要請

　　ㅇ 이스라엘의 參戰은 戰爭의 早期 終結에 중대한 沮害 要素

　　ㅇ 아랍측의 對이라크 聯合前線에 否定的 效果

3. 本格的인 쿠웨이트 奪還 作戰은 2月 初旬 實施 展望

　　ㅇ 1月末 까지의 大量 爆擊으로 쿠웨이트 地域의 地上兵力 破壞
　　　- 이라크軍의 最精銳인 共和國 守備隊 궤멸 시도

-8-

0098

○ 多國籍軍(地上軍) 쿠웨이트 投入, 쿠웨이트를 이라크으로부터 遮斷, 고립화

○ 쿠웨이트 駐屯 이라크군에 대한 枯死 作戰 展開

○ 늦어도 3월 말경까지는 쿠웨이트 奪還 豫想

4. 軍事 行動은 2개월 내지 3개월의 短期戰으로 終結될 展望

5. 이스라엘 參戰時의 展望

가. 이스라엘의 對이라크 空中 攻擊時 요르단 또는 시리아 領空通過 不可避

○ 시리아는 이스라엘의 報復이 自衛權 行使 範圍에 머무는 한, 反이라크
聯合前線에서 離脫치 않을 것이라는 立場 表明

나. 이집트도 聯合前線에 잔류하겠다는 立場 堅持

다. 이라크의 계속적인 對이스라엘 攻擊으로 이스라엘이 參戰하는 경우
戰爭 樣相이 複雜해져 長期化될 가능성 농후

- 시오니즘 對이슬람 對決로 變質

Ⅳ. 我國에 대한 影響

1. 安 保

○ 短期的으로 우리나라의 防衛力에는 별다른 영향을 미치지 않을 것으로 判斷됨.

   - 駐韓 美軍의 걸프 地域으로의 移動 配置 等 戰力의 減縮은 없음.

○ 그러나 今番 戰爭으로 世界의 이목이 걸프 地域에 集中되어 있는 現 狀況下에서 발생할지도 모를 韓半島에서의 有事時에 對備 必要

   - 韓.美間 緊密한 協力下에 完璧한 安保 態勢 確立

○ 이라크에 대한 國際社會의 응징이 성공적으로 이루어질 경우 우리의 安保에도 肯定的인 効果

   - 冷戰終熄 以後의 國際社會에서 武力侵略 같은 不法行爲는 결코 容納될 수 없다는 先例 確立, 北韓의 武力赤化統一 路線 間接 抑制 効果

2. 韓.美 關係

○ 韓.美 同盟關係 鞏固化에 寄與

   - 美國에 대한 積極的인 支援을 통해 신뢰할 수 있는 友邦이라는 認識 浮刻(多國籍軍 支援 및 醫療 支援團 派遣等)

○ 21세기를 향한 성숙한 同伴者 關係를 確立하는 데 튼튼한 礎石을 마련

- 10 -

0100

3. 經　濟

　가. 短期戰의 境遇

　　ㅇ 原油 供給

　　　- 世界的 次元에서의 原油生産 및 供給에는 큰 蹉跌이 없을 것으로
　　　　展望(걸프地域 石油生産 및 輸送施設 破壞 可能性 稀薄)

　　　- 따라서, 우리나라에 대한 原油 供給에는 큰 支障이 없을 것으로 봄.

　　ㅇ 經濟 展望

　　　- 걸프 戰爭의 短期戰 展望으로 國際株價가 最近 上昇하는등
　　　　今後의 經濟 展望은 오히려 밝아짐.

　　　- 우리나라의 경우, 中東地域에 대한 輸出商品 일시 선적중지등
　　　　損失 예상. 그러나 短期戰으로 끝날 경우 今後 우리 經濟에
　　　　肯定的 効果 可能

　나. 長期戰의 境遇

　　ㅇ 原油 供給

　　　- 戰爭이 長期化 되는 경우, 주로 이라크.이스라엘 戰域에 集中될
　　　　것이며, 따라서 걸프地域(사우디 東部, UAE, 카타르)의 原油 生産
　　　　施設에는 큰 威脅이 없을 것임.

- 11 -

0101

- 油價는 戰爭 長期化의 심리적 영향으로 다소 上昇할 가능성이 있으나, 戰爭 勃發前 水準 이상으로 大幅 上昇하지는 않을 것으로 봄.

ㅇ 世界 經濟

- 이스라엘의 參戰에 의하여 戰爭이 확대되고 中東地域의 戰爭으로 發展 되는 경우에는, 심리적으로 世界 經濟에 影響을 미칠 것임. 따라서 株價下落, 需要감퇴, 經濟成長 鈍化 等 不安要因으로 作用할 것이며 이러한 世界經濟의 全般的인 下降 局面에 의하여 우리나라의 全體 輸出에 지장을 招來할 것임.

Ⅴ. 政府의 對應策

外交的 對應策

1. 當面 對策

　　가. 韓半島 有事時에 대비한 韓·美 安保 協議 體制 緊密化

　　나. 유엔 決議에 따른 多國籍軍 支援 意志 계속 表明

　　다. 醫療支援團 派遣을 계속 활용

　　라. 周邊國家에 대한 經濟的 支援을 外交的으로 活用

　　마. 親 이라크 國家들을 자극하지 않는 外交的 姿勢 維持

　　바. 우리의 主要 原油 供給線이며, 建設市場인 사우디에 대하여는 格別한 友好
　　　　協力의 態度 表示

2. 中長期 對策

　　가. 걸프 戰爭 終結以後의 中東政治 情勢 展望

　　　- 終戰後 사담 후세인은 中東 政治 舞臺에서 사라지고 이라크의 位相도
　　　　低下, 이집트·시리아·이란등의 影響力 增大

　　　- PLO 의 立地 弱化 (親이라크 反사우디 立場에 起因), 그러나 팔레스타인

- 13 -

0103

問題 자체에 대한 아랍제국의 結束에는 큰변화가 없을 것이며 팔레스타인 問題 解決을 위한 國際的 努力이 强化될 것임. 그러나 同 問題 解決을 둘러싼 이스라엘과 美.英 關係의 摩擦 可能性 있음.

- 戰爭期間中 形成된 사우디.이집트.시리아 3국의 結束은 戰爭終結後 同國家들의 利害關係, 對外政策 相異等으로 長期間 持續되지는 못할 것이며 中東地域 覇權 競爭 가능성 있음. (不安 要素)

- 이라크의 쿠웨이트 侵攻으로 GCC 國家들은 王政의 維持 및 國家防衛를 위해 域外 强大國家와의 安保協力 體制 樹立 摸索

- 美國等 西方國家들은 石油資源의 安定的 確保를 위해 中東地域의 安保 協力 體制 構築 試圖

- 이러한 安保 協力 體制 樹立과는 별도로 美軍이 걸프地域에 長期 駐屯 가능성

- 今番 戰場에서 2차적 役割 隨行에 그쳤던 蘇聯의 對中東 影響力은 弱化될 것임.

- 戰爭 終結로 이라크의 威脅이 除去되어 일시적으로는 政治的 安定을 찾게 될 것이나, 長期的으로는 아랍世界 全般에 흐르는 對西方 敵對 感情이 今番 戰爭으로 더욱 뿌리 박혀 美國과 協力하는 一部 政權의

- 14 -

0104

顚覆 가능성도 있을 것임. 또한 王政國家들의 民主化 要求도 더욱
增大 豫想

- 結論的으로 戰爭以後 中東 政治의 當面課題는

    ① 中東의 安保 協力 體制 構築 問題와

    ② 팔레스타인 問題로 集約될 것임.

나. 우리의 對應策

- 지금까지 我國의 對中東 政策은

    ① 原油의 安定的 供給 確保

    ② 建設 進出 市場으로서의 중요성등 經濟的 側面에 主眼을 두어
       왔으며 今後에도 이러한 政策基調는 계속 유지될 것임.

- 그러나 아랍권의 國際政治에서의 비중에 비추어 韓半島 問題에 대한
  이들의 支持도 我國의 外交上 重要함.

다. 따라서 我國은 아랍권 個別 國家와의 兩者關係 發展에 努力하고 今後
    構築될 걸프地域 安保 體制에 대한 關心도 기울여야 할 것임.

라. 특히 未修交國이며, 戰後 中東政治 前面에 부상할 시리아, 이집트와의
    關係 正常化를 위해 今番 經濟支援을 계기로 努力을 倍加할 것임.

마. 이라크와는 後繼 政權의 性向에 관계없이 原油 導入, 建設 進出을 위해
    종래의 敦篤한 關係 유지토록 적극 노력

- 15 -

0105

바. 아랍권과의 關係 强化를 위해서는 팔레스타인 問題 解決을 위한 國際的 努力에 積極的 立場을 表明하는 것이 중요함. 이스라엘에 대해서는 對美 關係等을 考慮, 內面的인 關係를 堅持함.

- 16 -

0106

僑民 安全 對策

1. 戰爭 危險地域 滯留僑民 撤收現況 및 對策

   ㅇ 僑民 撤收 現況은

   - 91.1.5. 現在 사우디, 이라크, 쿠웨이트, 요르단, 카타르, 바레인,
     U.A.E., 이스라엘 8개국에 총 6,329명이 滯留하고 있었으나,

   - KAL 特別機便으로 301명이 撤收한 것을 비롯 그간 총 701명이 撤收,
     現在 5,628명이 잔류중임.

   - 國家別로는 사우디 4,697, 요르단 21, 카타르 65, 바레인 259, U.A.E.
     483, 이스라엘 71, 이라크 23, 쿠웨이트 9명이 각각 잔류

   ㅇ 僑民들의 非常 撤收는

   - 事態 推移 및 本國 撤收 希望 僑民數를 보아가며, 迅速한 撤收를 위해
     KAL 特別機를 追加 運航, 이들을 緊急 輸送할 計劃이나 1.17. 戰爭 勃發
     以後 걸프地域 대부분의 空港이 閉鎖됨으로써 特別機 投入 困難

   - 空港閉鎖로 인해 航空便 利用이 不可能할 경우, 이용 가능한 海上 및
     陸路를 통해 隣接國으로의 安全 待避 措置

- 17 -

0107

- 특히 戰爭으로 被害가 豫想되는 사우디 東北部地域 滯留 僑民 1,121명
  에 대해서는 리야드, 타이프, 젯다 등으로 臨時 待避토록 措置, 이미
  751명이 安全地帶로 待避 完了, 殘餘 370명도 緊急 待避 準備中

o 現在 이라크 잔류 現代建設 所屬 職員 22명은 現場管理 必須要員들로서
  부득이 殘留하게 되었으나 現代 本社와 緊密히 協調, 요르단 또는 이란
  國境을 통한 陸路 撤收 方法을 摸索中

o 政府는 撤收 僑民의 事後 對策으로,

  - 無依托 僑民에 대하여 保社部等 關係機關과 協調, 臨時 居處 및 生計
    救護對策 講究 豫定

2. 戰爭 危險地域 殘留 僑民 身邊 安全 對策

o 公館別로 樹立된 비상계획에 의거, 僑民의 個人 身上 事前 把握 및 공관과의
  非常 連絡 體制 維持

o 방공호 등 非常 待避施設, 非常 食糧等을 確保하여 自衛力을 강화토록
  하며 現地 公館의 자체 緊急 待避 계획에 따라, 現地 實情에 맞게 殘留
  僑民의 安全 措置 講究中

- 특히, 殘留 僑民이 安全 地帶로 긴급히 待避할 경우 대비, 現地

  進出業體 켐프 등을 활용, 臨時 宿所를 마련해 놓고 있을 뿐아니라

- 이들이 有事時 隣接國으로 긴급 待避할 수 있도록 隣接國 駐在 我國

  公館에도 緊急 訓令을 내려 이들의 入國이 可能토록 事前 措置 完了

o 또한, 化學戰에 對備, 防毒面을 支給 僑民의 身邊 保護에 萬全을

  기하도록 措置

- 예를 들면, 有事時 僑民 全員 및 公館 職員 家族等이 大使官邸로 옮겨

  集團 居住하여 組를 편성, 警備를 強化케 하고

- 每日 安全 對策 會議를 갖고 非常 事態에 對備하며

- 또한 이들의 外出을 可及的 自制케하는 方法等을 통한 適切한 對處 講究

o 危險地域 公館員 및 家族 全員에 대해서, 그리고 勤勞者에 대해서는 進出業體

  별로 戰爭 保險 加入을 勸獎中

經濟利益 保護 對策

1. 原油 需給

   o 我國은 이라크.쿠웨이트로부터 中斷된 物量 이상을

   - 이미 사우디, 이란, 멕시코 등으로의 導入線 轉換을 통해 長期契約
     形態로 確保하는 등 戰爭 勃發 可能性에 積極 對處하며 왔으며

   - 비록 사우디 油田이 一部 破壞되어 今後 導入에 일부 영향을 받더라도
     政府 備蓄 및 精油社 在庫物量으로 短期的 對處에는 문제가 없을
     것으로 展望

   ※ 90.12.31. 現在 政府備蓄 4,000만 배럴, 精油社 再考 3,500만 배럴,
     輸送中 물량 3,200만 배럴로 我國 消費量 114만 B/D 기준 93일 지속
     가능

   o 그러나 情勢 不安 要人이 많은 中東地域 原油에 대한 我國의 依存度가
     過度한 점을 감안

   - 短期的으로는 原油 導入線 多邊化, 長期 供給 契約線의 維持, 擴大
     필요시 美國과의 相互 原油 供給 協定 締結을 위해 外交的 側面 支援
     提供

- 20 -

0110

236 걸프 사태 한미 협조 2

- 長期的으로는 原油의 安定的 需給을 위하여 國內外 油田 開發 促進,
  代替 에너지 開發, 石油 備蓄分 增量, 에너지 節約型 産業 構造로의
  轉換 政策에 비중

2. 戰後 復舊 事業 參與

o 이라크.쿠웨이트는 각각 中東地域 原油 埋藏量 3위와 5위를 차지하는 國家
  로서 戰爭終結後 이들국가로부터 막대한 原油 輸入이 豫想됨에 비추어 이들
  國家의 戰後 復舊 事業 參與를 今後 最大 重要 課題로 推進

o 戰爭終結後 樹立될 이라크.쿠웨이트 兩國 政府와의 即刻的인 關係 強化,
  改善 努力

o 各種 復舊事業, 社會基幹 産業, 써비스등 各種分野 進出 推進

o 이를 위해 醫療 支援團 活動 活用   끝.

「페르시아」灣 事態 現況과 對應策

91.1.18.

外　務　部

0112

    尊敬하는 박정수 委員長님, 그리고 外務.統一 委員會 議員 여러분, 제가
外務長官으로 就任한후 처음으로 여러 議員님들을 모시고 오늘 페르시아湾 事態와
관련, 그간의 事態進展과 앞으로 우리의 外交的 對應策에 관하여 報告드리게 됨을
매우 뜻깊게 생각합니다.

(事態 現況과 展望)

    言論報道를 통해 이미 잘 아시고 계시는 바와 같이, 美國은 바그다드 現地時間
1月 17日 새벽 3時, 서울시간 1月 17日 오전 9時, 英國, 사우디, 쿠웨이트 空軍과
함께 약 1,500대의 航空機를 動員하여 이라크 및 쿠웨이트 全 領土內 軍事 戰略
거점과 施設에 대하여 先制 奇襲 空中 爆擊을 開始함으로써 페르시아湾 事態는
戰爭으로 飛火되었습니다.

    開戰 初期 約3時間에 걸친 제1차 空襲에서 聯合軍은 이라크의 指揮.通信體系,
100여개의 空軍基地, 化學.核開發 施設, 스커드 미사일 基地에 대한 爆擊으로
이라크의 戰爭 수행 能力을 무력화 시킨 것으로 판단되고 있으며,
이라크와 쿠웨이트 國境地帶에 配置되어 있던 이라크 最精銳 부대와 바스라港內
軍事 基地를 爆擊하여 쿠웨이트에 대한 軍事.補給 支援을 遮斷하였습니다.
그리고 聯合軍은 現地時間 1月 17日 오전 1차 空襲以後 프랑스 空軍도 追加
參與한 가운데 제2차 空襲을 단행하였습니다. 한편, 이라크측은 라디오 放送을
통해 聯合軍側 空軍機 14대를 擊墜하였다고 主張하고 있습니다.

0113

美 國防長官이 밝힌 바에 의하면 聯合軍은 今番 作戰을 통해서 美軍機 1 대,
英國機 1 대가 擊墜되었음이 확인되었고, 佛蘭西 政府도 自國機 5 대가 被擊
되었으나 모두 무사히 基地로 歸還하였다고 합니다. 今番 美國 主導下에
실시된 大規模 空襲에 대해서 美國은 매우 성공적인 作戰이었다고 평가하고
있고 美 國民들 86%가 부쉬 大統領의 措置를 支持하고 있는 것으로 最近 與論
調査에서 나타나고 있습니다.

美 言論의 報道를 綜合해 보면 대체로 聯合軍의 早期 전승을 예상하고 있으며,
戰爭의 양상에 관해서는 聯合軍이 최소한의 被害로 早期 終戰을 目標로 하여 고도의
尖端 科學 技術을 위주로 한 大規模 空襲을 繼續할 것으로 展望하고 있으나, 이라크
군의 저항이 強力할 경우 大規模 地上軍 접전 可能性도 있는 것으로 觀測하고 있습니다.

다음은 開戰 直前 美 行政府가 우리 政府에 開戰 事實을 통보해 준 경위를
報告드리겠습니다.

서울時間 1月 17日 오전 7時, 워싱턴 時間 1月 16日 오후 5時, 白堊館側은 박동진
駐美 大使에게 유엔 安保理 決議를 實踐키 위한 美國과 聯合國의 對이라크 軍事
作戰이 臨迫했다는 連絡을 해주어 駐美 大使는 이를 外務部에 긴급 전문 보고
하였으며,
한편 美 國務部의 앤더슨 亞.太 次官補 代理는 作戰 개시 3분후인 어제 午前
9시 3분, 박동진 大使에게 電話로 부쉬 大統領의 뜻이라는 事實을 밝히면서 開戰

0114

事實을 통보하고 同 事實을 盧 大統領께 卽刻 報告하여 줄 것을 要請한 바
있습니다.

또한 駐韓 美 大使舘側도 어제 午前 9時 15分 軍事作戰이 9時에 개시되었으며 午前
9時 10分 白堊館 代辯人이 同 事實을 公式 發表하였다고 外務部에 通報하는 한편,
우리 政府에 대해 今番 美國이 취한 軍事的 措置의 背景과 不可避性을 說明하고
友邦國들의 支持를 요청하는 緊急 멧세지를 오전 9시 40분 外務部에 傳達한 바
있습니다.

다음은 美國과 이라크등 관련국의 動向에 대해 報告 드리겠습니다.
우선 美國의 動向에 대해 말씀드리겠습니다.

부쉬 美國 大統領은 開戰 2時間後인 서울時間 1月 17日 11時 國民에 대한
演說을 통해 今番 先制 武力 使用의 불가피성을 설명하고 美國民의 團合된 支持를
호소 하였습니다.
또한 토마스 폴리 美 下院 議長은 今番 戰爭이 최소한의 犧牲을 치르고 迅速하게
終決되기를 希望하였으며, 美議會는 1月18日 부쉬 大統領이 취한 今番 措置를 支持
하는 決議案을 探擇할 豫定입니다.
한편 美國內 T.V.등 言論은 이라크에 대한 武力 攻擊을 부쉬 大統領의 불가피한
선택으로 보면서 금번 空襲의 結果를 큰 成功으로 評價하고 있습니다.

0115

美國, 英國, 사우디 및 쿠웨이트 4個國이 參加한 空襲 開始後, 이라크 放送은 決死抗戰과 最終 勝利를 主張하는 사담 후세인 大統領의 演說을 放送하였읍니다. 그러나 사담 후세인 大統領의 行方과 演說時期等은 확실히 把握되지 않고 있습니다. 이라크는 波狀的인 聯合軍 空襲에 대하여 대공 포화로 間歇的으로 對應하였다고 하나 實效的이지 못했던 것으로 把握되고 있으며 체니 美國防長官等 美側 高位人士들은 最初 空襲時 이라크의 決死的인 抵抗이 없었던데 대해 다소 놀랐다는 反應을 보인바 있습니다.

다음은 페르시아湾 戰爭의 展望에 대해 말씀드리겠습니다.

最初 空襲의 成功으로 이라크 空軍과 이라크-쿠웨이트 國境地域 配置 地上軍 主力이 궤멸됨으로써, 戰鬪는 일단 聯合軍의 勝利로 短期에 速決될 展望입니다.

當初 이라크가 이스라엘을 攻擊할 경우, 戰爭 樣相이 複雜하게 전개되어 長期化될 것을 憂慮하였으나, 이라크의 미사일 基地 破壞로 이라크가 이스라엘을 공격할 능력이 상실된 것으로 추정되기 때문에 현재로서는 戰爭이 短期에 끝날 可能性이 매우 높아졌읍니다. 그러나 쿠웨이트내 이라크軍이 決死 抗戰을 強行할 境遇 상당한 人命損失을 수반하는 地上戰이 당분간 계속될 가능성도 排除할 수 없다 하겠습니다.

0116

한편, 이라크가 쿠웨이트로부터의 部分的 撤收를 단행하고 休戰 및 協商을 提議할 境遇, 今番 事態는 戰爭도 平和도 아닌 膠着 상태로 전개될 가능성도 없지 않습니다. 그러나, 美國은 安保理 決議를 내세워 無條件 全面 撤收를 要求할 것이며, 이라크가 地上戰에서 어느 정도 抵抗할 수 있을지는 알 수가 없는 狀況입니다.

(各國의 反應과 措置)

다음은 페灣에서의 戰爭 勃發에 대한 各國의 반응과 조치에 대해 말씀드리겠습니다.

우선, 유엔 安保理에서는 韓國 時間으로 1月17日 오후 理事國間 非公式 個別 協議가 있은 후, 역시 非公式으로 會議가 開催되었습니다.

이스라엘은 이라크의 生化學 攻擊에 대비, 國民들에게 警戒令을 發動하였으나, 現在는 이라크의 미사일 攻擊 가능성이 극히 稀薄해 졌다는 國防長官의 發表가 있었습니다.

한편, 最近 리투아니아 事態로 인해 西方側과 다소 微妙한 關係에 있는 蘇聯의 고르바쵸프 大統領은, 聲明을 통해 戰爭 勃發에 대해 유감을 표명하는

0117

한편, 후세인 이라크 대통령에게 즉시 철군하도록 호소하고, 早期 終戰을 위해 最善의 努力을 기울일 것임을 천명하였습니다.

유엔 安保理 常任 理事國中 유일하게 대이라크 武力使用을 支持하지 않았던 中國은, 外交部 代辯人 聲明을 통해 이라크와 多國籍軍 雙方 모두가 자제해 줄 것을 促求했습니다.

北韓은 中央放送을 통하여 美國의 攻擊을 帝國主義者들의 抑壓的 犯罪 行爲 라고 격렬한 語調로 非難했습니다.

日本은 1月17日 安全保障 會議를 召集하고, 首相을 本部長으로하는 對策本部를 구성했으며, 카이후 首相은 對國民 멧세지를 통해 多國籍軍에 追加 財政支援을 제공할 준비가 되어 있다고 發表하였습니다.

카나다는 550명 규모의 野戰 病院團을 派遣키로 결정하였으며, 이태리와 네덜란드도 參戰을 決定함으로써 현재 7개국이 참전중에 있습니다.

쿠바의 카스트로 大統領은 이번 美國의 攻擊을 帝國主義的 侵略行爲라고 非難하였습니다.

이상 말씀드린 바와 같이, 北韓과 쿠바, 中國等 극소수 국가만이 반대 또는 留保的 立場을 표명했으며, 餘他 대부분의 國家는 多國籍軍의 이라크 攻擊을 적극 支持하고 있습니다.

0118

다음은 우리가 취한 外交的 對應 措置에 관하여 말씀드리겠습니다.

우선 政府는 美國 政府로부터 開戰 事實을 通報받은 즉시 부쉬 大統領에 대한 盧泰愚 大統領 名義 親電을 1月17日 09時40分 駐美大使舘과 駐韓 美大使를 통하여 美國側에 즉시 전달하고, 今番 美國과 多國籍軍이 이라크에 대해 취한 결연한 措置에 대해 적극 支持함을 표명하였읍니다.

美國 政府는 友邦國들에 대한 緊急 멧세지를 통하여 계속적인 支持를 요청하여 왔는 바, 具體的인 事項에 관하여는 앞으로 韓.美間의 충분한 協議를 거쳐 대응해 나가고자 합니다.

한편 政府는 금번 페르시아灣 事態와 관련, 유엔 安保理内에서 일어나는 各種 非公式 協議 움직임에 대해 철저히 파악함과 동시 유엔 安保理 理事國들과도 緊密한 協議를 繼續 維持해 나가겠습니다.

다음은 앞으로의 中東地域에 대한 外交政策 方案에 關해 말씀드리겠습니다.

今番 페르시아灣 事態 推移에 따른 對應策을 적시에 講究해 나감과 아울러 事態以後의 中東地域에 대한 中長期 外交對策도 함께 樹立해 나가고자합니다. 즉, 우리가 中東地域으로부터 약 70% 에 달하는 原油를 輸入하고 있으며 80%의 建設 受注를 받는 地域인 동시에 國際舞臺에서도 아랍.회고권의 對我國 支持가 긴요함에 비추어, 同 地域은 我國의 對外關係에 있어 차지하는 중요성이 매우 큰 地域이라 하겠습니다.

0119

이러한 점들을 감안하여, 政府는 今番 페르시아灣 事態以後 中東地域內 勢力 均衡 再編에 諸般 情勢를 예의 注視해 가면서 앞으로의 對中東 外交政策을 펴 나가도록 모든 努力을 기울이겠읍니다.

금번 事態가 南.北韓 關係에 미칠 影響과 關聯,

政府로서는 今番 페르시아灣 事態에 便乘하여 北韓이 저지를지도 모르는 對南 策動 可能性에 對備하여 萬般의 準備態勢를 갖추는 일방, 北韓이 우리의 醫療 支援團 派遣等을 非難하고 있으므로 北韓이 이를 南北對話를 回避하는 구실로 이용할 가능성에 대해서도 對應策을 마련하겠읍니다.

經濟外交에 대해 있어서는,

최근 페灣 事態와 관련, 國際 原油價 및 原資材 價格 動向을 隨時 把握하여 우리의 經濟에 미치는 影響을 最小化 하도록 하고, 戰後 復舊 事業에 我國이 參與할 수 있는 가능성에 관해서도 별도로 檢討하겠읍니다.

다음은 僑民 安全 對策에 관하여 말씀드리겠읍니다.

1月 17日 現在 中東地域 殘留 僑民 現況을 말씀드리자면,
이라크에 現代 그룹 所屬 勤勞者 23名과, 大使舘 고용원 1명등 모두 24명이 남아 있으며, 이스라엘에 約 90名, 그리고 사우디에 4,980名等이 잔류중에 있습니다.

0120

政府는 그간 事態가 긴박하게 進展됨에 따라 同 地域 우리 僑民들의 安全 撤收를 위해 지난 1月 14日 大韓航空 特別 專貰幾를 보내 1차로 301名을 安全 歸國시킨 바 있습니다. 당초 政府는 제2차 僑民 撤收를 위해 專貰幾 派遣을 檢討한 바 있으나, 戰況이 점차 好轉됨에 따라, 撤收를 희망하는 僑民數가 줄어들고 있으며, 또한 今番 戰爭 勃發以後 요르단, 사우디, 카타르, 바레인등 空港이 閉鎖되고 아랍에미리트 空港도 사용이 불가능하게 됨에 따라 同 計劃 推進은 당분간 保留키로 決定하였습니다.

페르시아灣 戰爭 水域內 航行中인 우리 船舶들에 대해서는 지난 1月 16日 安全 措置를 講究토록 指示하였으며, 現在 3척의 우리 船舶이 同 水域內에 있는 것으로 把握되고 있습니다.

또한 政府는 페르시아灣 地域에 거주하는 僑民에 대한 安全對策의 一環으로 防毒面 2천셋트를 1月 14日 僑民撤收 KAL 特別機편을 이용, 사우디에 空輸.配布 措置 하였습니다.

금번 事態와 관련, 政府로서 세심한 주의를 기울이고 있는 것은 테러 行爲에 대한 豫防 對策입니다.

政府는 友邦國과 긴밀한 情報 交換下에 이라크 및 아부니달派, 팔레스타인 解放 前線等 친이라크 勢力, 非아랍권 회고도 및 北韓 工作員等에 의한 테러에 對備토록 이미 全 在外公館에 訓令하고, 關係 部處와도 協調하고 있습니다.

0121

이와관련, 페르시아灣 地域에 駐在하고 있는 사우디, 요르단, 바레인, 카타르, 아랍에미리트, 젯다 等 6개 公館所屬 職員들에 대한 身邊 安全 措置의 一環으로 戰爭 保險에도 追加 加入토록 措置하였습니다.

아울러 駐韓 公館中 多國籍軍 參與國家 公館에 대한 安全 强化를 위해 關係部處와 협조하고 있읍니다.

또한 금번 事態에 政府次元의 綜合的 對處를 위해 國務總理를 委員長으로 하는 페르시아灣 事態 對策 特別委員會를 設置하고, 國務總理室에 綜合 狀況室을 設置 運營하고 있으며, 外務部로서는 外務部 本部와 中東地域 駐在 公館 및 美國.日本. 유엔 등 주요국을 포함한 全 在外公館의 非常 勤務 체제를 確立하고 있읍니다. 나아가 非常 外交 通信網을 철저히 點檢하는 한편, 醫療 支援團과의 通信網도 완벽하게 連結 措置하고 있읍니다.

이상으로 簡略히 報告를 마치겠습니다.

感謝합니다.

0122

「페르시아」灣 事態 現況과 對應策

1991. 1. 18.

外　務　部

0123

- 目 次 -

0124

1. 事態 現況과 展望

가. 開 戰

　ㅇ 바그다드 現地 時間 91.1.17(목) 03:00 (서울 時間 1.17. 09:00),
　　美國은 英國, 사우디 및 쿠웨이트와 함께 약1,500대의 航空機를
　　動員, 이라크 및 쿠웨이트 全領土內 軍事 戰略據點과 施設에 대하여
　　先制 奇襲 空中爆擊을 開始

나. 戰況(1.18. 04:00 現在, 美國防省 發表 및 現地 報道 綜合)

　ㅇ 약 3시간에 걸친 1차 空襲에서 聯合軍은 이라크의 指揮 및 通信體系,
　　100여개의 空軍基地, 化學武器, 核開發 施設, SCUD 미사일 基地에
　　대한 爆擊으로 이라크의 戰爭 能力 無力化

　ㅇ 이라크-쿠웨이트 국경지대에 配置되어 있던 이라크 最精銳部隊와
　　바스라港 軍事基地 爆擊으로 쿠웨이트에 대한 軍事 및 補給支援 遮斷

　ㅇ 聯合軍은 現地時間 1.17. 오전 1차 空襲以後, 이라크의 對空網
　　能力 有無 試驗을 위해 2차 空襲 단행(불란서 추가 참여)

　ㅇ 聯合軍은 1.17. 오전(현지시간) 地上兵力의 쿠웨이트 領內 進入
　　作戰 開始

　ㅇ 이라크는, 라디오 放送을 통하여 聯合軍 空軍機 14대 擊墜 主張

- 1 -

0125

다. 美國의 對我國 通報

○ 1.17(목) 07:00시(워싱톤 時間 1.16. 17:00時) 駐美 大使는 白堊館
側으로 부터 유연 安保理 決議 實踐을 위한 美國 및 聯合國의 對
이라크 軍事 作戰이 臨迫하다는 連絡을 받았다고 報告

○ 美 國務部 앤더슨 亞.太 擔當 次官補 代理는 作戰 개시 3分後인
1.17(목) 09:03(서울 時間) 駐美 大使에 電話로 緊急 通報하고
부쉬 大統領의 뜻이라 하면서 이를 盧大統領에게 即刻 報告해 줄
것을 要請

○ 1.17(목)09:15시 駐韓 美 大使舘側은 軍事作戰이 09:00시에
개시되었고, 09:10시 白堊館 代辯人이 이를 公式 發表한 事實을
外務部에 通報

○ 또한 美國 政府는 우리 政府에 대해 今番 軍事的 措置의 背景과
不可避性을 說明하고 友邦國들의 支持를 要請하는 緊急 멧세지를
1.17(목) 09:40시 駐韓 美大使舘을 통해 外務部에 傳達

- 2 -

0126

라. 美國 및 이라크 動向

（美 國）

 ○ 行政府 :

  - 부쉬 大統領은 개전 2시간후인 1.17(목) 11:00(서울시간) 對國民
   演說을 통해 今番 先制 武力使用의 不可避性을 說明하고 美國民의
   團合된 지지를 호소

 ○ 議 會 :

  - 톰 폴리 下院議長은 戰爭이 최소한의 犧牲을 치르고 신속하게
   끝나기를 希望

  - 議會는 1.18 부쉬 大統領의 措置를 支持하는 決議案을
   採擇할 豫定

 ○ 言 論 :

  - 美國內 TV등 言論은 對이라크 武力 攻擊을 부쉬 大統領의 不可避한
   選擇으로 보면서 今番 空襲 結果를 큰 成功으로 評價

（이라크）

 ○ 聯合軍의 攻擊 開始後, 이라크 放送은 決死抗戰과 最終勝利를 主張하는
  후세인 大統領의 演說을 放送(그러나, 大統領의 行方 및 演說時期 不明)

 ○ 軍事的으로는, 波狀的인 空襲에 대하여 間歇的인 對空砲火로 對應할
  뿐, 實効的인 抵抗은 不在

- 3 -

0127

마. 展望

　1) 短期 速決戰

　　ㅇ 最初 空襲의 成功으로 이라크 空軍 및 이라크-쿠웨이트 국경지역
　　　配置 地上軍 主力이 궤멸됨으로써, 전투는 일단 聯合軍의 승리로
　　　短期 速決될 展望

　　ㅇ 이라크가 이스라엘을 攻擊할 경우 戰爭 樣相이 複雜하게 전개되어
　　　長期化될 것을 우려하였으나, 이라크의 미사일기지 破壞로 現在로서는
　　　戰爭의 短期化 豫測 可能

　　ㅇ 단, 쿠웨이트내 이라크軍이 決死 抗戰을 强行할 경우 상당한
　　　人命損失을 수반하는 地上戰이 당분간 계속될 可能性

　2) 事態 長期化 可能性

　　ㅇ 이라크가 쿠웨이트로부터의 部分的 撤收를 단행하고 休戰 및
　　　協商을 提議함으로써 非戰非和의 膠着 狀態로 유도할 可能性

　　ㅇ 그러나, 美國은 安保理 決意를 내세워 無條件 全面 撤收를 要求할
　　　것이며, 이라크가 地上戰에서 어느 정도 저항할 수 있을지는 미지수

- 4 -

0128

2. 各國의 反應과 措置

　o 유　연 : 1.17. 安保理 非公式 協議 開催

　o 이스라엘 : 이라크의 生化學 攻擊에 對備, 國民들에게 警戒令을
　　　　　　　發動 하였으나, 현재는 이라크의 미사일 攻擊 可能性이
　　　　　　　극히 稀薄하다고 발표(國防長官)

　o 蘇　聯 : 그르바쵸프 大統領, 聲明을 통해 戰爭 勃發 유감 표명 및
　　　　　　　早期 終戰을 위해 蘇聯이 最善의 努力을 할 것임을 闡明

　o 中　國 : 雙方에 대해 最大限의 自制 要請 및 이라크의 無條件 撤收 促求
　　　　　　　(外交部 代辯人)

　o 北　韓 : 空襲을 「美帝國主義者들의 抑壓的 犯罪行爲」로 非難 (中央放送)

　o 日　本 : 1.17 安全 保障 會議를 召集하고 首相을 本部長으로 하는
　　　　　　　對策本部를 구성(首相의 對國民 멧세지 發表)

　o 카 나 다 : 550명 規模의 野戰病院 派遣 決定

　o 쿠　바 : 카스트로 大統領, 今番 攻擊을 「帝國主義的 侵略行爲」라고
　　　　　　　非難

- 5 -　　　　　　　　0129

3. 外交的 對應策

(對美 外交)

　　ㅇ 부쉬 大統領에 대한 大統領 名義 親電 發送(1.17. 09:40)

　　　- 駐美大使舘 및 駐韓 美大使를 통하여 동시 傳達

　　　- 美國 및 多國籍軍의 措置에 대한 積極 支持 闡明

　　ㅇ 政府 代辯人 聲明 發表(1.17. 10:00)

　　ㅇ 1.17 美政府는 友邦에 대한 긴급 멧세지를 통하여 繼續的인 支持 要請

　　　- 美國의 追加 財政支援 要請이 있을시, 適切한 水準에서 檢討

(유엔 外交)

　　ㅇ 유엔 安保 理事會 非公式協議 動向 把握

　　　- 유엔 安保理 理事國과의 緊密한 協議 維持

(對中東 外交)

　　ㅇ 事態 推移에 따른 對應案을 適時에 講究

　　ㅇ 事態以後 對中東 中長期 對策 樹立

　　　- 對外 關係에 있어서의 中東의 重要性 감안

　　　　· 原油 依存度 約70%, 建設 進出 80%(수주액 기준)

　　　　· 國際 舞臺에서의 아랍-回敎國의 支持 緊要

　　　- 폐灣 事態 以後 中東 勢力 再編에 對備한 對策 講究

- 6 -　　　　　　　0130

(南.北韓 關係)

　　ㅇ 폐灣 事態에 便乘한 北韓의 對南 策動 可能性 對備

　　ㅇ 北韓의 我側 醫療 支援團 派遣等 非難 감안, 南北 對話 回避 구실로
　　　利用할 可能性에 대한 對應策 마련

(經濟 外交)

　　ㅇ 國際 原油價, 原資材 價格 動向 隨時 把握 및 對策 講究

　　ㅇ 戰後 復舊 事業에의 參與 可能性 別途 檢討

(僑民 安全 對策)

　　ㅇ 殘留 僑民 現況(1.17. 現在)

　　　- 이라크 : 24名(現代 23, 公館 雇傭員 1人)

　　　- 이스라엘 : 약90名

　　　- 사우디 : 4,980名

　　ㅇ 第2次 僑民 撤收 KAL 專貰幾 派遣 推進 計劃은 保留

　　　- 戰況 好轉으로 撤收 希望 僑民 減少

　　　- 戰爭 勃發로 인하여 요르단, 사우디, 카타르, 바레인등 空港
　　　　閉鎖 및 UAE 空港 使用 不可能視

　　ㅇ 폐灣 戰爭 水域內 我國 船舶 安全 措置 講究 指示(1.16. 現在 3隻)

　　ㅇ 폐灣 地域 居住 僑民에 대한 安全 對策으로 防毒面 2천 셋트를
　　　1.14(月) 12:00 KAL 特別機便을 利用, 사우디에 空輸, 배포

0131

- 7 -

o 이라크 및 Abu Nidal派, 팔레스타인 解放 戰線 等 親이라크 勢力,
    非아랍圈 回教徒, 北韓 工作員等에 의한 테러에 對備토록 全在外公館에
    訓令하고 關係部處와 協調
    - 韓.美間 緊密 協調 維持
    - 폐灣 地域 6個 公館員(사우디, 요르단, 바레인, 카타르, 아랍
       에미레이트, 젯다)에 대한 身邊 安全 講究의 一環으로 戰爭
       保險 追加 加入
    - 駐韓 公館中 多國籍軍 參與 國家 公館에 대한 安全 强化를 위해
       關係部處와 協調
o 危險 地域에 대한 我國人 旅行 自制 勸告
o 外務部 本部, 中東地域 公館 및 미.일, 유연등 主要國家를 포함,
    全在外公館 非常勤務 體制 確立
    - 폐灣 非常 對策 本部 運營
    - 非常 外交 通信網 點檢
    - 醫療 支援團과의 通信網 連結
o 1.17 政府次元의 綜合的 對處를 위해 폐灣 事態 對策 特別委員會 設置
    (委員長 : 國務總理)
    - 國務總理室에 綜合狀況室 運營

- 8 -

0132

4. 國會 報告 및 言論 協調

  ㅇ 國 會

    - 外務.統一 委員會 報告(1.18)

  ㅇ 言 論

    - 隨時 報道 資料 提供 및 發表

    - 事態 進展 및 政府對策 說明

添附 : 1. 政府代辯人 聲明

       2. 「페르시아」灣 地域 軍事力 配置 狀況

                        - 끝 -

정부 대변인 성명

1991. 1. 17

평화적 해결을 희구해 온 전 세계인의 여망에도 불구하고 페르시아만에서 끝내 전쟁이 발발했습니다.

정부는 이라크가 쿠웨이트를 불법점령 함으로서 일어난 그간의 페르시아만 사태에 깊은 우려를 표하여 왔으며, 국제사회에서 불법적인 무력침략 행위가 결코 용납되어서는 안된다는 국제법과 국제정의에 입각하여 유엔 안보리의 대이라크 제재 결의를 적극 지지하여 왔습니다.

그러나, 페르시아만 사태의 평화적 해결을 위해 유엔 안보리가 요구한 철군 시한을 이라크가 끝내 거부함으로서 사태가 전쟁으로 발발하게 된것을 개탄해마지 않습니다.

우리는 이와같은 반문명적 침략행위를 유엔의 결의에 따라 응징하기 위해 나선 다국적군과 미국의 행동에 전폭적인 지지를 표합니다.

0134

정부는 유연의 평화유지 노력에 적극 참여하고저 다국적군에 대한 군비지원 및 관련 전선국가에 대한 경제원조를 제공하였으며, 또한 다국적군의 의료지원을 위해 사우디에 의료지원단을 파견할 예정입니다.

정부는 이번 전쟁의 파장이 한반도 안전과 국가이익에 미치는 영향을 감안, 비상한 경각심으로 이번 사태에 대처하고 있습니다.

우리 국군은 어떠한 상황 아래에서도 국가의 안보를 굳건히 유지하기 위해 물샐틈 없는 경계 태세에 있음을 밝혀두는 바입니다.

여.야를 비롯한 각계 각층의 국민 여러분은 정부가 마련한 비상대책에 적극 호응하여 기름 한방울, 전기 한등이라도 아끼는 근검절약을 통해 위기적 상황을 슬기롭게 극복하도록 함께 노력해 주실 것을 당부하는 바입니다.

전쟁 피해가 예상되는 지역에 거주하는 교민과 이 지역을 여행하는 우리국민, 그리고 항해중인 선박은 현지 공관의 지시를 받아 안전대책을 강구해 주시기 바랍니다.

정부는 이라크측이 동 지역의 평화와 안정이 조속히 회복되기를 바라는 국제 사회의 염원을 존중하여 쿠웨이트로부터 즉각 철수할 것을 다시한번 촉구하는 바입니다.

0135

이라크 스커드 미사일 이스라엘 공격

(미대사관 Christenson 1등서기관이 안보과장에게 공식 통보)

미주국 안보과
1991. 1. 18, 14:00

o 이라크, 스커드 미사일 6개를 이스라엘 주요 공격 목표에 발사.

- 텔아비브 현지 시간 17일 밤 11:59

- 미사일중 일부는 텔아비브에, 나머지는 여타 지역에 떨어짐

o 동 6개 미사일 탄두에는 화학무기가 장착되지 않았음.

0136

외 무 부

종 별 :

번 호 : LAW-0069

일 시 : 91 0118 1610

수 신 : 장 관(미북)

발 신 : 주 라성 총영사

제 목 : 페르시아만 사태 관련 교포동향

1. 미주 한인 의용군 창설준비위원회(HQS, KOREAN AMERICAN COALITION COMMANDO)는 91.1.7. 별첨선언문을 통해 유엔의 쿠웨이트 주둔 이라크군철군 노력을 지원키위해 재미교포로 구성된 의용군 파병, 페만파견 미군에 위문편지 발송 및 위문단 파송을 결의하였음.

2. 상기 KACC 는 상기 목적달성을 위해 미주한인의용구 사령부(KOREAN CITIZEN'S COMMANDO) 를 창설, 발족할 예정이며 3명의 명예회장, 12명의공동회장등 100여명의 교포 지도인사로 구성되어있음을 참고바람. 끝.

첨부 : (FAX 송부)

(총영사 박종상-국장)

미주국   정문국   중아국   장관   주관   1차보   2차보   영교국   안기부

PAGE 1

91.01.19   09:26 ER

외신 1과   통제관

0137

美洲韓人義勇軍創設準備委員會
HQs, KOREAN AMERICAN COALITION COMMANDO

宣 言 文

1991年 1月 15日의 撤軍時限을 拒否하고 世界平和와 國際秩序가 破壞될 때 自由世界는 斷呼한 意志로서 行動하게 될 것이다.

그 날이 오지 않기를 바라는 美國市民의 失望은 클 것이며 모든 手段과 方法으로 戰爭을 抑止하려던 Bush 行政府의 努力은 水泡로 돌아갈 것이다.

韓國戰爭을 通해 主權을 侵害 當한 아픔을 지니고 있는 美洲韓人은 Kuwait 侵攻事態가 國際法上 容納될 수 없다는 事實과 大韓民國이 多國籍軍構成에 不參함으로써 비어있는 자리를 메꾸기 爲해 中東戰爭 對備 美洲 韓人義勇軍司令部(Korean Citizens' Commando)를 創設하고 發足할 것을 宣言하는 바이다.

우리는 韓國戰爭에서 잃었던 우리의 主權과 自由와 領土을 回復함에 寄與한 參戰 22個 友邦國에게 支拂하여야 할 債務를 淸算하고자 하며 나아가 美合衆國에 對한 忠誠과 感謝를 表明하는 機會가 되기를 希望한다.

Commando-K는 該當洲 防衛軍에 編入됨으로써 指揮系統을 確立할 것이며 美合衆國建國精神에 따라 行動할 것을 誓約하는 바이다.

우리는 즉시 Mail Campaign을 實行에 옮기도록 하기로 決定하였다.
또한 전선에 配置된 美國軍部隊에게 慰問團을 派送할 것이다.

美洲韓人全體의 參與를 얻기 希望하는 우리는 美洲韓人會總聯合會를 통해 우리의 決意가 擴散되도록 最善을 다할것을 期約하는 바이다.

1991年 1月 7日

美洲韓人義勇軍創設準備委員會

0138

71-59

駐韓美軍用 裝備輸送 問題

- "걸프"事態 關聯 間接支援 -

1991. 1.

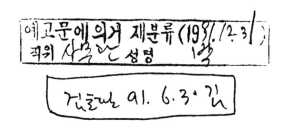
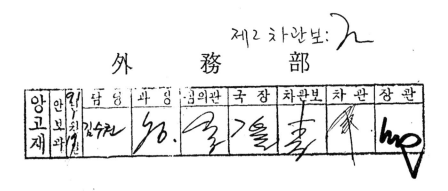

제2차관보:

外　　務　　部

앙고재	원/안/보/과	림/담당	과장	심의관	국장	차관보	차관	장관
		김수천						

0139

1 . 1 9 (土) 駐韓美軍 當局은 我國이 이미 約束한
" 걸프 " 輸送支援資金의 一部를 駐韓美 第二師團用
裝備輸送에 一部 轉用해 줄 것을 要請해 왔는 바,
關聯內容과 措置計劃을 報告드립니다.

美側 要請事項

o 美國은 美 第2師團用 最新型 多連裝砲(Multiple
   Launch Rocket System)를 今年 2月中
   " 캘리포니아 " 로부터 韓國으로 輸送 豫定임.

   - 數量은 確實치 않으나 보통화물선 1隻으로 充分

o 그러나 同 裝備輸送用으로 指定된 美軍用 船舶이
   " 걸프 " 事態 作戰에 動員되어 現在 可用船舶이 없음.

o 이러한 事情을 勘案, 韓國政府가 이미 約束한 " 걸프 "
   輸送支援資金 一部를 轉用, 船舶 1隻을 1回에 限하여
   支援해 주기 바람.

   * 我国의 " 걸프 " 輸送支援 資金 3千万弗中, 現在 約 24百万弗
      執行(" 캘리포니아 " - 韓国間 보통화물선 1회 輸送費用은 約2百万弗)

0140

檢討意見

o 美國은 現在 "걸프" 事態 作戰에 投入되는 人員과
   物資 輸送에 있어 相當한 어려움을 겪고 있음.

o 駐韓美軍用 장비는 美側 經費로 輸送하는 것이 原則
   이나, 上記와 같은 事情과 同 裝備가 我國의 安全
   保障에 直接的으로 使用될 것임을 勘案하여, 我國이
   이미 約束한 "걸프" 輸送 支援 資金의 一部를 轉用
   토록 함.

措置計劃

o 美側 要請을 受諾, 我國籍 船舶을 利用하여 駐韓美軍用
   裝備 輸送을 1回에 한해 支援함.

   - 國防部等 關係部處와 協議

o 美側에 對해서는 금번 間接支援이 向後 駐韓美軍用
   物資輸送에 있어 先例가 되지는 않음을 분명히 해 둠.

                                                   끝.

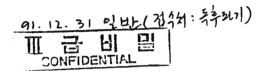

0141

- 배포선 -

5-1, 2, 3, 4   청와대(외교.안보) 김재섭 비서관

5-5   과 보관

0142

각국 다국적군 파견 현황

국가	병력(명)	탱크(대)	항공기(대)	함정(척)	의료단 파견
사 우 디	총 : 61,700 육군 : 38,000 공군 : 16,500 해군 : 7,200	550	180	8	
미 국	총 : 460,000 육군 : 250,000 공군 : 50,000 해군 : 75,000 해병대 : 85,000	1,000 (1,000 추가 파견 예정)	1,000 (300 추가 파견 예정)	55	· 사우디 담만항에 병원선 2척 파견 　(산아여음 1,000 / 바레인 .. 350) · 산아의료단 : 전문의 35명
이 집 트	총 : 14,000 (5,000 추가 파견 예정)	400			
영 국	총 : 34,000	170	72	16	· 의사 200명 및 400 병상 규모 야전병원 　파견중 · 파견총톨 대비 약 1,500명 확보중
시 리 아	총 : 16,000	40	40	14	
아르헨티나	총 : 100			2	
호 주				3	· 2개 의료단 파견 검토중
바 레 인	총 : 33,500 육군 : 23,000 600 450			3	
벨 기 에				3	

국 가	병 력 (명)	탱 크 (대)	항공기 (대)	함 정 (척)	의 료 단 파 견
방글라데시	총 : 2,000 (3,000 추가 파견 예정)				· 2개 중대 300명(장교 16명, 사병 84명)
불가리아					
캐 나 다	300 파견 예정		18	3	
체 코	450 파견 예정				
덴 마 크	200 파견 예정				· 병력선 취소 대신 30-40명 군의료진 영국군에 배치
그 리 스				1	
헝 가 리					· 30-40정도 자원 민간의료진 영국군 소속
이 태 리			8	6	
모 로 코	총 : 1,700			3	
네덜란드	공군, 터키에 55명				
나 제 르	총 : 500				
노르웨이				(경비정) 1	
오 만 V	총 : 25,500		63		
파키스탄	총 : 2,000 (3,000 추가파견 예정)				· 1개 중대 100명
세 네 갈	총 : 500				
시 ?				2	
? 인				3	

0144

국 가	병 력 (명)	탱 크 (대)	항공기 (대)	함 정 (척)	의 료 단 파 견
오스트레일리아					· 야전 헬플란스 1대 파견
시 리 아	총 : 5,000 (10,000 추가파견 예정)	300 파견 예정			
터 키	총: 100,000 (국경선 배치)	80	74 (미군 54대 배치 포함) + 42 (나토 파견)	2	
U. A. E	총 : 43,000	200	80	15	
포르투갈				1	
필 리 핀					· 민간의료 지원단 270명 파견
폴 란 드					· 병원선 1척 파견 검토중
뉴질랜드					· 민간의료진 + 50 파레인 미 해군병원 근무
싱 가 폴					· 30명 의료 지원단 영국군 병원 근무
계	796,450	2,440	1,461	138	

	분류번호	보존기간

발 신 전 보

WUS-0255   910122 1818 BX

번   호 : _____   종별 치급_____

수   신 : 주   미   대사...총영사

발   신 : 장   관   (미북)

제   목 : 의료지원단 파견

연 : WUS-122.210

1. 의료지원단 사우디 파견 동의안이 1.21(월) 국회 본회의에서 찬성 223,
반대 9, 기권 2로 통과됨에 따라 정부는 의료지원단(선발대 20명을 제외한 본대 134명)
을 다음 일정(현지시간)으로 사우디에 파견 예정임.

    가. 서울 - 카라치

        1.23(수)   17:00   대한항공 특별기편 카라치 향발

                     01:20   카라치 도착

    나. 카라치 - 다란(C-130 군수송기 이용)

        ° 제1차 수송

            1.24(목)   05:00   카라치 출발

                         08:00   다란 도착

        ° 제2차 수송

            1.25(금)   05:00   카라치 출발

                         08:00   다란 도착

/계 속/

중동아 국장: 대책본부장:

	보 안 통 제	

앙 고 재	91년 1월 22일	북미 과	기안자 성명 김유현		과장 심의관	국장 전결	차관	장관	외신과통제

0146

2. 귀관은 상기 아국의 의료지원단 파견을 미 국무부 및 국방부 등 관계 기관에 통보하고 미측이 적절한 방법으로 이를 홍보토록 요청하기 바람.

~~3. 한편, 미주국장은 상기 의료지원단 파견 일정을 1.22(화) 주한 미 대사관측에 통보하였음을 참고 바람.~~   끝.

(미주국장   반기문)

예 고 : 91.6.30.일반

관리
번호 91-129

외 무 부

종 별 : 지 급

번 호 : USW-0355

일 시 : 91 0122 1750

수 신 : 장관(미북)

발 신 : 주 미 대사

제 목 : 의료 지원단 파견

대:WUS-0255

1. 대호 의료 지원단 국회 본회의 통과 및 본대 사우디 파견사실을 백악관 NSC, 국무부 한국과, 국무부 경제국(지원내역 집계 책임 부서)및 국방부 한국과에 통보하고, 이를 적절히 홍보하는데 협조해 줄것을 요청하였음.

2. 이에 대해 미측은 아측의 신속한 조치 및 국회에서의 압도 다수결의에 사의를 표하면서, 언론에 대한 자료 제공 및 각종 보고서 작성시에 이를 유념하겠다는 반응을 보였음을 보고함.

3. 참고로 당관은 금번 의료단 지원을 포함 아국의 중동사태 지원 내용을 요약한 자료를 작성, 행정부, 학계 및 언론계 관련 인사들에게도 정무참사관명의서한으로 통보하였음을 보고함.

(대사 박동진-국장)

예고:91.6.30 일반

예고문에 의거 일반문서로
재분류 19   시 행

미주국	장관	차관	1차보	2차보	중아국	청와대	안기부

91.01.23   08:04

외신 2과 통제관 BW

0148

관리 번호	91-126		원 본

외 무 부

종 별 : 지 급

번 호 : USW-0359 　　　　　　일 시 : 91 0122 1825

수 신 : 장관(미북, 중근동, 대책반)

발 신 : 주 미 대사

제 목 : 걸프 전쟁

　　당관 임성준 참사관은 금 1.22 오후 미 상원 군사위 JUDITH FREEDMAN 전문위원과 상원 외무위 동아태 소위 RICHARD KESSLER 전문위원을 각각 방문, 걸프만전쟁과 관련한 의회 동향을 탐문한바 요지 아래 보고함.

　　1. 임 참사관은 작 1.21 의료 지원단 사우디 파견 동의안이 우리 국회에서 여야 합의에 의한 압도적 지지로 통과됨에 따라, 동 지원단 전원이 1.25 까지 사우디에 배치될 예정임을 통보하였던바, 동 전문위원들은 그와같은 신속한 조치를환영한다고 말하고 한국정부가 지난해말 분담금 기여에 이어 의료 인력을 제공한 사실은 동맹국들의 역할 분담(BURDEN-SHARING)에 관심 있는 의원들로 부터도 환영열 받을것으로 본다고 말함.

　　2. 전쟁 수행과 관련한 의회의 역할을 문의한데 대해 상원 군사위 소속 의원들은 매일 오후 3 시 국방성으로부터 전황 보고를 청취하고 있으나, 의회로서는 이미 전쟁이 개시된 만큼 전쟁의 수행에 필요한 예산 조치, 주둔군의 사기 진작책(세금 감면등)전쟁 지원 역할을 수행하며, 지상군 투입 시기등 전술 전략적인 사항에 대하여는 군사 당국의 판단에 간섭할수 있는 입장이 아니라고 말함.

　　3. 공중 폭격의 효과, 장기전 돌입 가능성등의 질문에 대하여, 전문위원들은 초기 단계에서 미군을 포함한 연합군측의 주도권 장악을 거론하면서 전재의 조기 매듭 가능성에 낙관적인 견해를 표명함(KESSLER 전문위원은 2 월까지는 지상군 투입등으로 전쟁을 매듭지을수 있을것이라고 전망)

　　4. 전쟁의 결과가 미국내 정치에 미칠 영향에 대하여, FREEDMAN 전문위원은전쟁이 종결되는 시점에서 어느정도의 사상자가 발생할것인지 여부가 부쉬 대통령의 정치 생명에 결정적인 영향을 미칠것인바, 현재까지의 추세로 보아 초기 단계이기는 하나 미 국민들은 부쉬 대통령의 판단이 옳았던것으로 평가(여론 조사시 지지율 80

미주국	장관	차관	1차보	2차보	중아국	청와대	총리실	안기부

PAGE 1 　　　　　　　　　　　　　　　　　　91.01.23　　09:14

프로)하고 있으며, 민주당은 국민들의 여론을 잘못 판단하는 오류를 범한것으로 볼수 있어 이것은 1992 년 대통령 선거시 결정적인 약점으로 작용할수 있을것이라는 의견을 보임.

(대사 박동진-국장)

91.12.31 까지

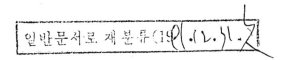

0150

외 무 부

종 별 : 지급
번 호 : USW-0363
일 시 : 91 0122 1905
수 신 : 장관(미북,기정)
발 신 : 주 미 대사
제 목 : 걸프 사태 재정 지원

1. 당관 유명환 참사관이 일본 대사관및 백악관 국무성 관계관과 접촉 탐문한바에 의하면 일본 정부는 조만간 걸프 사태 추가 재정 지원을 결정, 발표할 예정이라함.

2. 이와 관련 하시모또 일본 대장상은 지난 주말 뉴욕에서 G-7 선진국 재무장관 회의 기회에 BRADY 재무장관과 별도 회담을 갖고 추가 지원 규모에 대해 협의 하였으나 상세한 내역은 알려지지 않고 있는바, 이미 지원키로한 40 억불 보다 훨씬 많은 액수가 될것으로 보임.

3. 추가 지원 발표 시기와 관련 일본 대사관측에 의하면 하시모또 대장상이금일 귀국 하는대로 각의에서 협의를 거쳐 야당과도 의견 조정, 가급적 미 의회가 우방국의 재정 지원 문제를 다시 거론하기전에 조속 발표할것으로 본다고 말함.

4. 한편 국무부 정무차관 보좌관(KARTMAN)에 의하면 일본과의 교섭이 당초 예상보다 순조로이 진척되어 그간 긴장 되었던 미.일 관계가 많이 진정될것으로 본다고 말함. 또한 동인에 의하면, 한국에 대해서는 아직 어느정도를, 언제 요청할것인지에 대해서는 고위 레벨에서 검토할 시간적 여유가 없었다고 하면서, 이는 아직 한국이 독일이나 일본과는 달리 의회등에서 비난의 표적이 되지 않았기 때문인바, 조만간 검토가 될것은 틀림없는 사실이라고 함.

5. 동 보좌관은 사견이라고 전제하고, 걸프 전쟁이 새간이 지나갈수록 재정소요가 엄청나게 증대될것일므로 한국의 경우는 미측이 구체적으로 숫자를 제시하기 이전에 능동적으로 추가 지원을 먼저 제의하는 경우 적은 금액으로 보다큰 정치적 효과를 거둘수 있을것이라고 말함.

6. 또한 백악관 PAAL 보좌관은 아측의 의료단 지원은 한. 미 동맹 관계에서볼때 무척 다행한 일로서 아국 정부의 신속한 조치에 감사한다고 하면서, 의회등 미국내 여론이 우방국의 지원문제에 대해 점차 예민하여 지고 있으므로 한국도 추가 재정

미주국   장관   차관   1차보   2차보   중아국   청와대   안기부

91.01.23   10:08
외신 2과 통제관 BW
0151

지원뿐만 아니라 인적 지원도 추가로 검토 하여 시기를 놓치지 않고 발표하는것이 중요할것이라고 말함.

    (대사 박동진-국장)

    91.12.31 일반

검 토 필 (1991.630. 秘)

일반문서로 재분류(1991.12.31.)

PAGE 2

0152

발 신 전 보

WUS-0278   910123 1932 DP

번 호 :   종별 :

수 신 : 주   미   대사.총영사

발 신 : 장 관   (미북)

제 목 : 걸프전 분담금

연 : WUS-4216, WUS-0277

대 : USW-0335

1. 91년도 지원분 집행계획은 상금 미정이며 91년도 예산에 3,000만불이
확보되어 있으나 잔여 2,000만불은 예비비에 반영할지, 기존 EDCF 자금 활용 여부
미정임.

2. 금 1.23.현재 90년도 지원액의 상세 집행현황은 아래와 같으니 참고
바람.

가. 대미지원 : 총 7,495만불(잔액 504만불)

º 현금지원 : 5,000만불

º 항공수송지원 : 총 1,261만불
  - 90년 : 총 1,077만불(24회)
  - 91년 : 총 183만불(4회)

/계속/

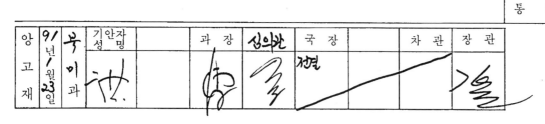

ㅇ 선박수송지원 ː 총 1,234만불

  - 삼선해운(1,3 항차) ː 395만불

  - 한진해운(2항차)   ː 338만불(추정)

  · 주한미군용 다연발포 수송 ː 200만불(추정)

  - 군수물자 수송지원 요원 출장경비 ː 9,800불

나. 주변국 경제지원 ː 총 700만불 집행

ㅇ 대터키 지원 ː 500만불

  - 앰블런스, 미니버스, 트럭등 23개품목

ㅇ 대모로코 지원 ː 200만불

  - 방독면, 침투보호의, 텐트등 7개 품목

ㅇ EDCF 4천만불, 이집트, 요르단, 시리아 지원액은 수원국 희망
  프로젝트 및 희망품목 검토중

다. 국제기구 지원 ː 총 56만불 집행

ㅇ IOM   ː 50만불
ㅇ UNESCO ː 3만불
ㅇ ICRC   ː 3만불

라. 행정비 50만불중 정부조사단 수원국 순방, 2차 및 3차 공여국
  조정회의 참석 의료 지원 협상단 사우디 방문등으로 약 30만불
  집행하여 총 8,281만불을 집행함.

3. 미국 정부는 금 1.23. 주한 미 대사관을 통하여 앞으로 수송 수요가
급증하고 있음에 비추어 아국의 수송지원 횟수(현재 1주 2회)를 증가시켜줄 것과
아울러 금년도 다국적군 지원 경비로 책정한 2,500만불을 미국측의 수송 지원에
배정해 줄 것을 요청하여 왔음.
본건에 대해 본부는 관계기관과 협조하에 긍정적으로 추진코자함을 우선 귀관
참고로 하기 바람. 끝.

0154

(미주국장 반 기 문)

ACTION POL3 INFO AMB DCM SAA USIS ECON CON/RR DAO ADM/RSO AGAF FBIS AP (14)

VZCZCUL0470   23-JAN-91   TOR: 03:52
OO RUEHUL   CN: 58755
DE RUEHC #1335 0230351   CHRG: POL
ZNR UUUUU ZZH ZEX   DIST: POLC
O 230348Z JAN 91   IMMEDIATE   ADD:
FM SECSTATE WASHDC
TO ALL NATO CAPITALS IMMEDIATE
RUEHKO/AMEMBASSY TOKYO IMMEDIATE 2798
RUEHUL/AMEMBASSY SEOUL IMMEDAITE 4147
PUEHBO/AMEMBASSY BOGOTA IMMEDIATE 6856
RUEHRH/AMEMBASSY RIYADH IMMEDAITE 1640
RUEEBY/AMEMBASSY CANBERRA IMMEDIATE 6978
PUFHNA/USMISSION USNATO IMMEDAITE 9736
INFO RUEKJCS/SECDEF WASHDC//2177// IMMEDIATE 4087
RUEKJCS/JCS WASHDC//J-4-LRC/7189//IMMEDIATE 9003
RUCBSAA/USCINCLANT NORFOLK VA IMMEDIATE
RUCBSAA/USLOCLANT NORFOLK VA IMMEDIATE
RUDOGHA/USNMR SHAPE BE IMMEDIATE
RUSNNOA/USCINCEUR VAIHINGF GE IMMEDIATE
RUFHNA/USDELMCA BRUSSELS BE IMMEDIATE
RHIPAAA/USCINCCENT IMMEDIATE
RUHOHQA/USCINCPAC HONLULU HI IMMEDIATE
RECUAAA/CINCTRANS SCOTT AFB IL IMMEDIATE
BT
UNCLAS STATE 021335

E.O. 12356: N/A
TAGS: JA, KS, CO, AS, BE, GE, MARR, PREL
SUBJECT: TF4: URGENT REQUEST FOR ADDITIONAL AIRLIFT TO
SUPPORT DESERT STORM

1. THIS IS AN URGENT ACTION REQUEST. PARA 7 FOR ALL
POSTS, PARAS 7 AND 8 FOR SEOUL.

2. USCINCTRANS HAS STARTED A WORLDWIDE EFFORT TO
CHARTER ADDITIONAL COMMERCIAL CARGO AIRCRAFT TO MEET
DESERT STORM SUSTAINMENT AND DEPLOYMENT LIFT
REQUIREMENTS. THIS ACTION IS TAKEN IN ADDITION TO
ACTIVATION OF CRAF STAGE II ANNOUNCED ON JANUARY 16,
1991.

3. ADDITIONAL CARGO AIRCRAFT (NARROW OR WIDE-BODY) ARE
REQUIRED IMMEDIATELY AND FOR AT LEAST THE NEXT THIRTY
DAYS TO MEET PLANNED AND EMERGING SUSTAINMENT LIFT
REQUIREMENTS. DUE TO UNDERSTANDABLE CONCERN BY
COMMERCIAL CARRIERS TO OPERATE IN THE PERSIAN GULF AREA
CINCTRANS PLANS TO USE THE AIRCRAFT PRIMARILY ON
U.S.-TO-EUROPE ROUTES. AERIAL PORTS OF EMBARKATION ARE
DOVER AFB, DE; CHARLESTON IAP/AFB, SC; TINKER AFB.
OK; MCGUIRE AFB, NJ; AND NORFOLK. VA. EUROPEAN

DESTINATIONS ARE RAMSTIEN AND FRANKFURT IN GERMANY AND
TORREJON AB IN SPAIN. AIRCRAFT MAY ALSO BE USED TO FLY
STANDARD WORLDWIDE CARGO ROUTES THAT ARE NOT IN DIRECT
SUPPORT OF OPERATION DESERT STORM, FREEING MILITARY
AIRLIFT COMMAND ASSETS FOR USE IN DESERT STORM.

0155

4. CHARTERED COMMERCIAL AIRCRAFT WILL QUALIFY FOR
INSURANCE PROVIDED BY THE U.S. GOVERNMENT. AIRCRAFT
WILL CARRY SUSTAINMENT CARGO WHICH MAY INCLUDE HAZARDOUS
CARGO, BUT NO MUNITIONS. STANDARD MAC CHARTER RATES
WILL BE OFFERED.

5. USTRANSCOM HAS HAD THE AUTHORITY TO CHARTER FOREIGN
FLAG CARRIERS SINCE NOVEMBER 1990. TO DATE, EFFORTS TO
CHARTER AIRCRAFT HAVE PRODUCED MINIMAL RESULTS, POSSIBLY
DUE TO THE REQUIREMENT TO DELIVER CARGO DIRECTLY TO THE
PERSIAN GULF STATES. WITH THE WIDER RANGE OF OPTIONS
NOW AVAILABLE FOR OPERATIONS FROM IMMEDIATE STAGING
POINTS OUTSIDE THE AREA OF CONFLICT, SOME CARRIERS MAY
BE WILLING TO RESPOND.

6. DIRECT CONTACT FROM POSTS, HOST GOVERNMENTS, AND
FLAG CARRIERS TO USTRANSCOM IS AUTHORIZED AND
ENCOURAGED. USTRANSCOM HAS THE AUTHORITY TO CONTRACT
AND COMMIT FOR CHARTER AIRCRAFT. 24 HOUR POINT OF
CONTACT IS AT AREA CODE 618-256-6751 (ARINC NUMBER IS
BLVXPMC).

7. ACTION REQUESTED. POSTS ARE DIRECTED TO SOLICIT,
THROUGH ALL APPROPRIATE CHANNELS, HOST GOVERNMENT
SUPPORT FOR THIS EFFORT. A COMMITMENT FROM THE HOST
GOVERNMENT TO ENCOURAGE NATIONAL FLAG CARRIERS TO
RESPOND POSITIVELY TO USTRANSCOM IS DESIRED. POSTS
SHOULD STRESS THE IMPORTANCE THE USG PLACES ON THIS
EFFORT AND ARE DIRECTED TO REPORT RESULTS OF DEMARCHES
BY 24 JANUARY BY IMMEDIATE CABLE. POSTS SHOULD ADDRESS
RESPONSES TO JCS, DEFENSE, USCINCTRANS, AND STATE.

8. ACTION FOR SEOUL. POST SHOULD EMPHASIZE THAT
WASHINGTON APPRECIATES SUPPORT ROK HAS ALREADY PROVIDED
FOR DESERT STORM. IF ROK CAN PROVIDE MORE, WASHINGTON
RECOMMENDS THEY USE ESTABLISHED COMMUNICATION CHANNELS
WITH COMBINED FORCES COMMAND. ROKG MAY WANT TO CONSIDER
APPLYING SOME OF ITS DOLS 2^5 MILLION IN DESERT SHIELD IN
UNALLOCATED FUNDS FOR THIS EFFORT. BAKER
BT
#1335

NNNN

0156

외 무 부

종   별 :

번   호 : USW-0411   일   시 : 91 0124 1851

수   신 : 장 관(미북, 중근동,대책반)

발   신 : 주 미 대사

제   목 : 걸프전쟁-의회반응 (우방국 역할 분담)

작 1.23. PHILL GRAMM 상원의원 (공화-텍사스)은 전국 제조업 협회 주최 조찬회 연설시 금번 걸프전쟁 관련 하기와같이 언급하였음을 보고함.

0 걸프전 발발이전 우방국은 걸프사태 소요 비용 (DESERT SHIELF 작전시)의 75 푸로를 부담하였으며, 이와같이 우방국으로 하여금 대규모의 역할 분담을 가능하게한 부시 대통령의 지도력을 높이 평가

0 그러나, 걸프전쟁 발발이후 현재 미국 정계의 분위기는 우방국의 역할 분담액이 부족한바, 증액이되어야 한다는것임. 또한, 우방국간에 형평에 맞는 분담액 배분은 각국의 해외 원유 의존율에 따르는 것이라고 보며, 한국 및 대만은 역할 분담액을 증액해야할 국가로 생각함.

0 걸프지역 국가는 금번 전쟁으로 인해 미국에 큰빚을 지게 되었으며 특히 사우디는 PLO 에 대한 일체의 지원을 중단하고, 이스라엘을 승인해야하며, 지역안정에 기여해야할것임.

(대사 박동진-국장)

미주국	장관	차관	1차보	2차보	중아국②	청와대	총리실	안기부
대책반								

PAGE 1   91.01.25   10:39 WG

외신 1과 통제관

0157

HEADQUARTERS, UNITED STATES FORCES, KOREA
APO SAN FRANCISCO 96301-0010

REPLY TO
ATTENTION OF:

FKJ4-T-P (56)

JAN 2 5 1991

MEMORANDUM FOR Korea Maritime and Port Administration (KMPA), Seoul, Korea

SUBJECT: Korea Flag Shipping in Support of Desert Shield

1. Request you charter the Hanjin DAMMAM to carry cargo from Korea to Saudi Arabia. The Hanjin DAMMAM appears to be the ship most readily available in the time frame needed.

2. Cargo will be available to load in Pusan on 4 February and Chinhae on 7-8 February. Request you identify estimated cost of this charter.

3. POC is LTC Ehrig, FKJ4-T-P, AV 725-8396/3448.

FOR THE COMMANDER:

MATTHEW F. DI FIORE
Colonel, TC
Chief, Transportation Division,
ACofS, J4

0158

HEADQUARTERS, UNITED STATES FORCES, KOREA
APO SAN FRANCISCO 96301-0010
주 한 미 군 사 령 부

JAN 2 4 1991

REPLY TO
ATTENTION OF:

Assistant Chief of Staff, J4
군 수 참 모 부

Mr. Ban, Ki Moon
아 사 관 반 기 문

Director General, American Affairs Bureau
미 주 국 장

Ministry of Foreign Affairs
외 무 부

Republic of Korea
대 한 민 국

Dear Director General Ban
존 경 하 는 반 국 장 님

As we have previously discussed, the United States requests
전에 의론을 드렸습니다만 미8군 예하에 다연장 로켓포 대대

that the Government of Korea provide Korean flag shipping to move
창설에 필요한 장비 및 보급품을 수송하는 데에 대한민국 정부

the equipment and supplies necessary to support the activation of
측에서 한국적 선박을 제공해 주기를 미국은 요청하는 바입니다.

the Multiple Launcher Rocket System (MLRS) Battalion in Eighth
귀측의 지원이 없이는 이 진묘한 무기체계의 창설이 지연될

United States Army (EUSA). Without your support, the activation of
것이며 아울러 연합 전력에도 큰 차질이 있을 것입니다.

this critical weapons system will be delayed with an accompanying

loss of combined warfighting capability.

0159

Our requirement is for the use of Korean flag shipping to move
우리의 요구사항은 한국적 선박을 이용하여 다연장 로켓포

the MLRS equipment from the Port of Oakland in California to the
장비를 캘리포니아 오클랜드 항 으로부터 한국 부산항 까지 수송하는

Port of Pusan in the Republic. We are now in the process of
것이 되겠습니다. 우리는 현재 이들 장비의 정확 중량과

finalizing the exact weight and cube of the equipment and when it
용적을 산출하고 있는바 이 것이 끝나면 한국적 선박에 선적할

will be ready for loading on the Korean flag vessels. When we have
준비가 완료 되겠습니다. 이들 내용을 입수하는 즉시 계획 작성

this information, we will provide it to you for your planning and
및 시행에 참고도록 국장님께 보내드릴 것입니다.

execution.

We are requesting this support from the Republic of Korea due
우리가 대한민국에 이러한 지원을 요청하는 까닭은 페르시아만

to the non-availability of US shipping caused by Desert Storm
전쟁으로 인하여 미국적 선박이 가용치 못하기 때문입니다.

requirements. We believe that, as this movement is in indirect
우리는 이것이 페르시아만 전쟁을 간접적으로 지원하는 것이며

support of Desert Storm, that it should be counted against the
한국 정부가 호의적으로 페르시아만 전쟁에 기여하는 것으로 이를

Desert Shield contribution so graciously provided by your
간주해야 한다고 믿습니다.

Government.

I urge your personal support of this requirement. The early
본인은 국장님께서 본 사안을 적극 지원해 주시기 바랍니다. 한국 내에서의

activation of MLRS in the Republic will have a significant impact
다연장 로켓포 부대 조기 창설은 우리의 연합 전력에 중요한 영향을

0160

upon our combined warfighting capability and will signify our
미칠 것이며 한국에 대한 상호방위에 우리의 강력한 참여를

strong commitment to the mutual defense of the Republic.
의미하는 것이 될것입니다.

Sincerely,
경구

RICHARD E. BEALE, JR.
리챠드 이. 빌 2세

Brigadier General, USA
미 육군 준장

Assistant Chief of Staff, J4
군 수 참 모

0161

```
----------------------------------
     AID TO THE DISPLACED PERSONS
----------------------------------
```
                                                    1/24/91

-    THE UNITED STATES DOES NOT OBJECT TO THE ROKG OR GOJ
PROVIDING IRAN WITH HUMANITARIAN ASSISTANCE FOR THE
CARE AND REPATRIATION OF GULF DISPLACED PERSONS.

-    AT THE SAME TIME HOWEVER, THE U.S. BELIEVES THAT THE
U.N.-COORDINATED MULTILATERAL RELIEF EFFORT NOW
UNDERWAY IN ALL FOUR ASYLUM STATES (JORDAN, SYRIA,
TURKEY, IRAN) IS THE BEST WAY TO ASSURE 1) ADEQUATE
CARE FOR ALL DISPLACED PERSONS AND 2) THE PROPER AND
EFFECTIVE USE OF ALL CASH AND IN-KIND CONTRIBUTIONS.

-    BILATERAL CONTRIBUTIONS TO THE ASYLUM STATES, WHILE
NOT INAPPROPRIATE, CONSTRAIN FLEXIBILITY IN
RESPONDING TO DISPLACED PERSONS MIGRATIONS.   U.N.
AND OTHER RELIEF PLANNERS DO NOT AT THIS POINT HAVE
A SOLID INDICATION AS TO HOW THE NEXT LARGE OUTFLOW
WILL DEVELOP, THAT IS, WHICH AMONG THE FOUR
COUNTRIES WILL BE MOST SEVERELY IMPACTED.
COMMITMENTS OF RESOURCES TO THE U.N. REGION-WIDE,
MULTILATERAL EFFORT PROVIDE MAXIMUM FLEXIBILITY FOR
THE INTERNATIONAL COMMUNITY TO RESPOND TO DISPLACED
PERSONS EMERGENCIES WHEN AND WHERE THEY OCCUR.

-    WE ENCOURAGE THE ROKG AND THE GOJ TO ASSIST THE GULF
DISPLACED PERSONS WITH CASH AND IN-KIND
CONTRIBUTIONS TO THE U.N. PLAN OF ACTION AND THE
APPEAL OF THE INTERNATIONAL COMMITTEE OF THE RED
CROSS (ICRC).   TO DATE, THE U.N. HAS RECEIVED
PLEDGES OF DOLS 61 MILLION TO THE ESTIMATED PLAN
BUDGET OF OVER DOLS 175 MILLION.   INFORMATION ON
DONOR RESPONSE TO THE ICRC APPEAL IS NOT YET
AVAILABLE.

-    USG ASSISTANCE TO DATE FOR GULF DISPLACED PERSONS
HAS GENERALLY BEEN CHANNELLED THROUGH THE
MULTILATERAL EFFORT.   IN RESPONSE TO THE LATEST ICRC
APPEAL AND U.N. PLAN OF ACTION, BOTH OF WHICH
INCLUDE RELIEF OPERATIONS IN IRAN, USG CONTRIBUTIONS
ARE AS FOLLOWS:

O   ICRC -   DOLS 1 MILLION

O   UNHCR -   DOLS 1 MILLION

O   IOM   -   DOLS 750,000

                                           0162

O UNDRO - DOLS 250,000 (EARMARKED FOR THE TURKISH
            RED CRESCENT)

-   IN ADDITION TO THE ABOVE, THE USG IS COMMITTING FOOD
SUPPLIES TO THE WORLD FOOD PROGRAM TO ASSIST IN THE
MULTILATERAL RELIEF EFFORT.

GULF DISPLACED PERSONS MIGRATION SINCE JANUARY 1

-   SINCE JANUARY 15, THE OUTFLOW OF DISPLACED PERSONS
FROM IRAQ AND KUWAIT HAS BEEN VERY SMALL.
 T
-   RELIABLE REPORTS ABOUT MIGRATION TO IRAN RANGE FROM
1,000 TO 8,000.

-   AS OF JANUARY 21, 3,000 FOREIGN NATIONALS WERE IN
JORDAN AWAITING REPATRIATION.   WE BELIEVE THAT AN
ESTIMATED 8,000 EGYPTIAN NATIONALS WHO ENTERED
JORDAN LAST WEEK HAVE BEEN REPATRIATED OR ENROUTE
HOME TO EGYPT.

-   SO FAR, DISPLACED PERSON MIGRATION TO SYRIA AND
TURKEY HAS BEEN NEGLIGIBLE.

-   DESPITE THE ABOVE, IT IS VERY POSSIBLE THAT LARGE
NUMBERS OF DISPLACED PERSONS WILL ULTIMATELY FLEE
IRAQ AND KUWAIT.   BETWEEN AUGUST AND OCTOBER 1990,
OVER 1 MILLION DISPLACED PERSONS SOUGHT REFUGE IN
THE ABOVE-MENTIONED ASYLUM STATES AND SAUDI ARABIA.

-   IN COOPERATION WITH HOST GOVERNMENTS, U.N. PLANNING
AND PREPARATIONS ARE UNDERWAY IN JORDAN, SYRIA,
TURKEY, AND IRAN FOR THE CARE AND REPATRIATION OF
LARGE OUTFLOWS OF DISPLACED PERSONS.   ICRC
PREPARATIONS ARE ALSO UNDERWAY IN THESE FOUR
COUNTRIES; IN ADDITION, ICRC IS MAKING ADVANCE
PREPARATIONS FOR EVENTUAL OPERATIONS IN IRAQ AND
KUWAIT.

0163

EMBASSY OF THE
UNITED STATES OF AMERICA

1/25/91

D.G. Ban,

This request is endorsed by the U.S. government through the Embassy in Seoul.

Your consideration is most appreciated.

Sincerely,
E. Mason Hendrickson, Jr.
Minister-Counselor for
Political Affairs

0164

Mr. Ban Ki Moon
Director General
American Affairs Bureau
Ministry of Foreign Affairs
Republic of Korea

Dear Director General Ban:

Republic of Korea transportation support of United States
efforts in the Persian Gulf have been significant and very much
appreciated. To date, Korean ships have been committed to four
voyages to Saudi Arabia. Similarly, Korean Air (KAL) has flown
30 missions from the United States to Saudi Arabia or Germany.
We expect another one or two voyages and 11 airlift sorties with
current funding allocation. The last airlift mission will be
flown on February 22, 1991.

The start of hostilities in the Gulf has identified a
critical need for additional cargo airlift to meet Desert Storm
sustainment and deployment requirements. KAL currently flies two
missions per week from the United States to Europe. On February
1, 1991 they will begin flying three missions per week. This
will help but additional weekly missions or support beyond the
projected number of airlift missions would satisfy a critical
need.

To this end, KAL indicates it can provide four wide-body
aircraft missions per week through the month of February. This
involves seven additional missions that will cost about $3.1
million. After that, KAL can support the current two missions
per week during March. Cost for ten missions in March would be
about $4.4 million. Total through the end of March - about $7.5
million. Please consider additional transportation support
beyond current funding and the possibility of applying some of
the Republic's unallocated Desert Shield funds to this effort.

Sincerely,

RICHARD E. BEALE, JR.
Brigadier General, USA
Assistant Chief of Staff, J4
United States Forces, Korea

0165

외 무 부

종 별 : 지 급

번 호 : USW-0418

수 신 : 장관(미북,중근동,미안,아일)

발 신 : 주 미 대사

제 목 : 걸프 사태 관련 아국 지원 내용 보도

일 시 : 91 0125 1553

1. 금 1.25 자 USA TODAY 지의 " ALLIES' CONTRIBUTIONS UNDER SCRUTINY" 제하의 기사(FAX 편 기 송부)에 실린 도표에 따르면, 걸프 사태 관련 아국 지원 약속 총액이 1 억 2 천만불로 되어 있는바, 이와관련 당관은 동기사를 작성한 SHAREN JOHNSON 기자를 접촉, 아국의 지원 액수는 전선국에 대한 경제 지원 1 억불을 포함, 총 2 억 2 천만불이라는점을 설명하고, 관련 상세 자료를 송부함.

2. 한편 USW(F)-0310 로 FAX 송부한 별첨 금일자 NYT 지의 일본측 추가 지원 관련 사진 해설 기사는 작일 발표된 추가 지원 90 억불을 포함, 걸프 사태 관련 일본측 지원 약속 총액이 110 억불이라고 보도함으로서 전기 USA TODAY 지에 보도된 아국 지원 약속 액수와 마찬가지로 전선국에 대한 경제 지원 액수 20 억불을 누락 시켰는바, 최근 당지 언론과 미 행정부 관련부서에서는 금번 사태 관련 제 3 국의 대미, 대 전선국 지원 내용이 복잡, 다기해짐에 따라 내부적인 MISCOMMUNICATION 등으로 인해 여사한 혼란상을 빈번히 노정시키고 있는 형편임을 참고로 첨언함.

(대사 박동진-국장)

91.12.31 일반

검 토 필 (1991. 6. 30.)

미주국   아주국   미주국   중아국

PAGE 1

91.01.26   08:56

외신 2과 통제관 BT

0166

수신 장관 (미북, 중근동, 土, 아주)
발신 주미대사
제목 첨부. (1매)

Japan's Pledge to Gulf Effort Is Praised
Prime Minister Toshiki Kaifu, foreground, and members of his party
during convention yesterday in Tokyo. Mr. Kaifu's announcement that
Japan would contribute $9 billion to the allied forces fighting Iraq and
supply aircraft for evacuating refugees was hailed by United States offi-
cials as "significant." The new pledge brings Japan's total to $11 billion

Agence France-Presse

-91. 1. 25.
- NYT 지

→ 전선국에 대한
  경주 지원흐
  제의한 얘수임.

0167

걸프 戰爭 關聯 對美 追加 支援 問題에 關한

對美 協議 및 措置 計劃(案)

1991. 1. 26.

外 務 部

0168

1. 協議 槪要

　가. 日　　時 : 1991.1.26.(土) 11:30-12:00

　나. 場　　所 : 플라자 호텔(2181호)

　다. 面 談 者 : 外務部 長官

　　　　　　　　　Gregg 駐韓 美 大使

　라. 陪 席 者 : 반기문 外務部 美洲局長

　　　　　　　　　Hendrickson 駐韓 美 大使舘 政務 參事官

2. 協議 內容

　가. 長官 言及 要旨

　　ㅇ 今 1.26(土) 經濟企劃院 長官, 安企部長, 外務部 長官, 國防部 長官,
　　　大統領 秘書室長, 經濟首席 秘書官, 外交安保 補佐官 等이 參席, 協議를
　　　가진 바 있음.

　　ㅇ 同 協議에서는,

　　　(1) 今番 걸프 戰爭 關聯, 韓國으로서도 追加 支援을 提供함이 必要
　　　　하다는데에 認識을 같이하고

- 1 -

0169

(2) 對美 支援을 提供함에 있어서는 우리 政府가 스스로 추가 支援 規模와 方法을 決定하여 早速한 時日內에 美國에 通報함이 좋겠다는데 合意한 바 있음.

○ 이와 관련, 우선 아래 方案이 檢討되고 있는 바, 美國側의 見解가 있으면 알려주기 바람.
  - 輸送機(C-130) 數臺를 派遣하는 方案
  - 昨年度 美國 政府가 要請한 350百万弗과 韓國 政府가 約束한 220百万弗의 差額인 130百万弗을 우선 支援하고, 필요에 따라 또 추가 支援을 提供하는 方案과 또는 그이상의 支援을 한번에 提供하는 方案

○ 上記中 C-130 軍 輸送機 支援 問題의 경우, 우리의 積極的인 參與의 상징성을 나타내는데 있어서는 效果的일 것으로 생각되나 우리 憲法 第60條 2項에 의거 國會의 同意를 받아야만 함. 지난번 醫療 支援團 派遣 同意는 醫療 支援團에만 局限한 것이며 軍 輸送機를 派遣코자 하는 경우 國會에서 論難이 豫想됨.

○ 最近 우리의 對蘇 經協 30億弗에 관해 여러가지 反應들이 나오고 있는데 對蘇 經協은 이미 詳細 說明한 바와 같이 10億弗은 銀行 借款, 20億弗은 商品 및 플랜트 輸出 借款으로 되어 있음.

- 2 -

0170

나. 大使 言及 要旨

° 韓國 政府의 積極的인 協調 意志에 感謝드림.

° 美國 政府는 韓國의 醫療 支援團 派遣에 대해 깊이 感謝드리며, 醫療
  支援團 派遣을 통해서 對外的으로 어려운 일에 同參한다는 意志를 크게
  提高시켰다고 생각함.

° 韓國의 追加 支援 規模를 決定함에 있어서는,
  - 通商 問題와 關聯한 最近 美國內에서의 否定的 認識
  - 對蘇 30億弗 規模의 經協 提供
  - 日本의 90億弗 追加 支援 決定 事實 等을 감안하여 決定함이 좋을
    것으로 사료됨.

° 美國으로서는 韓國 政府가 對蘇 經協 規模도 감안, 相當한 정도의
  (substantial fraction) 約束을 해 주기를 期待하고 있음.
  韓國의 對美 追加 支援은 後日을 위해 좋은 投資가 될 것임.

° 今番 걸프 戰爭으로 인하여 막대한 經費와 人命 損失이 發生하고
  있는 바, 美國에서는 戰爭이 終結되면 새로운 友邦과의 關係를 再評價
  하려는 움직임이 있음. 日本의 경우 90億弗 追加 支援으로도 그간의
  否定的 認識을 완전히 불식시키기에는 어려움이 있을 것이나, 韓國의
  경우 日本과는 確實히 다르다는 점을 부각시킴이 重要하다고 생각함.

-3-   0171

o 韓國 政府로서는 우선 下記와 같은 方案을 考慮함이 어떨까 생각함.

- 우선 130百万弗 支援 약속을 駐美 大使로 하여금 조속히 美側에
  通報게하고 이를 影響力 있는 主要 上.下院 議員들에게도 설명토록
  함. 즉 美國 議會에 대하여 韓國 政府와 國民이 취하고 있는 諸般
  措置에 관한 認識을 뚜렷이 해 줌이 重要함.

- 支援 分野는 輸送 支援, 現金 및 前線 國家들에 대한 經濟 支援을
  包含하여 그려할 수 있을 것임.

- 특히, 美國은 航空 및 船舶 輸送 支援을 크게 期待하고 있음. 現在
  美國은 124隻의 船舶(外國籍 79隻, 美國籍 45隻)을 備船하고 있는데
  韓國 政府가 roll-on roll-off 船舶, bulk carrier 等 船舶 輸送도
  繼續 支援해 주기 바람. 이와 관련 韓國籍 航空이나 船舶 輸送과
  竝行하여 일정한 金額 範圍內에서 美側이 自由롭게 備船 契約을
  하고 韓國 政府가 同 經費를 변제해 주는 方案에 관해 檢討해 주기를
  希望함.

- 또한 地上戰에 對備하여 彈藥 및 其他 裝備 등도 도움이 될 것인 바,
  具體的인 內容에 관하여 兩國 軍 當局間의 協議를 통해 정할 수 있을
  것임.

- C-130 軍輸送機 派遣은 좋을 것으로 생각함. 다만, 國會 同意 問題에 따르는 국내 政治 問題와 國際的 이미지上의 플러스, 마이너스 兩面이 있을 것이므로 이는 韓國 政府에서 적의 決定해야 할 것으로 생각함.

o 무엇보다도 重要한 것은 韓國 政府가 提供할 수 있는 各種 支援을 提示하여, 全體的으로 볼때 크게 支援해 주고 있다는 事實과 또한 繼續 支援하고자 하는 用意를 表明하는 것이라고 생각함.

3. 綜合 觀察

가. 駐韓 大使도 우리 政府의 自發的인 追加 支援 意志를 높이 評價하고 있었으며 美國內(특히 議會) 雰圍氣로 보아 迅速한 措置가 바람직하다는 見解였음.

나. 追加 支援의 規模에 대해서는 우선 我側이 檢討하고 있는 130百万弗은 迅速히 提供하고 向後에도 필요에 따라 繼續 支援하겠다는 用意를 表明하는 것이 도움이 될 것이라고 하였음.

다. 追加 支援 內容에 대해서는 軍 輸送機(C-130) 派遣이 象徵的인 意味에서 가장 效果的일 것이나 韓國이 國會 同意等 國內的으로 어려움이 있으면 航空, 船舶 輸送 支援 擴大, 彈藥 및 其他 裝備 提供等도 좋을 것이라고 하면서 그것은 韓國側이 決定해야 할 事項이라고 言及하였음.

- 5 -

0173

4. 措置 計劃(案)

가. 上記 駐韓 美國 大使의 見解 및 駐美 大使의 現地 觀察 意見(1.28.까지 報告토록 旣 指示)을 參考하여 我側의 追加 支援 規模 및 內容을 決定 토록 함.

- 1.28(月) 午後 또는 1.29(火) 아침 關係 長官 會議 開催

나. 政府 方針을 1.30(水)까지 決定하여 美側에 通報 및 說明

- 2.5(火) 워싱턴에서 開催될 第4次 財政 支援 供與國 調整委 會議에서도 說明함.

다. 駐美 大使로 하여금 1.30.부터 美 議會 上.下院 有力議員들과 主要 言論人 들을 接觸하여 追加 支援 計劃을 說明하고 我側의 積極的인 寄與에 대한 認識을 提高시키도록 함.

라. 國內에서도 發表前에 黨.政 協議와 政黨 指導級 人士, 國會 關係 常任委 및 言論에 대한 說明等 必要한 措置를 취함. 끝.

-6-

0174

걸프 事態 關聯
對美 追加 支援 問題 檢討(案)

91.1.26.

外 務 部

0175

目 次

0176

Ⅰ. 既存 支援計劃 및 支援 現況

1. 支援 概要

（單位 : 万弗 ）

區 分 年 度	多國籍軍 支援	周邊國 經濟支援	小 計
'90	9,500	7,500	17,000
'91	2,500	2,500	5,000
계	12,000	10,000	22,000

※ 90年度 細部 支援 計劃(添附 1)

2. 支援 現況 (91.1.25. 現在)

　　가. 對美 支援 : 7,550万弗 (殘額 : 450万弗)

　　ㅇ 對美 現金 支援 : 5,000 万弗

　　ㅇ 對美 輸送 支援 : 2,550万弗

　　　- 航空 輸送 支援 : 1,310万弗
　　　　· 90年 : 24回
　　　　· 91年 : 4回

　　　- 船舶 輸送 支援 (5回) : 1,240万弗

-1-

나.　周邊國　經濟　支援 : 700万弗　執行

　　° 500万弗　相當의　對터키　支援　品目　發注

　　　- 앰블런스, 미니 버스, 트럭等 23個 品目

　　° 200万弗　相當의　對모로코　支援　品目　發注

　　　- 防毒面, 浸透 保護衣, 텐트等 7個 品目

　　° 이집트, 요르단, 시리아等과는　支援　品目　協議中

　　° EDCF　支援　關聯, 이집트, 터키, 요르단側과　프로젝트　및　品目　協議中

　다.　國際機構　支援 : 總 56万弗　執行

　　° 國際移民機構(IOM)　　　: 50 万弗

　　° 유네스코(UNESCO)　　 : 　3 万弗

　　° 國際赤十字社(ICRC)　　: 　3 万弗

　※　總　執行額 : 約 8,350万弗(91.1.25. 現在)

- 2 -

0178

3. 91年度 支援 計劃

가. 支援 概要 및 財源

(單位 : 万弗)

多國籍軍 支援	周邊國 經濟支援	計
2,500	2,500	5,000

(財　源)

° 91年度 豫算에 3,000万弗 反映

° 所要 豫算中 殘餘 2,000万弗에 대한 財源 確保 方法 講究 必要
  - EDCF 資金 活用 또는 91年度 豫備費 支出 可能性 檢討

나. 支援計劃 (案)

° '91年度 多國籍軍 支援 豫算 2,500万弗 全額을 美國에 대한 輸送 支援
으로 配定함.

* 美國 政府는 1.23. Baker 장관 명의의 전문을 통하여, 전쟁 발발로
輸送 需要가 急增하고 있음에 비추어 我國이 91年度 多國籍軍 支援
經費로 策定한 2,500万弗을 美國에 대한 輸送 支援에 至急 配定해
줄 것을 要請해 옴.

° 周邊國에 대한 支援 計劃은 別途 樹立 施行

* 關係部處間 實務 協議

- 3 -　　　　　0179

II. 追加 財政 支援 計劃

1. 美側 要請 內容

　о 開戰 직후인 1.17, 我國에 대한 緊急 멧세지를 통해 계속적인 支援 要請

　о 1.23. Baker 美 國務長官, 我國을 包含, 友邦國에 追加 支援을 要請토록
　　 友邦國 駐在 大使에게 訓令

　о 1.23. Kimmitt 美 國務部 政務次官, NATO, 韓國, 日本, 濠洲大使를 招致,
　　 追加 支援 要望

　※ 美側의 追加 支援 希望 示唆 例 (添附 2)

2. 美側 立場

　о 美國은 尙今 我國에 대해 具體的인 追加 支援 規模를 提示해 오지 않고
　　 있음.

　о 그러나 美側은 我國이 자발적인 支援을 決定할 것을 期待하고 있는
　　 것으로 감지됨.

　　－ 特使를 我側에 派遣, 追加 支援 要請할 可能性 稀薄

- 4 -

0180

3. 基本 方向

가. 韓.美 友好協力 關係를 감안, 對美 追加 財政 支援토록 함.

나. 支援에 따른 政治.外交的 效果 極大化를 위해 美國으로부터 具體的
   支援 要請이 있기전 自發的으로 決定함.

4. 考慮 事項

가. 걸프 戰後 美國은 友邦國의 對美 支援 實績을 통해 美國의 對 友邦國
   關係를 再評價 豫想

   ※ 現在 美國 輿論은 日本, 獨逸을 "자기들이 필요할때만 美國을 친구로
     대하는 國家"(fair weather ally)라고 批判

나. 발틱 事態에도 不拘, 我國이 對蘇 經協을 發表한 데 대한 美國等 西方
   諸國의 否定的 反應

다. 유엔 安保理 決議 履行을 위한 積極的인 協調
   - 我國의 유엔 加入에 유리한 與件 造成

라. 안정된 原油 供給 確保 및 戰後 復舊事業 參與等 對中東 經濟進出 基盤
   마련 强化

마. 日本, 獨逸等 各國의 追加 支援 決定等

5. 支援 規模 및 內譯

가. 支援 規模

O 財政 支援은 최소한 90年度 支援額 水準 追加 支援

 - 我國의 對사우디 醫療 支援團 派遣 감안

 - 我國의 對蘇 經協 規模(銀行 借款 10億弗等)와 日本의 追加 現金
   支援 規模(90億弗)에 비추어 美側은 我國에 대해서도 過渡한
   期待를 하고 있을 것으로 豫想

O 財政 支援 規模 最小化 方案의 一環으로 사우디 駐屯 美軍에 대한 醫療
   支援團 追加 派遣 檢討

〈日本 및 獨逸의 追加 支援〉

日 本 (91.1.24. 黨政 會議 決定)

 - 多國籍軍 : 90億弗
 - 周 邊 國 : 10億弗 檢討中
 - 難民輸送 : 自衛隊 輸送機 5대, 專貰 民航機 4대

獨 逸

 - 約 80億弗 追加 支援 檢討中 (言論 報道)
 - 이스라엘에 대한 1.66 億弗 經濟支援 發表

나. 財政 支援 內譯

O 追加 支援 內譯은 輸送支援, 軍需物資, 現金等의 優先 順位로 함.

0182

-6-

다. 對外 發表

ㅇ 我國의 追加 支援 規模 決定 즉시 美側에 대한 通報 및 對外 發表

　– 追加 支援 必要性에 대한 對國民 弘報 展開

ㅇ 91.2.5. 워싱톤 開催 豫定인 제4차 財政支援 供與國 會議에서도 發表

Ⅲ. 戰鬪 兵力 派遣 問題

1. 美側 立場

    o 美國은 실제 人的 參與(ground presence)의 象徵的 重要性 強調

   o 尙今 美側으로부터 派兵 要請은 없으나 事態 進展 여하에 따라 派兵
     要請 可能性도 不無
      - 다만, 美 議會, 學界 一部人士들은 韓國의 派兵 主張

2. 對策 方向

   o 美側의 人的 參與 要請에 대해서는 醫療 支援團 派遣으로 일단 부응한
     것임을 美側에 說明

   o 戰鬪 兵力의 派遣 要請을 해올 境遇 派兵을 위한 國論 統一은 상당히
     어려울 것으로 豫想

   o 代案으로서 사우디 駐屯 美軍을 위한 醫療 支援團 追加 派遣 檢討와
     더불어 整備, 輸送等 非戰鬪 要員 派遣 方案을 檢討

添 附 : 1. 90年度 細部支援 計劃

       2. 美側의 追加 支援 希望 示唆 例

       3. 各國 支援 現況.   끝.

- 8 -

0184

90年度 支援 計劃

（單位 ： 万弗）

支援內譯 國別	多國籍軍 活動			周邊國 및 國際機構				計	비고
	現金	輸送	軍需物資	EDCF	生必品	쌀	IOM		
美 國	5,000	3,000						8,000	
이집트			700	1,500	800			3,000	
터 키				1,500	500			2,000	
요르단				1,000	500			1,500	
방글라데시						500		500	
시리아			600		400			1,000	
모로코			200					200	
I O M							50	50	
其他(行政費)					50			50	
豫備					200	500		700	
小 計	5,000	3,000	1,500	4,000	2,450	1,000	50	17,000	
計	9,500			7,500				17,000	

0185

<添 附 2>

美側의 追加 支援 希望 示唆 例

- 90.12.1.   부쉬 大統領의 大統領앞 書翰 內容을 통해 계속 지원에
  대한 기대 표명
  (本人은 韓國과 같은 同盟國의 繼續的인 支援을 期待할 수
  있다는 事實에 고무되고 있음 : I am encouraged to know
  that we can count on the continued support of allies
  like you to do what it takes to stay the course until
  the successful resolution of the crisis)

- 90.12.20.   Kimmitt 國務部 政務次官, 김종휘 外交安保 補佐官에게
  91.1月中 外交 經路를 통해 追加 財政 支援을 要請할 計劃
  임을 밝히고 我側의 積極的인 協調 要望
  (당시, Kimmitt 次官, 자신이 特使로서 1月中 訪韓할
  可能性 示唆)

- 91.1.9.   Carl Ford 美 國防部 東亞.太 擔當 副次官補, 我國에
  대하여 現金, 輸送, 軍需物資 및 其他 支援의 우선 순으로
  追加 支援 要請 豫定임을 言及

- 91.1.17.   美側, 駐韓 美大使舘을 통한 開戰 通報時 友邦國의 持續的인
  支援 要望

- 91.1.22.   Kartman 美 國務部 政務次官 補佐官, 美側이 具體的 支援
  要請 額數 提示 以前에 我側이 능동적으로 追加 支援 規模를
  제시함이 보다 큰 政治的 效果를 擧揚할 수 있을 것이라는
  立場 表明

- 91.1.22.   Dougles Paal 白堊館 NSC 아시아 擔當 補佐官, 我側의 追加
  財政支援 및 人的 支援 可能性 檢討가 필요하다는 見解 表明

- 91.1.23.   Kimmitt 國務部 政務次官, 워싱톤 駐在 NATO 會員國, 韓國,
  日本, 濠洲 大使를 招致, 걸프戰에 관한 美國의 立場 說明
  및 多國籍軍 結束 필요성을 强調하고 友邦國의 追加支援 要望

0186

<添 附 3>

各國의 支援 現況

o 經濟 支援 現況

國 家	戰爭 勃發 前	戰爭 勃發 後
日 本	40億弗(20億弗 : 多國籍軍 支援, 20億弗 : 周邊國 支援)	90億弗(多國籍軍 支援) 10億弗 檢討中(周邊國 支援)
獨 逸	20.8億弗(33億 마르크)	80億弗 檢討中(多國籍軍 支援) 166百万弗 檢討中(이스라엘 支援)
E C	19.7億弗	
英 國	EC 次元 共同 步調	
불란서	〃	
이태리	1.45億弗(1次 算定額), 〃	
벨기에	EC 次元 共同 步調	
네델란드	〃	1億8千万弗(戰前 支出 包含)
스페인	〃	
폴투갈	〃	
그리스	〃	

0187

國　　家	戰爭 勃發 前	戰爭 勃發 後
濠　　洲	8百万弗(難民救護)	
노르웨이	2,100万弗	
카 나 다	6,600万弗	
G.C.C.國	사 우 디 : 60億弗 쿠웨이트 : 40億弗 U.A.E.　 : 20億弗	

0188

0 醫療 支援 現況

國　　家	内　　　　　譯
美　　　國	사우디 담밤港에 病院船 2隻 派遣 (受容 能力 : 1,000 病床) 사우디 알바틴에 綜合 醫療團 運營 (受容能力 : 350 病床, 醫療團 : 專門醫 35 名)
英　　　國	醫師 200名 및 400 病床 規模 野戰病院 派遣 武力衝突 對備 約 1,500名 確保中
濠　　　洲	2개 醫療團 派遣 檢討中
방글라데쉬	2개 中隊 300명(將校 16명, 士兵 84명)
카 나 다	野戰 病院(受容能力 : 225病床, 醫療團 : 550名)
덴 마 크	病院船 取消 대신 30-40명 規模의 軍 醫療陣 英國軍에 配置
헝 가 리	30-40名 정도의 自願 民間醫療陣 英國軍에 所屬
파키스탄	1개 中隊 100名 派遣
오스트리아	野戰 앰블란스 1대 派遣
필 리 핀	民間 醫療支援團 270명 派遣

0189

國　家	內　　　　譯
폴 란 드	病院船 1隻 派遣 檢討中
뉴질랜드	50名 規模의 民間 醫療陣 바레인 駐屯 美 海軍 病院에 勤務 20名 規模의 軍 醫療團 追加 派遣 決定
싱 가 폴	30名 規模의 醫療支援團 英國軍 病院에 勤務

0190

	분류번호	보존기간

발 신 전 보

WUS-0319   910126 1456 AO   종별: **긴급**

번   호 : _____

수   신 : 주   미   대사.총영사 (친 전)

발   신 : 장 관   (미북)

제   목 : 걸프사태 관련 추가지원

1. 정부는 걸프 전쟁의 ~~추이~~ 에 따라 한.미 우호협력 관계 등을 감안,
미측에 대한 추가지원 문제를 신중히 검토하고 있음.

2. 이와관련 귀관은 현지 분위기 등 제반상황에 비추어 가장 바람직한
아국의 대미 추가지원 형태, 규모 및 시기 등에 관한 의견을 ~~긴급~~ 보고바람. 끝.

서울시간 1.27.(일) 오전까지 친전으로

(장 관 이 상 옥)

예고 : 91.12.31.일반

일반문서로 재분류(19 .12.31.)

검 토 필 (19 . .)

비상대책본부장:

	보 안 통 제	

앙 고 재	91 년 1 월 26 일	북 미 과	기안자 성명		과 장	심의관	국 장	제1차관보	차 관	장 관		외신과통제

0191

공   란

공 란

공   란

1~14031> (郵便番號100—791) **韓 國 經 濟 新 聞**

걸프戰 분담금
추가負擔 검토

정부 美요구없어도 마찰해소케

91.1.27

韓國經濟新聞

1.27
한국경제

2~3억弗정도 예상

現경제여건 감안 신중결정

정부는 美國측의 요구가 없더라도 걸프전쟁분담금을 자진해서 추가로 부담하는 방안을 검토하고 있다.

정부의 한 고위당국자는 26일 『걸프전이 예상외로 장기화하고 있어 美측으로부터 조만간 戰費추가부담요 가 있을것으로 예상된다』고 전제, 『국제평화 정착에 능동 적으로 기여한다는 차원에 서 韓美간의 불상사를 보 이고 韓美간의 불상마찰을 해소한다는 차원에서 요구전 에 추가제공의 의사를 밝히 는 방안을 관계장관들이 신중하 게 논의중』이라고 밝혔다.

이같은 정부 내움직임은 日 本이 처음에는 비용부담을 줄이려하다가 美國내 親日인 사를 사이에서조차 反日감정 이 들끓어지자 90억달러 추 가부담을 서둘러 결정한 것 의 당국자는 이어 추가부 담 요구가 올 경우에는 1차규 모가 더 늘어날 것으로 보이

지만 자진해서 제공할 때는 경협자금 30억달러에 대해서 도 과중한 부담이라는 지적 도 거론될수있다고 설명했다.

추가제공규모는 1차때와 상황에서 걸프전비를 자진해 비슷한 2억~3억달러 수준 서 추가부담하는데 대해 국 을 검토중인 것으로 알려졌 민감정이 좋지않을 것이라는 다.

『對蘇 반론도있어 좀더 논의한뒤 결정키로했다』고 덧붙였다.

공   란

1~14031〉(郵便番號100—791)

韓 國 經 濟 新 聞

걸프戰 분담금
추가負擔 검토

정부 美요구없어도 마찰해소케

1.27
한국경제

現경제여건 감안 신중결정

2~3억弗정도 예상

정부는 美國측의 요구가 없더라도 걸프전쟁분담금을 자진해서 추가로 부담하는 방안을 검토하고 있다.

정부의 한 고위당국자는 26일 『걸프전쟁이 예상외로 장기화하고 있어 美측으로부터 조만간 戰費추가부담요구가 올것으로 예상된다』고 전제, 『국제평화 정착에 능동적으로 기여하고, 자세를 보이고 韓美간의 통상마찰 해소한다는 차원에서 요구전에 추가분담의사를 밝히는 방안을 관계장관들이 신중히 검토중이라고 밝혔다.

이같은 정부방침결정은 日本이 청을에는 비용부담을 줄이려하다가 美국내 反日감정을 불러일으킨것을 반면교사로 삼아 당초 요구가 올 경우에는 1차부담을 서둘러 결정한 것임을 같잖은 것이다.

지만 자진해서 제공할 때는 경협자금 30억달러에 대해서 경협자금 30억달러이란는 지적도 거론될수있다고 설명했다.

추가제공규모는 1차때와 비슷한 2억~3억달러 수준서 추가부담를 자진해서 걸프전비를 자진해 검토중인 것으로 알려졌다.

그러나 『經蘇결정키로했다』고 덧붙였다.

경제여건이 어려운 상황에서 걸프전비를 자진해 부담하는데 대해 국민감정이 좋지않을 것이라는 반론도있어 좀더 논의한뒤 결정키로했다고 덧붙였다.

0197

공　　　란

공 　 란

공 란

공   란

공　　　란

공　　　　란

공   란

공   란

공 란

공   란

공   란

공   란

공   란

	분류번호	보존기간

발 신 전 보

번 호 : WUS-0354   910129 2006 CG 종별 : 긴급

수 신 : 주   미   대사. 총영사

발 신 : 장 관   (미북)

제 목 : 걸프 사태 관련 대미 추가 지원

대 : USW-0452

1. 정부는 표제 추가 지원에 관하여 아래와 같이 ~~방침~~을 결정하였음.

　가. 추가 지원은 2억8천만불로 함(따라서 작년도 지원 약속액

　　　2억2천만불과 합하면 총 5억불이 됨.)

　나. 이번 추가 지원에는 주변국 경제 지원은 포함되지 않고 다국적군

　　　(미국) 지원만을 위한 것임.

　다. 추가 지원액 2억8천만불의 집행 용도와 내역은 한.미 양국간 협의를

　　　통하여 정하게 될 것임.

　라. 상기 추가 지원과는 별도로 군 수송기(C-130) 수대를 파견키로

　　　원칙적인 결정을 하였음. 다만, 수송기 파견은 기술적인 사항에

　　　관한 협의를 요하므로 이에 관하여 아국 국방부와 주한 미군측간에

　　　협의를 하게 될 것임.

/계속/

보 안 통 제	

앙 고 재	91 년 1 월 29 일	북 미 과	기안자 성명		과 장	심의관	국 장	제1차관	차 관	장 관	외신과통제

0211

2. 귀직은 상기 정부 결정 내용을 즉시 국무부 고위 당국자에게 통보하고 백악관, 국방부등 기타 관계 부처에도 적의 설명 바람.

3. 이와 동시에 귀직은 미 의회 상.하원 중진 의원들과도 시급히 접촉하여 걸프 사태 관련 아국의 지원 내용을 설명하고 우리의 적극적인 지원 의지에 대한 인식을 제고토록 각별한 노력을 경주바람.

4. 상기 정부 결정 설명에 있어서는 아국이 최근 경상 수지 적자 시현등 경제적으로 어려운 사정임에도 불구하고 유엔 안보리 결의에 의거한 미국의 군사적 행동을 우리의 능력 범위내에서 최대한 지원하기 위한 성의 표시임을 ~~다시~~ 강조 바람.

5. 또한 귀직은 미 행정부 및 의회 지도자들과의 접촉시 최근 한.소간에 타결된 경협 30억불의 내용은 상업 베이스 은행 차관 10억불, 향후 3년간에 걸친 원료 및 소비재 수출용 전대차관 15억불 그리고 자본재 수출용 연불수출 5억불임을 설명하여 아국의 대소 경협이 무상 원조가 아니라 상업적 베이스에 의한 차관임을 강조바람. 특히 은행 차관 10억불은 한국산업은행 ~~및 한국수출입은행과~~ 소련 대외경제 은행간에 차관협정에 의한 것임을 설명, 혹시 있을지도 모를 미측의 오해를 불식시키는 노력도 병행하기 바람. *(경제재건지출은 ~~원조~~ 강조)*

장기거리의 재정화 하라이

6. 2.5(화) 귀지 개최 예정인 걸프 사태 재정지원 공여국 조정위 회의에는 유종하 외무차관을 수석대표로 하는 대표단을 파견키로 하였음.

~~8.~~ 상기 귀직의 접촉 결과는 수시 보고바람.

~~7.~~ 한편, 본직은 금 1.29(화) 20:00 그레그 주한 미 대사를 초치하여 상기 정부 결정 내용을 통보하였음을 참고 바람. 끝.

일반문서로 재분류(19(.12.31.) (장관 이 상 옥)

예 고 : 91.12.31. 일반

검 토 필 (19(.6.30.)

0212

발 신 전 보

번 호 :　WUS-0355　　910129 2007　CG　종별 : 긴 급

수 신 :　주　　미　　대사. 총영사

발 신 :　장　관　　(미북)

제 목 :　걸프사태 관련 대미 지원

아국 정부는 사우디에 이미 군 의료 지원단을 파견하였고 또한 앞으로 군
수송기를 파견함으로써 다국적군의 일원으로 참여하고 있는 것으로 이해하고 있는
바, 귀직은 국무부, 국방부측과 접촉, 아국이 다국적군의 일원으로 분류되어 취급
되도록 요청하고 결과 보고 바람.　　끝.

(장 관)

예 고 : 91.12.31. 일반

일반문서로 재분류(19　.　.　)

검 토 필 (19　.6.　　)

| | 보 안
통 제 | |

앙 고 재	91 년 1 월 29 일	북 미 과	기안자 성명		과 장	심의관	국 장	제1차관보	차 관	장 관	
											외신과통제

0213

분류번호	보존기간

발 신 전 보

WUS-0356   910129 2352 DO   종별 : 긴 급

번   호 :

수   신 : 주   미   대사.총영사

발   신 : 장   관   (미북)

제   목 : 걸프사태 관련 대미 추가지원

연 : WUS-0354

연호, 1항 "가" 아국의 대미 추가 지원금 2억 8천만불의 내역과 관련,
국방부측은 약 1억 7천만불 상당의 군장비 및 군수품을 현 한국군 재고분에서
지원 가능할 것으로 보고 있는 바, 구체적인 내용은 한.미 양국 군당국간 협의가
필요하다고 하며, 나머지 1억 1천만불은 주로 항공 및 해상 수송 경비로 사용되고
일부는 현금으로 제공될 것임을 추가로 통보하니 귀 주재국 인사 접촉시 상기
내용도 아울러 설명바람.   끝.

(장   관)

예 고 : 91.12.31.일반

일반문서로 재분류 19

앙고재	91년 1월 29일	북미과	기안자 성명	과 장 심의관	국 장	제1차관	차 관	장 관	보안통제
									외신과통제

0214

長 官 報 告 事 項

1991. 1. 30.

美 洲 局
北 美 課 (4)

題 目 : 걸프 戰況에 관한 駐韓 美 大使館 通報 內容

駐韓 美 大使는 1.29. 長官님께 駐韓 美軍側이 提供한 걸프 戰況 브리핑
內容을 通報하여 왔는바, 아래 報告드립니다.

---

1. 戰況 槪要

ㅇ 미국은 현재까지 수행중인 전쟁 결과에 관해 만족하고 있음.

ㅇ 특히 다국적군은 제공권을 완전히 장악하고 있으며, 다국적군 공군기들은
이락 영공에서 큰 어려움없이 작전 수행 가능함.
　- 지난 3일간 공습에서 다국적군 공군기 상실은 1대뿐임.

2. 이라크軍 戰勢

ㅇ 이라크 공군기들은 이란에 대피해 있거나, 또는 파괴되었기 때문에
다국적군에 위협이 되지 못하고 있음.

0215

o 이라크 남부지역 및 쿠웨이트 주둔 이라크군은 극심한 보급품의 부족으로 어려움을 겪고 있으며, 병사들은 1일 1회의 식사만 제공받고 있음.

o 이라크군은 잘 구축된 참호에 매복해 있거나 지뢰밭에 의해 보호를 받고 있는등 일응 군사적 측면에서 강점이 있는것 같으나 반면 이는 그들의 기동력을 제한하고 있기 때문에 이라크군의 약점이기도 함.

o 쿠웨이트 주둔 이라크군은 주로 보병들임.

o 이라크군이 보유하고 있는 화학 무기들은 장기 보관 및 보관시설 미비, 파괴등으로 화학 무기로서 그 성능이 크게 약화된 것으로 파악되고 있음.

3. 展 望

o 상기와 같은 다국적군의 제공권 장악은 다국적군으로 하여금 이라크의 화학무기 생산 및 저장시설과 기타 군수시설 등을 용이하게 식별, 파괴할 수 있게 해주고 있음.

o 다국적군은 고정 군사 시설들을 파괴, 보급선을 차단한 후 제2단계로 돌입할 것으로 예상되며, 전반적으로 낙관적임.   끝.

0216

분류번호 | 보존기간

발 신 전 보

번   호 : WUS-0362   910130 1535 AO   종별 : 긴급

수   신 : 주   미   대사. 총영사

발   신 : 장 관   (미북)

제   목 : 걸프사태 관련 대미 추가지원

연 : WUS-0354

본직이 1.29(화) 20:00 그레그 주한 미 대사에게 연호 걸프사태 관련 아국
정부의 추가지원 결정 내용을 통보, 설명하였을 때 동 대사의 반응 및 질의 내용을
아래 통보하니 참고바람.

1. 주한 미 대사 반응

ㅇ 한국 정부의 추가지원 결정에 감사함.

ㅇ 한국 정부가 미국 정부로부터 요청이 없었음에도 불구하고 스스로
   지원 결정을 해준 것은 최대한 효과를 가져올 것으로 생각함.
   - 현 단계에서 중요한 것은 지원 규모보다는 지원을 한다는 의지와
     이러한 의지가 가져올 긍정적인 효과라고 생각함.

ㅇ 한국 정부의 추가지원 내용을 즉시 본국 정부에 보고하겠음.
   본국 정부의 구체적 반응은 기다려 봐야 알겠으나 미국의 요청이
   있기 전에 한국 정부가 추가지원 결정을 해 준데 대해 좋은 반응이
   있을 것으로 생각함.

/ 계   속 /

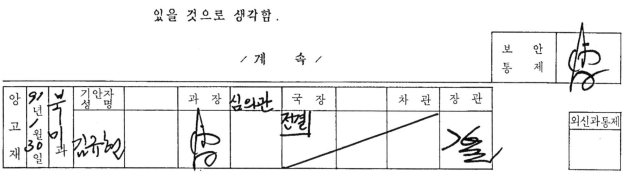

보안
통제

앙고재	91년1월30일	북미과	기안자성명 김규현		과장	심의관	국장 전결	차관	장관

외신과통제

0217

2. 주한 미 대사 질의 및 본직 답변 내용

WUS-03g2 주한 미 대사는 전투병력 파견 문제도 1.29. 관계부처 장관 회의
   에서 토의된 바 있는지 여부를 문의하였음.

   - 이에 대해 본직은 전투병력 파견 문제에 관해서는 토의된 바
     없다고 전제하고, 다만 생.화학전에 대비한 요원 파견 가능성은
     논의되었으나 국회 동의 과정에서 전투부대 파견으로 인정되어
     논란이 야기될 가능성이 있음에 비추어. C-130 군 수송기 수대를
     파견키로 원칙적인 결정을 보았다고 답변하였음.

 ○ 또한 주한 미 대사는 미측으로부터 추가 재정지원 요청이 올
   가능성에 대한 한국 정부의 입장을 문의하였음.

   - 이에 대해 본직은 이번 지원이 현 시점에서는 우리가 할수 있는
     최대 지원이라고 하고, 만약 전쟁이 장기화 되고 새로운 추가지원
     필요성이 발생하게 되는 경우 추후 검토해야 할 문제라고 답변
     하였음. 끝.

                                        (미주국장   반기문)

예 고 : 91.12.31.일반

일반문서로 재분류 '19 1.12.31.

검 토 필 (19 91. ...)

걸프事態 關聯 追加支援 對美 通報

1991.1. 2°1

外 務 部

0219

外務長官은 1.29.(火) 저녁, 그레그 駐韓 美 大使를 招致, 걸프事態 關聯 我國의 對美 追加支援 決定 內容을 通報하였는 바, 關聯事項을 報告 드립니다.

外務長官 通報 內容

ㅇ 1.29. 大統領 主宰下에 關係部處 長官會議를 開催, 我國의 對美 追加支援을 다음과 같이 決定함.

- 追加支援은 2億 8千万弗로 함. 따라서 我國의 總 支援額은 昨年度 支援 約束額 2億 2千万弗을 包含, 總 5億弗이 됨.

- 금번 追加支援은 多國籍軍(특히 美國을 위함)만을 위한 것이며, 周邊國 經濟支援은 包含되지 않았음.

- 追加 支援額 2億 8千万弗의 具體的 執行 用途와 內譯은 韓.美 兩國間 協議를 통하여 정하게 될 것임.

  · 國防部側은 約 1億 7千万弗 相當의 軍裝備 및 軍需品을 現 韓國軍 在庫分에서 支援 가능할 것으로 보고 있는 바, 具體的 內容은 軍 當局間 協議를 要함.

  · 나머지 1億 1千万弗은 航空 및 海上 輸送 經費와 現金支援으로 使用될 것임.

0220

- 상기 追加 支援과는 別途로 軍 輸送機(C-130) 數臺를 派遣키로 원칙적인
  決定을 하였음(國會 同意를 要함). 다만, 輸送機 派遣은 技術的인 事項에
  관한 協議를 要하므로 이에 관하여 我國 國防部와 駐韓 美軍側間에
  協議를 하게될 것임.

- 또한 우리 政府는 지난번 베이커 國務長官의 要請을 감안, 금년도
  多國籍軍 支援經費로 策定된 2,500万弗 全額을 美國에 대한 輸送支援
  經費로 配定키로 決定하였음.

○ 상기와 같은 韓國 政府의 決定은 我國이 최근 經常收支 赤字 示現 等
  經濟的으로 어려운 事情임에도 불구하고 유엔 安保理 決議에 의거한
  美國의 軍事的 行動을 우리의 能力 範圍内에서 최대한 支援하기 위한
  것임.

○ 駐美 韓國 大使에 대하여도 금번 政府 決定 内容을 즉시 國務部 高位
  當局者에게 通報하고, 白堊館, 國防部 等 其他 關係 部處에도 適宜
  說明토록 指示하였음. 특히 議會 重鎭 議員들과도 接觸하여 우리의
  支援内容을 說明하고 我國의 積極的인 支援 意志에 대한 認識을 提高토록
  訓令하였음. 이러한 過程에서, 혹시 있을지도 모를 韓.蘇 經協에 관한
  誤解도 拂拭시키도록 指示한 바 있음.

o 또한 2.5(火) 워싱톤 開催 豫定인 걸프事態 財政支援 供與國 調整委
  會議에는 外務部 次官을 首席代表로 하고 經濟企劃院, 財務部의 關係官
  으로 構成된 代表團을 派遣키로 決定하였음.

駐韓 美 大使 反應

o 韓國 政府의 追加支援 決定에 감사함.

o 韓國 政府가 美國 政府로부터 要請이 없었음에도 불구하고 스스로 支援
  決定을 해준 것은 最大限 効果를 가져올 것으로 생각함.
  - 現 段階에서 중요한 것은 支援 規模보다는 支援을 한다는 意志와 이러한
    意志가 가져올 肯定的인 効果라고 생각함.

o 韓國 政府의 追加支援 內容을 즉시 本國 政府에 報告하겠음.
  本國 政府의 具體的 反應은 기다려 봐야 알겠으나 美國의 要請이 있기 前에
  韓國 政府가 追加支援 決定을 해 준데 대해 좋은 反應이 있을 것으로
  생각함.

0222

駐韓 美 大使 質疑內容

º 駐韓 美 大使는 戰鬪兵力 派遣 問題도 금번 會議에서 討議된 바 있는지 與否를 問議하였음.

º 이에 대해 外務長官은 戰鬪兵力 派遣 問題에 관해서는 討議된 바 없다고 前提하고, 다만 生.化學戰에 對備한 要員 派遣 可能性은 論議되었으나 國會 同意 過程에서 戰鬪部隊 派遣으로 認定되어 論難이 야기될 可能性이 있음에 비추어, C-130 軍 輸送機 數臺를 派遣키로 원칙적인 決定을 보았다고 答辯하였음.

º 또한 駐韓 美 大使는 美側으로부터 追加 財政支援 要請이 올 可能性에 대한 韓國 政府의 立場을 問議하였음. 이에 대해 外務長官은 이번 支援이 現 시점에서는 우리가 할수 있는 最大 支援이라고 하고, 만약 戰爭이 長期化 되고 새로운 追加支援 필요성이 發生하게 되는 경우 追後 檢討해야 할 問題라고 答辯하였음.   - 끝 -

0223

<添附 2>

걸프戰 關聯 追加 支援 決定

公式 發表文(案)

o 政府는 지난해 8.2. 걸프 事態가 發生한 이래 武力에 의한 侵略은 容認될 수
  없다는 國際 正義와 國際法 原則에 따라 유엔 安保理 決議를 적극 支持하고
  이의 履行을 위한 國際的 努力을 支援하여 왔음. 이러한 立場에서 政府는
  지난해 9.24. 多國籍軍 및 周邊國 經濟 支援을 위해 總 2億2千万弗의 支援을
  發表한 바 있으며 또한 지난 1.24. 사우디에 軍 醫療 支援團을 派遣한 바 있음.

o 그러나 유엔을 비롯한 全世界 平和 愛好國들의 努力에도 불구하고 지난 1.17.
  걸프 戰爭이 勃發하여 中東 地域은 물론 全世界의 平和 및 安定에도 큰 威脅이
  되고 있으며, 더우기 이번 戰爭이 地上戰으로 擴大되어 좀더 長期化될 兆朕이
  비쳐짐에 따라 多國籍軍은 이에 따른 막대한 戰費와 財政 需要에 직면하게 되었음.

o 政府는 그간 걸프 戰爭의 進行 狀況을 예의 주시하면서 終戰後 中東地域 및
  全世界 國際 政治 再編을 면밀히 분석한 끝에 終戰後 安定的인 原油 供給線
  確保와 傳統的 韓.美 紐帶關係 强化를 위해서 우리가 今番 事態의 早期 終結을
  위해 能動的으로 寄與하는 것이 우리 國益은 물론 世界 平和에도 도움이 될
  것으로 判斷하게 되었음.

0224

o 이러한 狀況 認識下에 政府는 多國籍軍의 諸般 努力을 支援하기 위해

　　總(　　　　　　　　)을 支援키로 決定하였음.

o 政府는 同 方針을 決定함에 있어 日本, 西獨等 主要 友邦國들의 追加 支援

　　決定과 規模를 參考하였으며, 輸出 不振으로 인한 우리의 貿易 赤字 規模 擴大等

　　어려운 國內 與件을 充分히 감안하여 우리 能力 範圍內에서의 最大 支援 方案을

　　決定한 것임.

o 政府는 이번 기회를 빌어 이라크 政府가 UN 決議에 따라 쿠웨이트로 부터 즉각

　　撤收할 것을 促求하는 한편, 今番 事態가 早期 終結됨으로써 中東 地域 平和,

　　나아가 世界 平和가 하루 빨리 定着되기를 다시 한번 기원하는 바임.

0225

Jan. 29, 1991

1. The ROKG decided today to make an additional financial contribution for the multinational forces in the Gulf.

Major points of the decision are as follows ;

a) ROKG will make an additional financial contribution of $280 million, thus making total contribution of $500 million including $220 million previously committed.

b) ROKG's additional contribution will be made for support of the multinational forces, especially the U.S.

c) Detailed uses and composition of $280 million will be decided through ROK-US consultations.
(According to M.N.D., military equipments and materials amounting to approximately $170 million can be made available out of ROK stockpile.)

d) In addition to the above, ROKG made a decision in principle to dispatch several military transport planes(C-130). Technical matters will be worked out between ROK and US military authorities.

0226

2. In spite of the present economic difficulties including current account deficit, the ROKG decided to make the above-mentioned additional contribution with a view to rendering maximum support within its capabilities to help US efforts to bring peace and stability in the Gulf region, upholding the relevant resolutions adopted by the U.N. Security Council.

0227

Jan. 29. 1991.

1. The R.O.KG decided today to make an additional financial contributione for the multinational forces in the Gulf. Major points of the decision are ae follows;

a) ROKG will make an additional financial contribution of $280 million, thus making total contribution of $500 million including $220 million previously committed.

b) ROKG'S additional contribution will be made for support of the multinational forces, especially the U.S.

c) Detailed uses and ~~Contribution~~ Composition of $280 million will be decided through ROK-US Consultations.

0228

(according to M.N.D , military equipments and materiels amounting to approximately $ 170 million can be made available out of ROK stockpile)

d) In addition to the above, ROKG made a decision in principle to dispatch several military transport planes (C-130). Technical matters will be worked out between ROK and US military authorities.

2. In spite of the present economic difficulties including current account deficit , the ROKG decided to make the above - mentioned additional contribution with a view to ~~making~~ rendering maximum support within its capabilities to help US efforts to bring peace and stability in the Gulf region, upholding the relevant resolutions adopted by the U.N. Security Council.

0229

Additional Contribution of the Republic of Korea

to the Multinational Efforts

1. At an inter-ministerial meeting presided by the President, the Government of the Republic of Korea made a decision to make an additional financial contribution to the multinational forces.

   The details are as follows :

   a) The Korean Government will make an additional contribution of 280 million U.S. dollars, thus making the total contribution 500 million U.S. dollars including 220 million U.S. dollars already contributed. The details of the uses and composition of 280 million U.S. dollars will be decided in consultation with the U.S. Government.

   b) Korea's additional contribution goes only to the multinational forces led by the United States. This contribution will be practically used for the U.S. forces.

0230

c) Out of 280 million U.S. dollars, 170 million will be contributed in the form of equipments and material. The remaining 110 million U.S. dollars will mainly be used to cover air and sea transportation service, and a certain portion of it will be disbursed in cash.

d) The Korean Government has decided in principle to dispatch several military transport planes(C-130). However, detailed technical matters should be worked out between the military authorities of the Ministry of National Defense and the Combined Forces Command.

2. The Korean Government, in spite of the present economic difficulties and its limited capacity, has tried its best to help the U.S. Government's efforts to bring peace and stability in the Gulf region, upholding the relevant U.N. Security Council Resolutions.

0231

걸프戰 關聯 한국 정부의 追加 支援 決定

公式 發表

1991. 1. 30.

18:15

1. 政府는 지난해 8.2. 걸프 事態가 發生한 이래 武力에 의한 侵略은 容認될 수 없다는 國際 正義와 國際法 原則에 따라 유엔 安保 이사회 決議를 支持하고 이의 履行을 위한 國際的 努力을 支援하여 왔음. 이러한 立場에서 政府는 지난해 9.24. 多國籍軍 및 周邊國 經濟 支援을 위해 2億2千万弗의 支援을 發表한 바 있으며 또한 지난 1.24. 사우디에 軍 醫療 支援團을 派遣한 바 있음.

2. 그러나 유엔을 비롯한 全世界 平和 愛好國들의 努力에도 불구하고 지난 1.17. 걸프 戰爭이 勃發하여 中東 地域은 물론 全世界의 平和 및 安定에도 큰 威脅이 되고 있으며, 더우기 이번 戰爭이 예상보다 오래 계속될 조짐이 나타남에 따라 多國籍軍은 이에 따른 막대한 戰費와 財政 需要에 직면하게 되었음.

0232

3. 이에 따라 정부는 다음과 같은 추가 지원을 제공키로 결정하였음.

ㅇ 追加 支援 規模는 2億8千万弗로함.

　　- 이중 1億7千万弗 相當은 國防部 在庫 軍需物資 및 裝備 提供으로
　　　하고 나머지 1億1千万弗은 現金 및 輸送 支援으로 함.

　　　　* 具體的 執行 用途 및 内譯은 韓.美 兩國間 協議를 거쳐 決定

　　- 今番 追加 支援은 多國籍軍 특히 美國을 위한 것이며 周邊國 經濟
　　　支援은 不包含.

　　- 我國의 總 支援 規模는 今番 追加 支援으로 昨年 約束額 2億2千万弗을
　　　包含, 總 5億弗이됨.

ㅇ 上記 支援과는 別途로 국회의 동의를 받아 후방 수송 지원 목적을 위하여
　　軍 輸送機(C-130) 5대를 派遣키로 원칙적으로 결정하였으며, 이를 위한
　　기술적인 사항은 아국 國防部와 駐韓 美軍間에 협의 예정임.

0233

〈添附 1〉

多國籍軍 派遣 現況

91. 1. 30. 現在

國 家	軍事力 派遣 및 參戰	備 考
美 國	◦ 兵 力 : 492,000 名 ◦ 탱 크 : 2,000 臺 ◦ 航空機 : 1,300 臺 ◦ 艦 艇 : 60 隻 (航空母艦 7隻)	
GCC (6個國)	◦ 兵 力 : 150,500 名 ◦ 탱 크 : 800 臺 ◦ 航空機 : 330 臺 ◦ 艦 艇 : 36 隻	사우디, 쿠웨이트, 바레인, 오만, UAE, 카타르
英 國	◦ 兵 力 : 35,000 名 ◦ 탱 크 : 170 臺 ◦ 航空機 : 72 臺 ◦ 艦 艇 : 16 隻	

0234

國 家	軍事力 派遣 및 參戰		備 考
프랑스	◊ 兵 力 :	10,000 名	
	◊ 탱 크 :	40 臺	
	◊ 航空機 :	40 臺	
	◊ 艦 艇 :	14 隻	
이집트	◊ 兵 力 :	35,000 名	
	◊ 탱 크 :	400 臺	
시리아	◊ 兵 力 :	19,000 名	
	◊ 탱 크 :	300 臺	
파키스탄	◊ 兵 力 :	7,000 名	6千名 追加派遣 豫定
터 키	◊ 兵 力 :	5,000 名	國境配置 約10万名
	◊ 艦 艇 :	2 隻	
방글라데시	◊ 兵 力 :	2,000 名	3千名 追加派遣 豫定

0235

國 家	軍事力 派遣 및 參戰	備 考
카나다	◊ 兵 力 : 2,000 名 ◊ 航空機 : 24 臺 ◊ 艦 艇 : 3 隻	
모로코	◊ 兵 力 : 1,700 名	
세네칼	◊ 兵 力 : 500 名	
니제르	◊ 兵 力 : 480 名	
이태리	◊ 航空機 : 8 臺 ◊ 艦 艇 : 6 隻	
濠 洲	◊ 艦 艇 : 3 隻	
벨기에	◊ 艦 艇 : 3 隻	
네덜란드	◊ 艦 艇 : 3 隻	
스페인	◊ 艦 艇 : 3 隻	
아르헨티나	◊ 兵 力 : 100 名 ◊ 艦 艇 : 2 隻	

0236

國 家	軍事力 派遣 및 參戰	備 考
그리스	◦ 艦艇 : 1隻	
포르투갈	◦ 艦艇 : 1隻	
노르웨이	◦ 艦艇 : 1隻	
체 코	◦ 兵力 : 200名	
總 計 (總 28個國)	◦ 兵力 : 760,480名 ◦ 탱크 : 3,710臺 ◦ 航空機 : 1,774臺 ◦ 艦艇 : 154隻	※ 蘇聯은 艦艇 2隻을 參戰 目的이 아니라 觀察 目的으로 派遣

0237

<添 附 2>

各國의 支援 現況

가. 經濟 支援

國 家	戰爭 勃發 前	戰爭 勃發 後
日 本	. 40億弗(20億弗 : 多國籍軍 支援, 20億弗 : 周邊國 支援)	. 90億弗(對美 現金 支援)
獨 逸	. 20.8億弗(33億 마르크)	. 10億弗(1億6千7百万弗의 이스라엘 支援額 및 1億1千4百 万弗의 英國軍 支援額 包含) . 55億弗(對美 支援)
E C	. 19.7億弗	
英 國	. EC 次元 共同 步調	
불란서	"	
이 태 리	. 1.45億弗(1次 算定額), "	
벨 기 에	. EC 次元 共同 步調	. 1億1千3百5拾万 BF
네델란드	"	. 1億8千万弗(戰前 支出 包含)
스 페 인	"	
폴 투 갈	"	
그 리 스	"	

0238

國　　家	戰爭 勃發 前	戰爭 勃發 後
카 나 다	. 6千6百万弗	
노르웨이	. 2千1百万弗	
濠　　洲	. 8百万弗(難民救護)	
G.C.C.國	. 사 우 디 : 60億弗 . 쿠웨이트 : 50億弗 . U.A.E.　 : 20億弗	. 사 우 디 : 135億弗 . 쿠웨이트 : 135億弗

0239

나. 醫療 支援

國 家	内 譯
美 國	. 사우디 담맘港에 病院船 2隻 派遣(1,000 病床) . 사우디 알바틴에 綜合 醫療團 運營 (專門醫 35 名, 350 病床)
英 國	. 野戰病院 派遣(醫師 200名, 400 病床) (有事時 對備 約 1,500名의 追加 軍 醫療陣 派遣 準備中)
濠 洲	. 2個 醫療團 派遣 檢討中
방글라데쉬	. 2個 醫務 中隊 300名 派遣
카 나 다	. 野戰病院 派遣(醫療陣 550名, 225 病床)
덴 마 크	. 軍 醫療陣 30-40名 英國軍에 配置
헝 가 리	. 自願 民間醫療陣 30-40名 英國軍에 配置
체 코	. 自願 醫療陣 150名 派遣
파키스탄	. 1個 醫務 中隊 100名 派遣
오스트리아	. 野戰 엠블란스 1臺 派遣
필 리 핀	. 民間 醫療支援團 270名 派遣

0240

國　家	內　　譯
폴 란 드	. 病院船 1隻　派遣 準備中
뉴질랜드	. 民間 醫療陣 50名 , 바레인 駐屯 美 海軍 病院에 勤務 . 軍 醫療團 20名　追加 派遣 決定
싱가폴	. 醫療支援團 30名 , 英國軍 病院에 勤務
벨기에	. 民.軍 自願 醫療 支援團 50名 派遣 . 醫療 裝備 支援(野戰 寢臺 2,800個, 앰블란스 1臺, 負傷兵 護送用 航空機 2臺)

0241

머북
_보보안호서

외 무 부

종 별 : 초긴급

번 호 : USW-0510   일 시 : 91 0130 1726

수 신 : 장관(친전)

발 신 : 주 미 대사

제 목 : 걸프 사태 관련 대미 추가 지원

대 WUS-0354

1. 대호 관련, 본직은 1.30(수) 국무부 동아태 담당 SOLOMON 차관보를 면담,아국이 최근 경상 수지 적자 시현등 경제적으로 어려운 사정임에도 불구하고 한. 미 동맹 관계의 중요성을 감안, 자발적으로 추가 지원을 결정한 것이라는 점을 강조하고 대호 내용을 통보 하였음 (미측에서는 ANDERSON 부차관보, RICHARDSON 과장이, 아측에서는 유명환 참사관이 각각 배석함)

2. 이에 대해 동 차관보는 아측이 그간 걸프 사태 관련 신속하게 수송 및 물자를 제공하고, 재정지원, 의료단등을 파견하였고 이어서 금번에 이와같이 추가 지원을 결정한 성의에 감사한다고 말함.

이어 동 차관보는 전쟁이 점점 심각한 국면에 접어들어 지상에서도 사상자가 발생하고 있으며 전쟁이 수개월내 끝나기를 희망하나 알수 없는 상황에 있다고 하면서 우선 금년도 1/4 분기 전비 소요가 크게 증대됨에 따라 일본의 경우 90억불을 지원 키로 하였음을 상기 시키고 한국에 대해서도 일괄적으로 구체적 지원을 요청할수 밖에 없게 되었다고 말함.

3. 동 차관보는 이어 한국의 수송 지원은 유효 적절히 활용되고 있다고 평가하고, 이미 서울에서 -리츠카시- 주한 미군 사령관이 한국군측에 요청한바 있으나 다음과같은 추가 요청사항을 정치적인 측면도 고려, 적극 지원하여 줄것을 희망한다고 말함.

가. 항공 수송 지원

1) 매일 "TRAVIS 공군 기지- CUBI-UAE"를 운항하는 수송지원 (WIDE BODY 수송기로서 K-LOADER 장치를 포함)

2) 수송기에 필요한 "TYPE 463L PALLETS"와 "CARGO NETS"지원

장관 미주국 청와대 단기부 국방부.

3) 주 1 회 "한국-오키나와-구암-하와이"를 운항하는 부상병 후송 지원(DC-8 정도 크기)

나. 해상 수송 지원

1) 기 지원 되고 있는 해상 수송 지원에 추가하여 RO/RO AND BREAKBULK 화물선 지원

2) 지금까지 해상 보험료를 미국이 지불하였으나 앞으로 한국이 지불할것을희망

3. 또한 동 차관보는 "DESERT STORM" 작전에 대한 지원은 현재의 시점에서는 군수 장비나 군수품 형태보다는 현금 지원을 필요로 한다고 하면서 나중 단계에서는 건설 자재, 컴퓨터, 화생방 장비, 버스, 트럭등 군수 장비의 지원도 필요할것이라고 말함.

5. 상기에 이어 SOLOMON 차관보는 금명일간 GREGG 대사를 통해서도 한국정부에 미측 희망을 전달할 예정이라고 하면서 아측이 걸프 전쟁의 심각성과 한. 미 동맹관계의 특수성을 고려하여 전체 추가 지원 규모를 10 억불선으로 하고 그내역은 일본이나 독일이 전액 현금으로 지원한것과는 달리 수송 지원, 군수품, 현금 지원뿐만 아니라 주변전선국에 대한 경제 지원을 포함시켜도 무방하다고 설명함.

6. 한편 동 차관보는 상기 미측의 희망 사항을 아국 정부가 조속히 검토하여 2.5(화) 걸프 공여국 조정위에 참석하는 유종하 차관으로 하여금 KIMMIT 차관과 좀더 구체적으로 협의할수 있기를 기대한다고 말함.

7. 또한 대호 관련 백악관 및 국방성 간부와도 접촉 예정인바 결과 추보 위계임.

(대사 박동진-장관)

91.12.31 일반

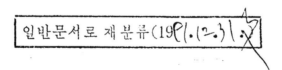

일반문서로 재분류(1991.12.31.)

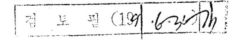

검 토 필 (199 . .)

PAGE 2

원 본

외 무 부

종 별 : 초긴급

번 호 : USW-0522

수 신 : 장관(친전)

발 신 : 주 미 대사

일 시 : 91 0130 1951

제 목 : 걸프사태 관련 대미 추가 지원

대:WUS-0354

연:USW-0510

1. 연호, 본직은 1.30(수)백악관 국가 안보회의 JACKSON 보좌관을 면담, 걸프 사태관련 아측의 추가 지원 내용과 아측이 당면한 어려운 경제적 여건에도 불구하고 자발적으로 그와같은 결정을 하게된 배경을 설명하였음.(미측은 PAAL 보좌관이 아측은 유명환 참사관이 각각 배석)

2. 동 보좌관은 이에 대해 아측이 스스로 추가지원을 하기로 결정한점을 높이 평가하며 DESERT STORM 에 대한 금번 지원은 유용하게 활용될 것이라고 답변함.

3. 이어 동 차관보는 미측의 여사한 평가는 변함없지만 미국 관리를 포함 일반여론의 기대는 금번 한국측이 결정한것 보다는 훨씬 크다고 말함.

4. 추가 지원 내역과 관련 미국내 정치적 효과나 홍보면에서는 물품지원 보다는 조건없는 현금지원의 경우 더욱 효과적인바 일본에 대해서도 그러한 점을 지적한바 있음. 군수품의 경우는 상호 재고를 검토해야 필요한 물품의 종류가 파악되고 또 가격 상정에도 문제가 있고 경우에 따라서는 국내 산업을 위해 재고를처분한다는 오해도 받을수 있기 때문임.

5. 추가 지원 규모와 관련, 본직이 아국의 경제 규모, 무역적자, 외환보유고, 경제상태등을 예시하면서 아측이 능력의한도내에서 최대한 성의를 다한것이라고 강조한데 대해 미측은 그러한 사정은 잘알고 있으나 일반적인 한국에 대한 인식이 높은 경제성장을 지속하고 있는 나라이며 비록 작년에 대외수지에 있어 CURRENT ACCOUNT 가 적자라고 하지만 이는 유가상승에 기인한점이 크다고 보는바걸프전 개시후 유가가 배럴당 5-6 불이나 하락함으로써 한국이 얻는 반사적 이익이 큰 점을 고려할때 걸프전에 대한 추가지원 문제는 정치적 결단이 더욱 중요한 것으로 본다고 말함.(대사

장관, 미주국, 청와대(외교안보), 안기부, 국방부

박동진-장관)

예고:91.12.31 일반

일반문서로 재분류(19

검 토 필 (19

원 본

외 무 부

종 별 : 지급

번 호 : USW-0523   일 시 : 91 0130 1951

수 신 : 장관(미북)

발 신 : 주 미 대사

제 목 : 걸프 사태 관련 다국적군 분류

대 WUS-0355

1. 대호관련 본직은 금 1.30 국무부 SOLOMON 동아태 차관보를 면담하는 기회에 아국이 이미 군 의료단을 파견 하였고 또 군 수송기도 파견 예정인 점을 감안, 다국적군의 일원으로 분류 되어야 할것이라고 지적 하였는바, 동 차관보는 다국적군 참여국으로 분류하는 기준이 지상 전부 병력이나 전부기, 전부함등의 파견국에 국한되어 있는것으로 안다고 말함.

이어 동 차관보는 싱가폴, 필리핀등 일부 의료단 파견국들이 국내 정치적인민감성을 의식, 미국이 LOW-KEY 로 취급하여 줄것을 희망하고 있기도 하다고 언급하면서 아측도 걸프 사태 초기에는 그와같은 입장을 취한것으로 알고 있다고부언함.

2. 이에 대해, 본직은 한. 미 관계를 고려, 아측의 지원 내용이 좀더 부각되어야 한다고 강조하고 군수송기도 전부 병력의 일원으로 간주될수 있을것으로본다고 언급한바, 동 차관보는 아측의 희망을 염두에 두고 관계 부서에 이를 전달하겠다고 말함.

(대사 박동진-장관)

91.12.31 일반

일반문서로 재분류(19 . . .)

검 토 필 (19)

미주국   장관   청와대   안기부

외 무 부

종 별 : 지 급

번 호 : USW-0524

일 시 : 91 0130 1951

수 신 : 장관(미북)

발 신 : 주 미 대사

제 목 : 걸프 사태 관련 다국적군 분류

연 USW-0523

1. 연호 관련, 당관이 국무부 한국과 MCMILLION 부과장등 실무선을 통해 확인한바로는, 현재 미 합참등 걸프 작전 주관 부서에서 다국적군 참여국의 정의를확립하기 위한 작업을 진행중이라고 함.

2. 미 합참에서는 우선 동 정의 수립을 위한 예비적 단계로 관련 각국을 "중립국, 재정지원국, 전부 지원국, 전부참여국"의 네가지 범주로 구분하고 있으며, 이중 실제 전부 참여국만을 다국적권 참여국으로 간주할지, 아니면 전부 지원국(아국과 같은 의료 및 수송 지원국)도 포함 시킬지 등에 관한 논의가 분분 하다고 함.

(대사 박동진-국장)

91.12.31 일반

일반문서로 재분류(1991.12.5)

검 토 필 (1991)

미주국   장관   정와대   안기부   국방부

Embassy of the United States of America

Seoul, Korea

January 31, 1991

Dear Mr. Minister:

    I have the honor to transmit the text of a letter to President Roh from President Bush which the Embassy received telegraphically. A signed original will follow as soon as possible.

    I would be grateful for your assistance in transmitting the message to the President.

          Sincerely,

          Donald P. Gregg
          Ambassador

Enclosure:
   Text of letter to President Roh Tae Woo
   from President George Bush

His Excellency
     Sang-Ock Lee,
         Minister of Foreign Affairs
            of the Republic of Korea,
               Seoul

0248

January 29, 1991

Dear Mr. President:

We have reached a critical stage of affairs in the Gulf.
I believe we can all be proud of the commitment of the
members of the Multinational Force to the goals of the
U.S. Security Council Resolutions and the sacrifices they
are prepared to make to achieve these goals. Their
efforts will play a vital part in the search for a more
stable, peaceful basis for relations among states in the
region.

I was very pleased to receive your message reaffirming
your government's support for our effort to safeguard and
preserve peace and security in the region. I applaud the
principled stand your government has taken on what is at
stake.

Sincerely,

/s/
George Bush

His Excellency
Roh Tae Woo
President of the Republic of Korea
Seoul

0249

MINISTRY OF NATIONAL DEFENSE
REPUBLIC OF KOREA

OFFICE OF THE MINISTER

31 January 1991

His Excellency Richard B. Cheney
Secretary of Defense
United States of America
Washington, D.C. 20301

Dear Mr. Secretary:

I take this opportunity to extend my highest tribute
and admiration to you and the Government of the United
States for the resolute actions and hard efforts for peace
by chastising the brutal act of Iraqi armed invasion of
neighboring Kuwait and reinstating the regional order of
security in the Gulf.

I would like to take this means to communicate to you
that with a view toward participating to the maximum in the
US effort in the Gulf, the ROK Government has decided to
provide $500 million. This includes the previously
committed $220 million. The increment of $280 million will
be provided exclusively for the United States, comprising
cash and strategic lift(about $110 million) to help fill
the shortfalls in this area of US effort, and logistic
material and equipment items(about $170 million).

In addition, we intend to provide five C-130 transport
aircraft or about half the total(12) on hand, with an
appropriate number of personnel to operate them. Should
this proposal be acceptable, they will hopefully be a
complement to the US airlift in demand in the theater.

Knowing that we both are committed to the security of
the Korean Peninsula and keenly aware of our mutual
security issues and the potential danger in this region,
I hope that this proposal will be accepted as an expression
of our willingness as a partner of the US-led coalition
forces in the Gulf to share in their responsibilities and
roles.

For your ready reference, I have enclosed a general
listing of supportable logistic materials and equipment

Sec Def Cont Nr. X55476

0250

공   란

공   란

공 란

공　　　　란

공   란

관리 번호	91- 244

외 무 부

종 별 : 긴 급

번 호 : USW-0540   일 시 : 91 0131 1919

수 신 : 장관(미북,중근동)

발 신 : 주 미 대사

제 목 : 걸프 사태 관련 대미 추가 지원 홍보

　　1. 금 1,31 당관 유명환 참사관은 국무부 RICHARDSON 한국과장을 접촉, 미측이 아국의 금번 대미 추가 지원 결정을 환영하고 특히 금번 지원 결정이 한국 스스로의 결단에 따라 자발적으로 내려진점을 높이 평가한다는 내용결단에 따라 자발적으로 내려진 점을 높이 평가한다는 내용의 적극적인 평가가 국무부
정례 브리핑시등의 기회를 통해 자연스럽게 밝혀지기를 희망한다고 언급하고, 동건 관련 RICHARDSON 과장의 협조를 요청함.

　　2. 이에 대해 동 과장은 개인적으로도 아측이 자발적으로 지원 결정을 내린점을 크게 평가한다고 언급하고, 한국측의 걸프 사태 지원 노력이 상세히 부각될수 있도록 보도 지침 작성등 대 언론 조치를 준비하겠다고 부언함.

　　3. 동건 관련 당관은 동 미측평가가 적의 보도 되도록 조치하였음.

　　(대사 박동진-국장)

　　91.12.31 일반

일반문서로 재분류(19 91.12.31)

검 토 필 (19 91.12.31)

미주국 공보처	장관	차관	1차보	2차보	중아국	정문국	청와대	안기부

PAGE 1

91.02.01   11:27
외신 2과 통제관 FE
0256

외 무 부

관리
번호 PI-
254

종 별 : 지급
번 호 : USW-0543
수 신 : 장관(미북)
발 신 : 주미대사
제 목 : 차관 방미

일 시 : 91 0131 2052

대:WUS-0396
연 USW-535, 522, 510

1. 대호 3 항 관련, 아측의 추가 지원 내요에 대한 미측 반응및 추가 제의 가능성등 은 연호 , 본직의 친전 전문을 참고 바람.

2. 현재의 미측의 관심 사항의 촛점은 아측이 추가로 대폭 증액할수 있는지의 가능성 여부와 금번 발표한 아측의 추가 지원 내역을 가급적 현금 지원으로 바꿀수 있는가에 있다고봄.

3. 또한 걸프 재정공여국 회의 등과 관련 주변 전선국들에 대한 아측의 추가 경제 지원 가능성에 대해서도 관심이 큰것으로 보임.

4. 미측은 아측의 경제적 여건(GNP 규모, 무역 적자, 외환 보유고, 대외 부채, 경기 침체등)이 무척 어렵다는 설명에 대해서는 이해는 하지만 현재 미국이 처한 상황은 그러한 개별 국가의 사정을 고려하기 어렵기 때문에 정치적 결단을 촉구한다는 입장인바 상당한 금액의 현금 지원을 제의하지 않는한 설득이 어려울것으로 생각됨.

5. 대호 1 항 군수 장비및 물품 지원을 위한 아측 실무 협의 문제는 국방부측의 회답이 있는대로 추보 위계임.

(대사 박동진-국장)

91. 12. 31 일반

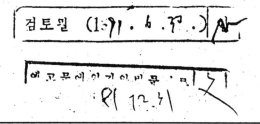

검토필 (1 91. 6. 3)

예고문에 의기 이비문

91 12 31

미주국

PAGE 1

외 무 부

종 별 :

번 호 : STW-0043

일 시 : 91 0131 1430

수 신 : 장 관(미붕)

발 신 : 주 시애틀 총영사

제 목 : 대미추가지원 발표

대: AM-0029, 30

당지 CNN-TV 는 작 30일 저녁 뉴스시간에 대호 추가지원에대한 발표내용을 보도하고있음

(총영사-국장)

미주국

91.02.01   10:38 WG

외신 1과 통제관

0258

정 리 보 존 문 서 목 록

기록물종류	일반공문서철	등록번호	32335	등록일자	2009-02-05
분류번호	721.1	국가코드	US	보존기간	영구
명 칭	걸프사태 : 한.미국 간의 협조, 1990-91. 전9권				
생 산 과	북미1과/중동1과	생산년도	1990~1991	담당그룹	
권 차 명	V.5 1991.2월				
내용목차	2.23 외무부 대변인, 미국의 이라크군 무조건 철군 요구 지지성명 발표 2.24 미국 국무부, 주미국대사 앞 지상전 개시 통보 　　　외무부 대변인, 걸프 지상전 개시 관련 성명 발표 2.28 Bush 대통령의 종전 선언에 대한 외무부 대변인 성명 발표 　　* 걸프사태 관련 아국의 추가지원에 대한 미 행정부 반응, 1991.2., 　　　걸프사태 관련 아국의 추가지원에 대한 미국의 반응, 1991.2., 　　　아국의 대미 추가지원 관련 주미대사의 미 의회 중진 접촉결과, 1991.2., 　　　대미 군수물자 지원 예산 확보 및 집행계획, 1991.2.28				

0001

관리 번호	91-253

원 본

외 무 부

종 별 : 지 급

번 호 : USW-0549   일 시 : 91 0201 1537

수 신 : 장관(미북,중근동)

발 신 : 주 미 대사

제 목 : 걸프사태 관련 대미 추가 지원 홍보

연:USW-0540

연호, 관련 미 국무부측은 한국측의 자발적 추가지원을 만족스럽게 생각한다는 요지의 보도지침을 아래와같이 작성, 아국 특파원등 언론문의시 동 지침대로 답변하였다함.

ADDITIONAL KOREAN AID TO THE GULF EFFORT

Q: WHAT IS YOUR REACTION TO THE REPORT THAT SOUTH KOREA WILL CONTRIBUTE 280 MILLION WORTH OF ADDITIONAL SUPPORT FOR THE WAR EFFORT IN THE GULF ?

A:-- WE ARE VERY PLEASED THAT SOUTH KOREA HAS VOLUNTEERED TO PROVIDE ADDITIONAL ASSISTANCE TO THE MULTINATIONAL EFFORT IN THE GULF.

-- THIS CONTRIBUTION DEMONSTRATES KOREA'S DETERMINATION TO ASSIST THE MULTINATIONAL EFFORT TO RESIST SADDAM HUSSEIN'S AGGRESSION.

-- KOREA HAD ALREADY PLEDGED 220 MILLION IN ASSISTANCE FOR THE MULTINATIONAL FORCE AND FRONT LINE STATES, AND IN MID-JANUARY KOREA DEPLOYED A 154 MAN MEDICAL UNIT TO SAUDI ARABIA.

-- WE DO NOT YET HAVE DETAILED INFORMATION ON THE MAKEUP OF THE ADDITIONAL ASSISTANCE KOREA HAS ANNOUNCED, BUT UNDERSTAND THAT IT WILL INCLUDE 5C-150 AIRCRAFT AND PERSONNEL TO SUPPORT DESERT STORM.

-- THE SITUATION IN THE GULF CONTINUES TO UNFOLD. WE EXPECT THAT WE AND OTHER NATIONS WILL CONTINUE TO LOOK AT FURTHER NEEDS AS THE SITUATION EVOLVES.

-- WE WILL BE DISCUSSING ECONOMIC NEEDS OF THE FRONT LINE STATES AND LEVELS OF CONTRIBUTIONS IN THE GULF CRISIS FINANCIAL COORDINATING GROUP MEETING IN WASHINGTON ON FEBRUARY 5.

미주국	장관	차관	1차보	2차보	중아국	정문국	청와대	안기부

PAGE 1

91.02.02   06:16

외신 2과   통제관 CW

0002

(대사 박동진-국장)
예고:91.12.31 일반

일반문서로 재분류(19

분류번호	보존기간

발 신 전 보

WUS-0426   910202 1804 DA

번   호 :   종별 :

수   신 : 주   미   대사 총영사

발   신 : 장 관 (미북)

제   목 : 군 수송단 파견 관련 설명자료

　　　　아국의 추가지원 특히 군 수송지원단 파견과 관련, 상.하원 의원 등 주재국
주요인사 접촉 설명시 하기 사항을 중점 부각 설명하는 것이 바람직할 것으로 사료
되니 참고.활용 바람.

　　o　한국정부의 2억 8천만불 상당의 추가지원 결정은 우리가 부담할 수
　　　　있는 최대의 수준이며 성의 표시이기도 함. 우리는 우리의 재정.경제
　　　　능력에 한계가 있음을 잘 알고 있기 때문에 이러한 부족한 점을 조금
　　　　이라도 보완키 위해 154명 규모의 군 의료지원단 파견에 추가하여
　　　　군 수송단 파견을 결정한 것임.

　　o　동 결정은 국내적으로 국회 동의절차 등 정치적 부담이 상당히 큼에도
　　　　불구하고 노 대통령의 정치적 결단으로 추가된 것임.

　　o　이러한 결단은 결국 한.미 우호관계를 감안한 우리의 적극적 협조
　　　　의지를 나타내는 것임. 끝.

(미주국장   반기문)

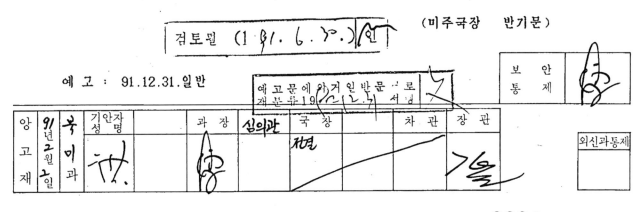

검토필 (1 91. 6. 3.)

예 고 : 91.12.31.일반

앙고재	91년 2월 2일	북미과	기안자 성명		과 장	심의관	국 장		차 관	장 관		외신과통제

발 신 전 보

번 호 : WUS-0427   910202 1804 DA   종별 : 지급

수 신 : 주   미   대사 총영사

발 신 : 장 관 (미북)

제 목 : 걸프사태 관련 대미 추가지원

대 : USW-0510

대호, 미측이 요청한 항공 수송지원과 관련 검토에 필요하니 미측과 접촉,
다음 사항에 관해 지급 파악 보고 바람.

1. K-loader의 구체적인 용도 및 사용 장소

   o Cubi에는 K-loader가 없으므로 수송기에 이를 싣고 운항하여야 하나, 이 경우 K-loader의 탑재와 양륙에 많은 시간이 소요
   (K-loader는 분해해서 탑재를 해야 함)

2. Travis 기지-U.A.E. 운항 구간에 Cubi를 반드시 거쳐야 하는 이유

   o Cubi의 활주로의 길이는 9,000ft로 747의 착륙은 가능하나 화물
   만재(Full Load)시 이륙은 불가능(13,000ft의 활주로 필요)

   o Cubi에서 U.A.E.로의 직항시 운항에 너무 많은 시간이 소요되므로
   중간 기착지가 필요

/ 계 속 /

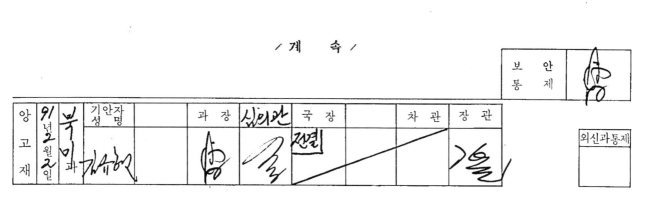

　　3.　기체 보험가입 관련, Abu Dhabi가 부보 가능 지역인지 여부
(전쟁지역 여부)

　　4.　부상자 후송을 위한 DC-10기 주1회 지원은 가능하나 후송용 특수장비는
보유하고 있지 않은 바, Stretcher 등 특수장비를 미측이 제공하는지 여부

　　5.　수송기에 필요한 대호 미군 표준 Pallet와 Cargo net는 KAL측은 보유
하고 있지 않은 바, 미측이 이를 제공할 수 있는지 여부

　　6.　KAL측은 폭약류의 수송은 담당할 수 없다고 하는 바, 이에대한 미측의
보장.　끝.

　　　　　　　　　　　　　　　　　　　　　　　　（미주국장　　반기문）

예 고 :　91.12.31.일반

일반문서로 재분류(19　.　.　)

검 토 필 (19　.　.　)

0006

공   란

美 上.下 議員 接觸時 軍 輸送支援團 派遣 關聯 說明資料

o 韓國政府의 2億 8千万弗 相當의 追加支援 決定은 우리가 負擔할 수 있는 最大의 水準이며 誠意 表示이기도 함. 우리는 우리의 財政.經濟 能力에 限界가 있음을 잘 알고 있기 때문에 이러한 不足한 점을 조금이라도 補完키 위해 154名 規模의 軍 醫療支援團 派遣에 追加하여 軍 輸送團 派遣을 決定할 것임.

o 同 決定은 國內的으로 國會 同意節次 等 政治的 負擔이 상당히 큼에도 불구하고 盧 大統領의 政治的 決斷으로 追加된 것임.

o 이러한 決斷은 결국 韓.美 友好關係를 감안한 우리의 積極的 協調 意志를 나타내는 것임.

```
┌──────── * 박동진 大使 美 上.下 議員 面談 日程 ────────┐
│                                                              │
│  2.5(火)        Phil Gram 上院議員(共和, TX)              │
│                                                              │
│                 John McCain 上院議員(共和, AZ)            │
│                                                              │
│                 Gerald Solomon 下院議員(共和, NY)         │
│                                                              │
│  2.6(水)        Charles Robb 上院議員(民主, VA)           │
│                                                              │
│                 Thomas Daschle 上院議員(民主, SD)         │
│                                                              │
└──────────────────────────────────────────────────────────┘
```

양고제	복미과	91년2월2일	담당	과장	심의관	국장	차관보	차관	장관
			박.	(서명)		(서명)			

0008

EMBASSY OF THE
UNITED STATES OF AMERICA

Feb. 4

Dear Director General Ban,

I thought you might be interested in the attached "press guidance" from the State Department. This is not a press statement. Rather, these are points that might be made, if asked

Sincerely
Hank Hendrickson

0009

ADDITIONAL KOREAN AID TO THE GULF EFFORT

Q: WHAT IS YOUR REACTION TO THE REPORT THAT SOUTH KOREA
WILL CONTRIBUTE $280 MILLION WORTH OF ADDITIONAL
SUPPORT FOR THE WAR EFFORT IN THE GULF?

A: -- WE ARE VERY PLEASED THAT SOUTH KOREA HAS
VOLUNTEERED TO PROVIDE ADDITIONAL ASSISTANCE TO THE
MULTINATIONAL EFFORT IN THE GULF.

-- THIS CONTRIBUTION DEMONSTRATES KOREA'S DETERMINATION
TO ASSIST THE MULTINATIONAL EFFORT TO RESIST SADDAM
HUSSEIN'S AGGRESSION.

-- KOREA HAD ALREADY PLEDGED $220 MILLION IN
ASSISTANCE FOR THE MULTINATIONAL FORCE AND FRONT LINE
STATES, AND IN MID-JANUARY KOREA DEPLOYED A 154-MAN
MEDICAL UNIT TO SAUDI ARABIA.

-- WE DO NOT YET HAVE DETAILED INFORMATION ON THE MAKEUP
OF THE ADDITIONAL ASSISTANCE KOREA HAS ANNOUNCED, BUT
UNDERSTAND THAT IT WILL INCLUDE 5 C-130 AIRCRAFT AND
PERSONNEL TO SUPPORT DESERT STORM.

-- THE SITUATION IN THE GULF CONTINUES TO UNFOLD. WE
EXPECT THAT WE AND OTHER NATIONS WILL CONTINUE TO LOOK AT
FURTHER NEEDS AS THE SITUATION EVOLVES.

-- WE WILL BE DISCUSSING ECONOMIC NEEDS OF THE FRONT LINE
STATES AND LEVELS OF CONTRIBUTIONS IN THE GULF CRISIS
FINANCIAL COORDINATING GROUP MEETING IN WASHINGTON ON
FEBRUARY 5.

0010

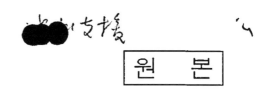

외 무 부

종 별 :

번 호 : LAW-0172   일   시 : 91 0204 1740

수 신 : 장 관(미북.중근)

발 신 : 주(라성)총영사

제 목 : 걸프전 관련 아국관련기사

1. 당지 L.A.TIMES 지는 2.4. 사설란에 ''TRYING NOTTO OFFEND ANYONE'' 제하 아시아 제국이 걸프전을 위요하고 우호한 입장을 견지하고 있다는 사설을 게재한바, 그주요내용은 아래와 같고 본문은 FAX송부함.

    가. 아시아국가들은 이차 관심사는 경제성장 지속을 위한 지역안보 유지에 있으며 중동으로 부터 원유를 수입하고 근로자를 송출하고 있는 상황에서 걸프전의 어느편에도 적극 가담치 못하고 있는 실정임.

    나. 미국과 긴밀한 양자관계에 있는 일부 서구화된 국가들, 특히 일본과 한국은 다국적군을 비교적 적극지원하고 있는 반면, 회교권인 남아시와와 동남아시아 국가들은 걸프전 확대가 자국내 회교민족주의를 자극시킬것을 우려하여 정부차원에서는 공식적으로 다국적군을 지원하고 있으나, 국민들은 걸프전이 이슬람과 서방 열강간의 투쟁이라고 보고 사담후세인에 동조하고 있음.

    다. 연이나 아시아 제국은 비록 대부분이 빈곤하지만 각자 나름대로 다국적군을 지원하고 있음.

2. 동지는 아국의 다국적군 지원과 관련, 한국인 5억불의 재정 및 물자지원을 약속하고 154명의 의료단을 기파견하였다고 언급함.끝.

    (총영사-국장)

미주국	장관	차관	1차보	2차보	중아국	중아국	정문국	정와대
총리실	안기부							

외 무 부

종 별 :

번 호 : USW-0589

수 신 : 장 관(해신, 미북,기정)

발 신 : 주 미 대사

제 목 : 솔로몬 차관보 MBC 위성회견

일 시 : 91 0204 1923

1. SOLOMON 국무성 아.태 담당 차관보는 2.6저녁 8:45-9:15 (당지시각)간 MBC 와 단독 위성회견을 통해 한국의 걸프 사태 추가지원 발표에 대한 반응등 미국의 대걸프 전쟁 정책에 대해질의 응답을 가질 예정임.

2.이번인터뷰는 MBC 가 서울 USIA 를 통해 요청함으로써 이루어진것으로 SOLOMON 차관보는 앞서 동일 8:15 부터 30분간 FUJI TV 와도 단독인터뷰를 가질 예정임.

3. 이 프로는 WORLD NET INTERVIEW 프로의 하나이나 다른 점은 3각 4각 동시 인터뷰가 아니고 30분간의 계속적인 단독 인터뷰임

(공보관 -외보부장)

공보처   1차보   미주국   정문국   안기부   2국심   중이국   차관   장관   씨책관

PAGE 1

91.02.05   13:21 WG

외신 1과 통제관
0012

공 란

공　　　란

공   란

관리	91-
번호	18

외 무 부

종 별 : 초긴급

번 호 : USW-0598

일 시 : 91 0205 0024

수 신 : 장관(친전)

발 신 : 주 미 대사(차관)

제 목 : ROWEN 차관보 면담

연:USW-0594

소직은 연호 KIMMITT 차관 면담에 앞서 1430 국방성을 방문, ROWEN 국제 안보담당 차관보와 약 40 분간 면담한바, 요지를 다음과 같이 보고함(배석: 김저오한 주미 국방무관, 이정보 국장, 유참사관, 송과장, 이윤재 과장, KNOWLES 한국담당관)

1. 소직이 미국이 걸프 사태에 대하여 강경히 대처하는 것은 세계적 유가 안정에 기여하고, 아울러 침략에 대해 국제사회가 공동 대처할수 있다는 것을 보여주는 좋은 교훈적 사례가 되는것으로 평가되며, 한국은 미국의 이러한 입장을 적극적으로 지지하고 있다고 말한데 대하여 ROWEN 차관보는 동감을 표시하면서 북한도 매우 호전적인 집단이므로 북한으로서도 걸프전에 대한 국제적 응징 조치에서 좋은 교훈을 얻었을 것이라는 반응을 보임.

2. 또한 동 차관보는 미국의 전략은 초기단계에서 공군력의 집중적 부입을 통해 1)이락의 공군력을 무력화하고, 11) 핵, 생.화학등 대량 살상 무기를 파괴하고, 111) 지휘, 봉제 기능을 마미 시키며 , IV) 보급 시설을 차단하고, V) 이락군을 무력화 (ATTECT THE TROOPS)하는 것이라고 하면서, 이락군은 방대한 지역에 널리 산재되어 있고, 지하에 매복하기도 하여 이를 무력화 하는것은 쉽지 않은 작업이나, 이러한 미국의 초기 단계 목표는 만족할 만큼 달성된 단계라고 평가함.

3. 소직이 현재까지의 전황 및 금후 라마단 및 혹서의 시작등을 감안한 전쟁 양상에 관하여 문의한데 대하여 ROWEN 차관보는 SAMRT 무기를 비롯한 공군력을 이용한 초기 작전의 성공에 대하여 대체적으로 만족한다고 하면서, 라마단이나 혹서의 시작은 전쟁의 양상에 큰 영향을 미치지 않을것이라는 견해를 표시하면서 전쟁이 며칠 사이에 끝날수야 없지만 수개월이 걸릴것으로는 생각치 않는다는 낙관적 견해를 표명함. 아울러 ROWEN 차관보는 현단계에서 외교적 수단에 의한 전쟁종결 가능성에 대해 강한

장관 , 차송총 저유레더로안비 , 안기부남

PAGE 1

91.02.05   14:59

외신 2과 통제관 CH

0016

회의를 표시 하였음.

4. 이어서 소직은 한국이 걸프전이 가지는 국제정치, 경제적 의미를 심각히분석하고, 미국이 이끄는 연합군에 대한 적극적인 지지를 표시하기 위해 5억불의 지원과 군 의료단 및 군 수송기 파견을 결정한것임을 설명하면서, 한국의 경우에는 일본과는 달리 무거운 방위비 부담을 짊어지고 있고, 특히 "동아시아 신전략"(EASI)에 따라 한국의 방위분담은 더욱확대 될것이며, 이에 더하여 한국 경제가 최근 심각한 어려움에 처해있는 상황에서 한국이 상기와 같은 대미 지원 결정을 내린것은 한. 미 관계의 특수성에 대한 깊은 고려에서만 나올수 있었던 것임을 설명 하였음.

5. 이에 ROWEN 차관보는 전반적으로 한국의 지원에 감사한다고 사의를 표하면서, 그러나 현재 미국이 매우 중요한 시기(VERY COMPLICATED STAGE) 에 처해 있으므로 한국이 가능한한 현금 형태로 지원해 주기를 기대한다는 반응을 보였음.이에 대해 소직은 2 차분중 1 어 7 천만불은 군수물자, 1 억 1 천만불은 현금 및 수송 지원으로 되어 있는바, 그 이유는 예산상의 제약이 있기 때문임을 설명하면서, 예비비가 허락하는한은 현금지원을 하고자 하나, 그 이상은 부득불 군수물자로 지원하고자 하는것임을 설명 하였음.

끝

예고:91.12.31. 일반

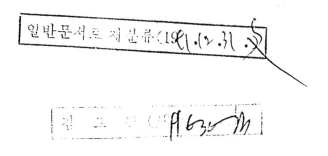

PAGE 2

관리번호 91-60

외 무 부

종 별 : 지급

번 호 : USW-0605

일 시 : 91 0205 1548

수 신 : 장관(미안,미북,동구일)

발 신 : 주 미 대사

제 목 : 군경계강화(걸프전)

　　걸프전 진행과 관련, 2.3. 국방부에 대한 노대통령의 경계 강화지시에 대한 국내 언론보도에 이어 외신의 보도는 물론 소련 외무부 대변인 논평등 주변국들의 반응이 나오고 있는 것으로 보이는바, 주재국측과 협의시 참고코자하니 이에 관련된 내용을 지급 알려주기 바람.

　　(대사 박동진-국장)

예고 : 91.12.31.까지
의거 일반문서로 재분류 검토필 (1991. 6. 30.)

미주국 총리실	장관 안기부	차관	1차보	2차보	미주국	구주국	중아국	청와대

PAGE 1

91.02.06 06:06

외신 2과 · 통제관 DO

0018

원 본

외 무 부

종 별 : 지 급

번 호 : USW-0620

일 시 : 91 0205 1915

수 신 : 장관(미북)(사본:국방부장관)

발 신 : 주 미 대사

제 목 : 걸프사태 관련 대미 추가 지원

연:USW-0510

대:WUS-0427

1. 금일 당관은 대호 질의사항을 미 국방부에 전달하고, 미국방부에서 미측답변 내용을 주한미군내 유관부서에 통보해 주도록 협조 요청함.

2. 한편, 미국무부, 는 연호 3 항의 추가 지원과 관련한 내용은 국방부 요청에 따라 아측에 단순히 전달한 것이라고 하면서 동건 관련 구체적인 세부 사항은 이미 서울에서 한미 양측 군 당국자간에 직접 협의하고 있는 것으로 본다는 반응을 보였음.

(대사 박동진-국장)

예고:91.12.31 일반

일반문서로 재분류(1991.12.5)

검 토 필 (1991.6.30)

미주국	장관	차관	1차보	2차보	청와대	안기부	국방부

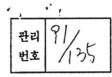

외　무　부

관리번호 91/135

종　별 : 지급
번　호 : USW-0628
수　신 : 장관(미북,중근동)
발　신 : 차 관 (주미대사 경유)
제　목 : 걸프사태 재정공여국 조정위 제 4차 회의

일　시 : 91 0205 2353

표제회의는 예정대로 2.5(화) 10:00-13:00 간 재무부 회의실에서 28 개국(3 차회의 참석국에 호주, 놀웨이, 아이스랜드 추가)및 EC, GCC, IMF, IBRD 대표 참석하에 MULFORD 재무차관과 KIMMITT 국무차관 공동 주재로 개최되었음. 아측은 소직이 이정보 국장, 최영진 참사관, 허노중 재무관, 이윤재 과장을 대동 참석한바, 요지 하기 보고함.

1. 개회벽두 KIMMITT 차관은 하기 내용의 발언을 하였음.

가. 이락에 대해서는 정치, 경제및 군사적 차원에서의 종합적 대응이 필요한바, 금번 걸프만 전쟁은 이락의 쿠웨이트로 부터의 철수라는 목적을 달성하기 위한것이지 이락 자체의 파괴를 목적으로 하고있는것이 아니라는것을 강조하고자함. 이러한 고려때문에 군사시설만을 공격 목표로 삼고 있음.

나. 오늘 회의 참석국가중 18 개국이 연합국에 참전하고 있고, 군사적 동맹은 계속 결속이 강해지고 있으며, 경제적 차원의 결속을 다지기 위한 데 오늘 회의의 주요 목적이 있음.

다. 요르단의 경우 요르단의 정치적 성향에 대해서 실망을 금할수 없으나, 요르단이 경제 봉쇄에는 계속 참여하고 있기 때문에 요르단에 대한 재정 지원을 계속할 필요가 있다는것이 미국의 입장임.

라. 전선국가 이외에 걸프 사태로 피해를 입고 있는 국가로서 동구권 국가들에 대한 관심을 기울이지 않을수 없음.

KIMMIT 차관은 대표단과 인사하는도중 소직에게 와서 어제 자신의 사무실을방문하여주어 감사하다고 말하였을뿐 작일 사무실에서는 금일 회의전 대화를 계속하자고 하였으나, 그이상의 대화를 추구하지 않았음.

2. 이어서 IMF, IBRD 의 전선 3 개국 경제상황 및 피해액에 관한 설명이 있었음.

미주국　　장관　　중아국　　청와대　　안기부

PAGE 1

91.02.06　16:52
외신 2과 통제관 BN
0020

3. MULFORD 차관은 별첨 I 도표와관련, 현재까지 전선국가에 대한 원조 약속이 110 억불, 원조 이행액이 40 억불로서 미 이행분이 70 억불이나 되어 이에 대한 조속한 시행이 요청된다고 언급하고, 터키의 경우 30 억불, 요르단의 경우 35 억불 총 65 억불이 부족한 상태이고 미할당분 26 억불이 이들국가에 할당된다고 할지라도 39 억불이 부족한 상태이기 때문에 오늘 회의에서는 조속한 원조 이행, 및 미할당금액의 할당 및 추가 약속등 3 가지 문제에 중점을 두어 진행하자고 하면서, 사우디, 쿠웨이트, UAE, EC 불란서, 독일, 일본 및 한국을 특히 지적하여 발언을 요청함.

4. 이에 대해, 소직은 한국 입장을 아래와같이 설명함.

가. 한국은 금번 회의 참석 국가중 유일한 비산유 개발 도상국가로서, 한국은 재정 지원국가 그룹의 일원으로 걸프 사태 해결에 기여하게 된것을 기쁘게 생각함.

나. 도표에 한국의 총기여액이 100 백만불로 되어 있으나 115 백만불로 수정되어야 하는바, 이는 이집트 등 일부 국가가 군수물자 대신 생필품 현물지원을요청하여 15 백만불이 재정지원에 추가 되었기 때문임.

다. 재정 지원 총 115 백만불중 95 백만불은 이미 한국 국회에서 예산조치가 끝났기 때문에 원조를 시행하는데 아무런 문제가 없게 되었음.

라. 약속금액의 조속한 집행을 위하여 본인이 작년 11 월 한국 조사단을 이끌고 이집트, 요르단, 터키, 시리아를 방문하여, 이들 국가들과 구체적인 원조 필요 분야에 대해 협의를 시작한바 있으므로, 이에 따라 대부분의 집행이 금년 1/4 분기중 가능할것으로 예견됨.

마. 또한 걸프 사태로 피해를 입고 있는 동구권 국가중 헝가리, 폴랜드, 루마니아 및 불가리아에 대하여는 한국이 별도의 광범위한 경제 협력 사업을 시행하고 있음을 밝히고자 함.

바. 비재정분야 군사지원에 있어서는 지난주 한국이 280 백만불의 추가 군사지원을 약속하여 총원조액이 500 백만불에 달하게 되었으며, 그외에 150 여명의 의료단을 사우디에 기 파견하였고, 5 대의 C-130 군수송기 지원이 원칙 결정되었음.

5. 원조 집계의 언론 공개와 관련, 상세내역은 계속 대외비로 하고 별첨 도표 II (원조 약속 총액 141 억불, 전선 3 개국 110 억불, 기타국 31 억불)및 현재까지의 집행액 72.8 억불의 대략적 내역만 미측에서 언론에 발표키로 하였음.

6. 차기 회의는 룩셈브르크 대표 (EC 의장국)의 제안을 받아들여 유럽에서 하기로 하고 시기는 3 월 전반기로 잠정 결정됨.

PAGE 2

첨부:1.USW(F)-0462
2.USW(F)-0463
(차관-장관)
예고:1991.12.31 까지

검 토 필 (1991. 6 .30.)

0022

별첨 Ⅱ

TABLE A

GULF CRISIS FINANCIAL ASSISTANCE *

($ Billions – as of 2/5/91)

Donor/Creditor	Commitments
GULF STATES	9.3
EUROPEAN COMMUNITY	2.3
JAPAN	2.1
OTHER	0.4
TOTAL	14.1

* Includes all commitments to date for extraordinary economic assistance in 1990 and 1991. Does not include contributions to the multinational force, existing bilateral assistance, or funds made available by the IMF and World Bank.

TABLE B

GULF CRISIS FINANCIAL ASSISTANCE *

($ Billions – as of 2/5/91)

Donor/Creditor	Total Commitments	1990–91 Commitments			Other States
		Egypt/Turkey/Jordan	Unallocated		
GULF STATES	9.3	6.1	0.2		3.0
EUROPEAN COMMUNITY	2.3	2.0	0.2		0.1
JAPAN	2.1	2.0	0.1		0.0
OTHER	0.4	0.2	0.2		0.0
TOTAL	14.1	10.3	0.7		3.1

* Includes all commitments to date for extraordinary economic assistance in 1990 and 1991. Does not include contributions to the multinational force, existing bilateral assistance, or funds made available by the IMF and World Bank.

TABLE C

GULF CRISIS FINANCIAL ASSISTANCE *
($ Billions – as of 2/5/91)

Donor/Creditor	Commitments	Disbursements
GULF STATES	9.3	5.4
EUROPEAN COMMUNITY	2.3	~~0.5~~ 0.68
JAPAN	2.1	0.4
OTHER	0.4	0.1
TOTAL	14.1	6.4 / 6.6

* Includes all commitments to date for extraordinary economic assistance in 1990 and 1991.
Does not include contributions to the multinational force, existing bilateral
assistance, or funds made available by the IMF and World Bank.

0025

수신: 장관
발신: 주미대사 (경제,안)
제목: USW

GULF CRISIS FINANCIAL COORDINATION GROUP

February 5, 1991

AGENDA

I.   Introduction by Chair

II. Political Overview

III. Presentation by IMF and World Bank

    A.   IMF/World Bank Responses to Gulf Crisis

    B.   Economic Developments in and Status of Discussions with Egypt, Turkey, and Jordan

IV. Status of Commitments and Disbursements

    A.   Report of Working Committee on Commitments and Disbursements

    B.   Prospects for Acceleration of Disbursements

    C.   Additional Commitments for 1991

V.   Next Steps

0462-1

(Millions of U.S. Dollars)

Balance of Payments

	Grants	In Kind	Loans	Project Financing	Co-Financing	Unspecified	TOTAL
GCC STATES	1075	1420	100	1050	0	2703	6348
Saudi Arabia 1/	1000	1160		500		188	2848
Kuwait	75	10	100	550		1765	2500
UAE		250				750	1000
EC	662	6	111	0	7	1397	2183
EC Budget	78					682	760
Bilateral:	584	6	111	0	7	715	1423
Belgium						33	33
Denmark	21					9	30
France						200	200
Germany	414		13			468	895
Ireland		6					6
Italy	88		62				150
Luxembourg	4						4
Netherlands	56				7		63
Portugal	1						1
Spain			36				36
U.K.						5	5
OTHER EUROPE/AUSTRALIA	45	1	0	0	0	179	225
Australia		1	0	0	0	13	14
Austria						11	11
Finland						11	11
Iceland						3	3
Norway						32	32
Sweden	45						45
Switzerland						109	109
JAPAN 2/	90	1	648	194	157	1026	2116
CANADA	66						66
KOREA		60	23				83
TOTAL	1938	1488	882	1244	164	5305	11021

* Does not include contribution to multinational force. Totals may not equal sum of components due to rounding. Based on data submitted to the Coordinating Group. Includes assistance to Egypt, Turkey, and Jordan.

1/ Project financing for Egypt is on grant basis. 2/ Balance of payments loans are 30 years at 1% interest. Project financing is loans, terms not yet specified.

13|3|91

GULF CRISIS FINANCIAL ASSISTANCE *
1990-91 COMMITMENTS AND DISBURSEMENTS
(Millions of U.S. Dollars)

	TOTAL			Egypt			Turkey			Jordan			Unallocated 1/			Other States			GRAND TOTAL		
	Commit.	Disb. to Date	Future Disb.	Commit.	Disb. to Date	Future Disb.	Commit.	Disb. to Date	Future Disb.	Commit.	Disb. to Date	Future Disb.	Commit.	Disb. to Date	Future Disb.	Commit.	Disb. to Date	Future Disb.	Commit.	Disb. to Date	Future Disb.
GCC STATES 2/	6348	3012	3336	3123	2263	860	2060	682	1378	0	0	0	1165	67	1096	2950	2129	821	9298	5141	4157
Saudi Arabia 3/	2848	1570	1278	1688	1288	400	1160	282	878	0	0	0	0	0	0	1503	1103	400	4351	2673	1678
Kuwait	2500	855	1645	1015	555	460	550	300	250	0	0	0	935	0	935	1184	763	421	3684	1618	2066
UAE 3/	1000	587	413	420	420	0	350	100	250	0	0	0	230	67	163	263	263	0	1263	850	413
EC	2184	515	1669	1125	194	931	431	87	344	452	168	283	176	66	110	108	0	108	2292	515	1777
EC Budget	760	78	682	254	16	239	240	2	239	214	10	204	51	51	0	0	0	0	760	78	682
Bilateral	1424	437	987	871	178	693	191	85	106	237	159	79	125	15	110	108	0	108	1532	437	1096
Belgium	33	7	26	16	6	10	7	0	7	10	1	9	0	0	0	0	0	0	33	7	26
Denmark	30	4	26	20	0	20	0	0	0	10	4	6	0	0	0	0	0	0	30	4	26
France 4/	200	0	200	50	0	50	30	0	30	20	0	20	100	0	100	30	0	30	230	0	230
Germany	895	362	533	673	154	519	74	74	0	148	134	14	0	0	0	69	0	69	964	362	602
Ireland	6	0	6	6	0	6	0	0	0	0	0	0	0	0	0	0	0	0	6	0	6
Italy 5/	150	4	146	75	0	75	49	0	49	27	4	23	0	0	0	9	0	9	159	4	155
Luxembourg	4	1	3	1	0	1	1	0	1	1	1	0	1	0	1	0	0	0	4	1	3
Netherlands	63	45	18	18	18	0	18	11	7	18	11	7	9	5	4	0	0	0	63	45	18
Portugal	1	0	1	0	0	0	1	0	1	0	0	0	0	0	0	0	0	0	1	0	1
Spain	36	9	27	12	0	12	11	0	11	14	9	5	0	0	0	0	0	0	36	9	27
U.K.	5	5	0	0	0	0	0	0	0	0	0	0	5	5	0	0	0	0	5	5	0
OTHER EUROPE/AUSTRALIA	225	49	175	13	2	11	9	2	7	37	18	19	165	27	138	21	21	0	246	70	175
Australia	14	3	11	1	1	0	0	0	0	0	0	0	13	2	11	0	0	0	14	3	11
Austria	11	1	10	0	0	0	0	0	0	9	0	9	2	1	1	0	0	0	11	1	10
Finland	11	0	11	0	0	0	0	0	0	0	0	0	11	0	11	0	0	0	11	0	11
Iceland	3	2	1	0	0	0	1	0	1	1	1	0	1	1	0	0	0	0	3	2	1
Norway	32	14	18	2	2	0	5	2	3	2	2	0	23	8	15	21	21	0	53	35	18
Sweden	45	21	24	10	0	10	4	0	4	26	16	10	5	5	0	0	0	0	45	21	24
Switzerland	109	9	100	0	0	0	0	0	0	0	0	0	109	9	100	0	0	0	109	9	100
JAPAN 6/	2116	445	1671	444	0	444	320	218	102	266	167	99	1086	60	1026	0	0	0	2116	445	1671
CANADA	66	17	49	22	0	22	4	0	4	23	0	23	17	17	0	0	0	0	66	17	49
REA	83	5	78	23	0	23	20	5	15	15	0	15	25	0	25	17	2	15	100	7	93
(a) TOTAL COMMITMENTS	11021	4043	6978	4751	2459	2292	2844	994	1850	793	354	439	2634	237	2397	3096	2152	944	14117	6195	7922
(b) EST. EFFECT OF GULF CRISIS 7/	13580	13580	-	3375	3375	-	5910	5910	-	4295	4295	-	-	-	-	-	-	-	-	-	-
DIFFERENCE (a minus b)	-2559	-9537	-	1376	-916	-	-3066	-4916	-	-3502	-3941	-	-	-	-	-	-	-	-	-	-

* Does not include contributions to the multinational force. Totals may not equal sum of components due to rounding. Based on data submitted to the Coordinating Group. 1/ Unallocated among Egypt, Jordan, and Turkey. Includes general humanitarian assistance. 2/ GCC financing. for "Other States" is for Syria, Morocco, Lebanon, Somalia, and Djibouti. 3/ Grant aid to Turkey: $1160 million from Saudi Arabia and $250 million from the UAE. 4/ Protocols for $130 million of grand total were signed by end-November. Aid to "Other States" is for Morocco. 5/ Italian aid to "Other States" is for Somalia. 6/ All GOJ procedures for $322 million to Egypt completed; awaiting parliamentary approval in Egypt.
7/ IMF/World Bank estimates (total at $31/barrel) circulated to Group shown for illustrative purposes. Not intended to represent precise figure of impact.

0028

외 무 부

종 별 : 지 급

번 호 : USW-0630   일 시 : 91 0206 0019

수 신 : 장관(친전)

발 신 : 차 관

제 목 : 국무부 ZOELLICK 자문관 면담

1. 소직은 금 2.59 화) 15:00-16:20 간 국무부에서 ZOELLICK 자문관과 면담,걸프사태, 한. 쏘 경협, UR, 통상 및 APEC 문제등에 관해 논의한바, 요지 아래보고함. 동 자문관은 현재 국무부 업무 전반에 관해 국무장관의 자문역할을 하고 있으며, 오는 3 월 MCCORMACK 경제 차관 후임으로 취임할 예정임. (아측: 대표단 전원 및 최영진 참사관, 미측:MCALLISTER 차관보, JENNY SOUR 보좌관 및 CARTER 한국과 경제 담당 배석)

  가. 걸프 사태

  O ZOELLICK 자문관

  - 걸프 사태 지원에 대한 한국의 조치와 입장에 관해 KIMMITT 차관으로부터도 설명을 받은바 있으며, 자신이 한국에 대해 구체적 요청을 할 입장에 있지 않으나, 미의회와 국민들이 한국의 기여가 미흡하다고 평가를 하고 있음을 감안, 보다 적극적인 조치가 필요할것으로 봄.

  - 머지 않아 지상전이 벌어질것이고 그렇게 되면 많은 미군사상자가 생기게되고 여론과 의회가 비판적인 눈으로 다른 나라의 지원 내역을 검토하게될것임. 한국은 이에 대비할 필요가 있음.

  O 소직

  - 아국은 여야를 막론하고 걸프전쟁 지원을 위해 최선을 다해야 한다는 데 의견을 일치를 보고 있으며, 이는 단순히 석유의 안정적 공급을 위한 경제적 이유에서가 아니라 불법 침략 행위는 용납되지 않는다는 국제 사회의 정의실현과 한. 미 동맹관계를 공고히 발전시킨다는 정치.안보적 고려가 더크게 작용하고 있음.

  - 그러나 한국의 지원 능력을 평가하는데 있어서 우리는 미국이 타국과 비교한 GNP 규모를 표준으로하는데에는 이의를 제기하지 않을수 없음. 우리는 이러한 기여금을

장관 / 청와대(외교안보) , 청와대(경제수석)

"마" 항은 동북아과, 경동반에 배포필

결정하는데 있어서 필요한 기준은 단순 GNP 비교 보다는 국민소득의수준(개인의 경우 고소득자는 누진적 과세율 부과), 대외자산의 크기, 무역수지, 타 방위비 부담율등의 요소를 종합적으로 고려하여야 한다고보며, 이러한 종합 표준을 고려할때 한국은 일본의 GNP 에 대한 산술비교 보다는 월등히 적은 금액을 부담하여야 한다는 결론에 도달하지 않을수 없음을 설명함.

- 다만 상기 미여론과 의회가 걸프사태 공과를 평가할때, 한국이 소련에 대하여 30 억불의 경제원조를 제공하면서 미국이 주도하는 걸프사태에는 5 억불밖에 지원하지 않는 다는점이 비교될것이 우려됨.

   0 소직

   - 한국의 대소 경제협력은 정치적 고려에 입각하여 전적으로 상업적 조건에의해 제공하는것이며 정부에서 지불하는 금액은 없음.(30 억불의 분야별 구체 조건 설명)

   - 상환문제도 소련 극동지역의 천연가스, 원목, 원광등으로 해결될수 있을 것임.(이에 대해 동 자문관은 미국 여론과 의회가 한국의 대소 원조제공에 있어 상세한 조건까지 이해하려고 하지는 않을 것임을 유념할 필요가 있다고 지적함)

   다. 우루과이 라운드

   0 ZOELLICK 자문관

   - UR 협상시 미국과 EC 의 입장이 대립되고 있는 가운데 미국과 모든 면에서 우호협력관계에 있는 한국이 EC 편에선데 대해 미행정부와 의회가 매우 의아하게 생각하고 있음.

   - 한국의 그러한 선택과 근래 일련의 봉상관련 조치들에 비추어 한국이 과연 믿을만한 상대인지에 대해 미국 조야에서 의문이 제기되고 있는것은 심각한 문제임.

   - 국제무역의 가장 큰 수혜자 중 하나인 한국으로서는 자유무역체제를 유지하는데 적극적인 역할을 해야할것이며, 89 년 이래의 과도기적 경제 침체를 이유로 개방 정책의 후퇴를 보인다면 한국에 대한 미국의 신뢰는 손상될뿐만아니라 한국의 이익에도 부합되지 않을 것임.

   0 소직

   - UR 문제전반에 있어서는 한국이 미국에 대해 강력한 친화감을 가지고 임하고 있음.

   - UR 농산물협상과 관련, 우리 농촌경제의 구조적 문제점등으로 일시적인 오해가 있었으나 기본적으로 미국과 입장을 같이하고 있는 만큼 이러한 일이 앞으로 결코

PAGE 2

0030

부정적 영향을 미쳐서는 안될 것임.

　라. 한. 미 봉상문제

　0 ZOELLICK 자문관

　- 지난 1월 한. 미경제협의회후 한국의 전향적 자세로 상황이 호전되고 있는 만큼 이러한 추세가 계속되기를 바람.

　- 미국의 무역 정책 결정에 있어 커다란 영향력을 가지고 있는 재무성이 한국에 대해 비판적인 입장을 취하고 있는 바, 재무성의 주요 관심사항인 금융 분야등에 있어서도 계속적인 노력을 경주해 주기를 요망함.

　0 소직

　- 아국은 한. 미 봉상 전반에 있어 미측의 관심을 충분히 고려토록 최선을 다하고 있으며 세부 대책 수립시 미측 입장을 검토, 반영할 것임.

　마. APEC

　0 ZOELLICK 자문관

　- 현 미국 행정부가 구라파 문제에 많은 시간을 할애하고 있지만 동북아 포함한 아태지역의 중요성을 늘 염두에 두고 있음.

　- APEC 이 현상의 관리가아니라 미래의 방향을 설정하는데 중요한 기능을 할것으로 기대되며 BAKER 장관과 자신이 금년 10월 각료회의에 참석토록 추진중임.

　- 말련의 동아시아 공동 시장 제안에 대해 말련의 최대 수출국인 미국을 제외한 상태에서 동제안이 실현될수 있겠는가 의문임. 동 제안이 마하티르 수상 자신의 구상으로 관측되는 만큼 정면에서 즉각적으로 반대할 경우 수상자신을 곤란하게할 우려가 있으므로, 시간을 두고 서서히 무산되도록 하는것이 좋겠다는것이미국의 입장임.

　0 소직

　- APEC 관련, 현재 가장 중요한 사항중의 하나는 중국의 가입문제임.

　- 중국이 지금까지 아국과 이문제에 대한 공식적 대화를 회피해 왔으나, 최근 무역 대표부 개설등 환경이 개선되고 있으므로 협의가 진전될수 있을 것으로 기대하며, 미국과 긴밀히 협의하여 추진해 나가고자함.

　2. 국무부 한국과에 의하면 ZOELLICK 자문관은 근래 한. 미 관계에 대해 커다란 관심을 보이고 있어, 한국과는 금일 소직과의 면담을 위해 약 30 페이지의 TALKING POINTS 와 배경 설명 자료를 준비하였다 함. (평소 한국과에서는 2-3 페이지 정도의

PAGE 3

0031

자료를 준비한다고 함)

4. 건의

  0 금융시장 문제와 관련하여 아측의 입장을 재검토해 보는것이 필요할것으로 보임.
동인이 차관으로 취임하는 경우 이문제를 우선적으로 다룰것으로 보였음.

    예고:91.12.31 일반

PAGE 4

0032

외 무 부

종 별 :

번 호 : USW-0647   일 시 : 91 0206 1940

수 신 : 장관(친전)

발 신 : 주 미 대사

제 목 : 차관방미활동(SOLOMON차관보 면담)

연:USW-0594

1. 당지를 방문중인 유종하 차관은 금 2.6. SOLOMON 동아태 차관보와 오찬을 갖고 제반 한미 관심사에 관해 협의하였음.

동 오찬에는 미측에서 ANDERSON 동아태 부차관보, PAAL 백악관 아시아 보좌관, RICHARDSON 한국과장외에 HULL 이란. 이락 과장이 참석하였음(아측에서는 송민순과장, 유명환 참사관등 관계관 참석)

2. 유 차관은 먼저 GULF 지원문제와 관련, 아국 정부가 매우 어려운 제반국내 여건에도 불구, 최대의 노력을 기울여 지원 규모와 내용을 결정하게 되었음을 연호로 기 보고드린 요지와 같이 상세히 설명하고, 특히 한미 협력관계 의 유지를 최우선의 과제로 인식하고 있는 아국 정부 로서도 더 이상의 지원이 어려운실정임을 강조하였음.

또한 아측은 한소 경협에 대한 합의가 급히 이루어지게 된 배경과 그 내용이 상업적 베이스의 차관에 불과하다는 점도 소상히 설명하고 미측의 이해를 촉구하였음.

3. 이에 SOLOMON 차관보는 아측의 설명을 경청한후 아국의 사정이 대다수 미국인에게는 많은 다른 국가들 보다 특별히 어렵게 보이지는 않는다고 하고, 아국이 가능한한 보다 더 협조를 보이는것이 미국의 한국에 대한 지지를 강화하는데 도움이 될것이라고 말함.

미측 참석자들은 걸프전에서 젊은 미국사람들의 희생이 커질경우 미국민의 감정이 악화될 우려가 있다고 지적하고 한미간 혈맹관계의 중요성을 아측도 이해할것으로 본다고 말함.

이어 동 차관보는 작년에 한미간 봉상문제도 다소 어려움이 있었으나 지난 1월 한미 경제 협의회를 유차관이 훌륭히 이끌어 준 결과 상호 이해를 증진시킬수 있었다고

장관   , 외교안보리관

사의를 표명함.

4. 한편 유차관은 ROGACHEV 소 외무차관의 방한시 있었던 한소간 협의 내용및 유엔 가입 문제 추진에 대한 아측 생각을 설명하고 협조를 구한바 미측은 UN문제등 아국의 주요 대외정책에 대한 지지 입장을 재확인 하면서, 한반도 제반주요정세(북한의 태도, 한반도 정세에 관한 소외무부 대변인 발언, 북한의 스커드 미사일 배치여부, 소-북한 군사관계, 중-북한관계, 일-소관계(북방 영토 문제)등에 대해 관심을 표함.

특히 UN 가입 문제와 관련, 유차관은 미측이 중국을 설득 하는데 각별히 노력을 경주해 줄것을 당부한바 , 솔로몬 차관보는 캄보디아 문제에 관한 5 개국 회의시 중국측 과 접촉하여 설득 노력을 직접해 보겠다고 답변함.

5. GULF 전쟁의 진행과 관련, HULL 중근동 과장과 PAAL 보좌관은 전쟁의 양상은 대체로 미국이 원하는 바대로 진행되어 왔으며, 미 행정부가 머지않은 시기에 지상전에 돌입하게 될 가능성이 있다는 견해를 표시함.

6. SOLOMON 차관보는 전쟁의 종식과 관련, 핵.화학 무기 및 고도 정밀무기의 확산 방지가 국제문제중 가장 중요한 잇슈의 하나가 될것으로 예상된다고 하면서, 북한의 IAEA 서명 및 제 3 세계(특히 중동지역) 에 대한 무기 수출 방지 문제에 계속적 관심을 갖게될것이라고 밝힘.

이와 관련 HULL 과장은 북한이 당장 현 상황에서 이락에대한 직접적 미사일수출등은 어려울것이나 , 향후 장기적 관점에서 북한이 이러한 행동을 하지 못하도록 억제할 필요가 있다고 하고, 여하한 LEVERAGE 가 있을지에 관심을 표명함.

7. 한편, 동 오찬기회에 양측은 한. 미.일 3 자 정책협의 문제에 관해서도 의견을 교환한바 , 동 내용은 국무부 정책 기획실 반응과 함께 별도 보고 예정임.

(대사 박동진-장관)

91.12.31. 일반

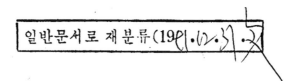

일반문서로 재분류(1991.12.31.)

검 토 필 (1991.)

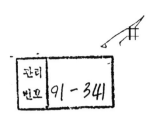

걸프事態 関聯 我国의 追加支援에 對한

美 行政府 反応

1 9 9 1. 2.

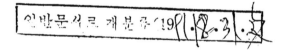

검 토 필 (19 91.

外 務 部

0035

91.2.5(火) 워싱톤에서 開催된 걸프事態 關聯 財政支援 供與國 調整委員會 第4次 會議에 參席次 訪美中인 政府代表團(首席代表: 外務次官)은 美 行政府 主要人士를 接觸하고 우리의 追加支援 内容과 立場 等을 説明한 바, 이에 대한 美側의 反應을 報告드립니다.

美 主要人士 言及要旨

(키미트 國務部 政務次官)

o 現 걸프事態 關聯 韓國의 自發的 財政支援 및 輸送支援 決定에 謝意 表明

o 韓國이 美國의 努力에 寄與했다는 美 議會의 評價를 위해서는 금번 追加支援 金額을 上廻하는 支援이 必要

o 韓.美 兩國의 형편을 考慮, 周邊國에 대한 追加 支援 형식을 통한 支援規模 增大 方案 提示

  - 이경우, 美 行政府가 議會에 대해 韓國의 立場을 積極 代辯할 수 있는 좋은 政治的 武器가 될 것임을 言及

0036

(솔로몬 國務部 東亞. 太 次官補)

ㅇ 韓國이 가능한 限 많은 協調를 提供하는 것이
   韓國에 대한 美國의 支持 强化에 도움
   - 걸프戰에서 美軍의 犧牲이 커질 경우 美國民의
      感情 惡化 可能性 및 韓. 美間 血盟關係
      重要性 勘案

(로웬 國防部 國際安保擔當 次官補)

ㅇ 韓國의 追加支援에 謝意를 표하면서 現在 美國이
   매우 重要한 時期에 처해 있음에 비추어 금번
   追加支援을 可能한 限 現金의 形態로 支援해 주길
   希望

┌─────────────┐
│ 観察 및 評価 │
└─────────────┘

ㅇ 걸프戰 戰費 關聯,   美側이 財政支援을 期待하고
   있는 主要國家는 日本, 獨逸, 사우디 및 쿠웨이트
   等인 것으로 感知

ㅇ 我國에 대해서는 戰費關聯 금번 支援과는 別途로
   이집트, 터키 等 소위 前線國家에 대하여 追加
   經濟支援을 통해 總 支援 規模를 增大시킬 것을
   期待

0037

o 我側이 現在 我國의 어려운 國內經濟 狀況 및
   防衛費 分擔 等에 비추어 금번 支援이 提供可能한
   最大의 水準임을 強調하였음에도 불구, 美側은
   我國의 追加支援이 期待에 未吸하다는 立場 開陳

   - 美側은 追加支援 問題가 經濟的 問題라기 보다는
      政治的 決斷의 問題라는 認識 表出

參考 事項

o 베이커 國務長官, 2.6(수) 下院 外務委 聽聞會에
   出席, 걸프事態 關聯 友邦國의 役割分擔 努力에
   滿足 表明
   - 日本, 獨逸, 사우디, 쿠웨이트 等의 追加
      支援 內容과 더불어 我國의 2.8億弗 追加
      支援 言及

o 美 國務部, 2.1(金) 我國의 自發的인 追加支援
   決定을 歡迎한다는 立場 表明

                                          - 끝 -

일반문서로 재분류 (1991 . 12. 31.)

0038

걸프 사태 관련 아국의 추가 지원에 대한

미국의 반응

1991. 2.

외 무 부

솔로몬 美 國務部 東亞.太 擔當 次官補는 2.7(木) 10:15(韓國時間)부터 約 1時間에 걸쳐 '월드 넷(World Net)' 프로그램에 出演, 日本 및 韓國의 放送局과 對談을 가졌읍니다. 文化放送 텔레비젼은 同 對談을 2.7(木) 저녁 9時 뉴스에 5分間 報道한 바 있고 2.8(金) 저녁 11:20-11:45分間 방영할 豫定인 바, 對談 要旨를 事前 入手, 아래 報告드립니다.

對談前 韓國關係 言及要旨

ㅇ 걸프戰에 있어서 韓國은 매우 중요한 支援을 계속하고 있음.

ㅇ 유연의 支援으로 50年代初 北韓의 侵略을 이겨낸 韓國이 그 이후 經濟.
   政治的으로 急成長, 이제 새로운 世界的 位相에 따른 責任을 遂行하고 있음.

ㅇ 韓國은 輸送團, 醫療團 派遣 외에 5億弗 相當의 支援을 하였으며, 이러한
.   支援은 韓國의 安保와 未來의 韓國 立地 強化를 위한 현명한 投資임.

對談 要旨

(문) 금번 韓國의 追加 支援은 戰鬪 兵力 派遣이 아닌가 ?

(답) 韓國의 支援에 感謝함. 美國은 韓國에 戰鬪 兵力 支援을 要請한 바
    없으며, 또 이번 追加 支援도 戰鬪 兵力 派遣은 아니라고 봄.

0040

(문) 韓國이 多國籍軍의 範疇에 包含되는가 ?

(답) 50여個國이 人的.物的 支援을 하고 있음. 韓國도 戰鬪兵力을 보낸
것은 아니나, 人的.物的 支援을 提供하므로써 戰鬪를 돕고 있다는 意味
에서 多國籍軍의 일부라고 볼 수 있을 것임.

(문) 各國의 多國籍軍에 대한 支援이 向後 누가 美國의 진정한 友邦인가를 가름
하는 基準이 될 것이라는 그레그 駐韓 美 大使의 發言에 대해서는 어떻게
생각하는가 ?

(답) 그레그 大使의 發言 全文을 보지 못해 言及하기는 곤란하나, 韓國의 支援에
感謝한다는 意味의 發言이라 생각함.

(문) 戰爭은 언제 終結될 것이라고 豫想하는가 ?

(답) 軍事 專門家라 하더라도 豫想하기 어려움. 가능한 한 早速終結을 희망함.

(문) 戰爭이 앞으로 한달 以上 계속될 경우, 多國籍軍의 追加 派兵 計劃이나
韓國에 대한 軍事力 派遣 要請 計劃이 있는가 ?

(답) 생각해 본적이 없으며, 戰爭이 長期化될 경우 어떠한 狀況이 展開될 것인지
豫測하기도 困難함.

(문) 多國籍軍 參加國들은 戰後 世界 新秩序의 主導 勢力이 될 것인가 ?

0041

(답) 50個國이 各種 支援을 提供하였으므로 多國籍軍 參加 29個國만이 모든 것을 決定할 수는 없음.

新秩序 樹立에는 韓國, 日本을 包含, 모든 유엔 會員國이 發言權을 가져야 함.

(문) 日本 및 獨逸의 支援에 滿足하고 있는가?

(답) 各國이 여러 種類의 支援을 하고 있으며, 美國은 이에 대해 감사함.

日本, 獨逸 等의 여러 나라 支援에 대해 충분히 滿足하고 있음.

(문) 발트事態 關聯, 美.蘇間 意味있는 意見交換이 있지 않았느냐고 보는 見解가 있는데 이에대한 意見은?

(답) 美國은 발트事態에 깊은 憂慮를 가지고 있으며 이 問題가 平和的으로 解決되기를 희망함.

(문) 걸프戰이 아랍과 非아랍의 對決이라는 見解에 대해서는 어떻게 생각하는가?

(답) 이러한 見解는 이라크의 宣傳임.

多國籍軍 參加國家의 ⅓이 아랍國家이고 50個國이 各種 形態로 支援하고 있으므로, 걸프戰은 사담 후세인과 國際社會의 對決임.

(문) 쿠웨이트 王政 復歸 問題는 어떻게 생각하는가?

(답) 戰後 쿠웨이트 政治體制는 쿠웨이트 國民이 選擇해야 할 것임.

- 끝 -

0042

6/6

我国의 対美 追加支援 関聯
駐美大使의 美 議会 重鎮 接触結果

1991. 2.

外 務 部

朴東鎭 駐美大使는 2.5-6 兩日間 美 上.下院 重鎭 議員들을 接触하고, 我國의 對美 追加支援 內容을 説明하였습니다. 同 議員들은 우리 政府의 自發的 支援決定에 謝意를 表明하고, 걸프戰 및 韓.美間 協調 關聯 自身들의 見解를 表明한 바, 要旨를 아래 報告드립니다.

美 議員들의 反応

(머타 下院 歲出委 軍事小委員長- 民主, 펜실바니아)

o 금번 걸프戰 參加 聯合軍 隊列에 韓國軍이 빠져 있는 事實에 아쉬움을 表明함
  - 駐美大使는 南北 軍事 對峙 狀況을 詳細히 説明, 同 議員의 理解 圖謀

(맥케인 上院 軍事委 議員- 共和, 아리조나)

o 대부분 美國人들은 日本이 많은 額數를 公約하였으나 마지못해 支援한 것으로 받아들이고 있는 바, 韓國은 自發的 對美 支援 意志를 公開的으로 表明하여 日本과 다르다는 点을 浮刻시킬 必要性이 있음을 指摘

o 美.北韓 關係改善을 促求한 2.4字 뉴욕 타임즈紙 社説에 反對하며, 日本이 北韓에 도움을 주어서는 안된다고 생각함
  - 同 意見을 國務部等 行政府에 개진할 豫定

0044

(솔로몬 下院 規則委 幹事- 共和, 뉴욕)

　ㅇ 부쉬 行政府는 후세인의 실각을 前提로 戰後 유엔
　　　平和維持軍 發足等 戰後 處理計劃을 樹立中인 것으로
　　　알고 있음

(그램 上院 財務委 小委 幹事- 共和, 텍사스)

　ㅇ 最近 訪韓時 盧大統領을 禮訪할 수 있었음을 큰
　　　榮光으로 생각함

　ㅇ 支援金의 多寡보다 欣快한 마음으로 提供하는 것이
　　　重要하며, 終戰後 友邦國의 寄與度에 대한 評價
　　　問題가 提起될 것으로 豫想함

　ㅇ 韓國이 空軍機 5 - 1 0 台 정도를 派遣, 空中爆擊에
　　　參加하면 큰 弘報效果가 있을 것으로 豫想함

(대쉴 上院議員- 民主, 사우스 다코다)

　ㅇ 금번 걸프戰에서 나타난 美軍의 迅速한 機動力을
　　　勘案, 向後 海外 常駐 美軍의 必要性에 대한
　　　再評價가 豫想됨

　ㅇ 韓國이 眞正한 同伴者 關係를 위해 持續的인 市場
　　　開放政策을 재천명함이 重要함

(브룸필드 下院 外務委 幹事- 共和, 미시건)

　ㅇ 韓國 支援에 感謝함

0045

(롭   上院議員 - 民主, 버지니아)

o   長期的인   韓. 美   關係를   勘案,   韓國의   自發的인
    支援을   늘려가는   것이   바람직함

駐美大使의   評価

o   接觸   議員들은   民主, 共和黨   공히   우리의   支援에   깊은
    謝意를   表明하고,   支援額數   多寡에   대한   言及은
    없었는   바,   이는   增額을   要請하고   있는   行政府側
    立場과는   對照的임

o   我國에   대해서는   日本, 獨逸等과는   달리   支援金의
    多寡보다는   韓國戰爭時   美國의   도움을   받은   나라로서
    어떤   形態든   自發的으로   美國을   支援하고   있는
    事實   自體를   重視하는   印象임

o   大部分   議員들은   終戰後   友邦國   支援內容에   대한   評價
    問題가   提起될   것으로   豫想됨

                                                        끝.

                                                        0046

관리
번호 91-297

외 무 부

원 본

종 별 : 지 급

번 호 : USW-0661

일 시 : 91 0207 1900

수 신 : 장관(미북,중근동)

발 신 : 주미대사

제 목 : 다국적군 참여국 현황

　　대:WUS-0507

　　연:USW-0524(1), 0499(2)

　　1. 대호 관련, 당관 임성남 2 등서기관이 국무부 한국과 및 동아태국 대변인실등을 통해 확인한바에 따르면, 솔로몬 차관보는 MBC 와의 기자회견시 국무부대변인실에서 작성한 자료에 따라 다국적군참여국을 29 개국으로 언급하였다함.

　　동 자료에 수록된 다국적군 참여국 명단은 다음과 같은바, 명단 작성일자는90.1.17. 이며, 대변인실은 당시 국무부내 걸프 사태담당 상황반에서 작성한 명단을 그대로 인용한 것이라 함(명단 등재 기준은 병력 파견 여부)

　　아르젠티나, 호주, 바레인, 방글라데시, 벨지움, 카나다, 체코슬로바키아, 덴마크, 이집트, 프랑스, 독일, 그리스, 이태리, 쿠웨이트, 모로코, 네델란드, 니제, 노르웨이, 오만, 파키스탄, 폴랜드, 카탈, 사우디, 세네갈, 스페인, 시리아, UAE, 영국, 미국

　　2. 한편 연호(1) 로 보고한바 있는, 미 합참등에 의한 다국적군 참여국의 정의 확립 작업은 상금도 완료되지 않은 형편이라 하며, 따라서 미측의 공식적인다국적군 참여국 명단은 아직 준비가 안된 상태라 함.

　　3. 또한 국방부측은 각종 기자회견시등 다국적군 참여국을 28 개국이라고 언급하고 있는바, 전기 1 항의 29 개국중 자국 군대를 걸프지역에 직접 파견하지않고 , NATO 의 일원으로 터키에 파견하고 있는 독일을 제외하고 있다 함

　　4. 한편 국무부내에서도, 근동국이 2.1. 현재로 작성한 다국적군 참여국 명단에는 전기 1 항의 명단 포함 국가중 독일이 빠지고 폴랜드 대신 뉴질랜드가 포함됨으로써 다국적군 참여국을 28 개국으로 지칭하고 있고, 정치군사국이 작성한명단(작성 일자 미상) 에도 전기 1 항의 명단 포함 국가중 폴랜드 대신 뉴질랜드가 포함되는등 정확한

미주국　　　장관　　　차관　　　1차보　　　2차보　　　중아국　　　청와대　　　안기부

기준의 부재로 인한 난맥상을 나타내고 있음.

5. 또한 최근 발표된 연두교서를 포함, 각종 연설에서 부쉬 대통령은 다국적군 참여국 이 28 개국이라고 일관되게 언급하여 왔는바, 당관이 금일 백악관 SPEECHWRITER 실 담당 직원을 직접 접촉, 확인한바로는 , 신문지상에 보도된 다국적군 참여국 숫자 (28 개국) 틀 별다른 확인 절차없이 대통령 연설문에 그대로인용하였다 하며(인용 신문의 이름과 발간 일자등은 기억하지 못한다함) , 최초 인용 이후, 계속 습관적 으로 연설문 기안시 다국적군 참여국을 28 개국이라고 지칭하고 있다 함.

(대사 박동진- 국장)

91.12.31. 일반

UNITED STATES SENATE

February 8, 1991

Dear Mr. Kim,

    Thank you for taking the time to write and share with me your comments regarding the situation in the Middle East. I appreciate hearing from you.

    We in Congress have had our debates, and for now, they are over. Now, by standing united and giving our troops and their families our undivided and strong support, we can help bring this war to a speedy and successful conclusion, and our brave men and women can return safely and as soon as possible.

    Again, thank you for writing and sharing your thoughts with me.

              Sincerely,

              BOB DOLE
              United States Senate

Yong C. Kim
Y.K.K. Enterprises, Inc.
1020 44th Avenue
Oakland, California 94601

0049

걸프사태 : 한.미국 간의 협조, 1990-91. 전9권 (V.5 1991.2월) 433

THE WHITE HOUSE

WASHINGTON

February 11, 1991

Dear Mr. Kim:

Thank you and those who joined with you for
your thoughtful message. I was very moved by
your heartfelt comments about our efforts, in
cooperation with those of our coalition partners,
to liberate Kuwait and to restore stability to
the Persian Gulf region.

Saddam Hussein has sickened the world by the
launching of indiscriminate attacks that have
terrorized and killed innocent people. His
blatant disregard for international conventions
regarding the treatment of noncombatants and
prisoners of war only strengthens our resolve.

Operation Desert Storm is working. We are making
progress toward the objectives set forth by the
international community. While there may be
setbacks and obstacles along the way, one thing
is certain: we will stay the course, and we will
succeed. I am grateful that our courageous troops
face this historic challenge knowing that they
have the support of millions of people around the
world. We are all tremendously proud of the job
they are doing.

I am heartened that so many Americans are joining
Barbara and me in praying for our brave service
men and women and for their families.

Best wishes.

Sincerely,

G. Bush

Mr. Yong C. Kim
Y.Y.K. Enterprises, Inc.
1020 44th Avenue
Oakland, California 94601

0050

걸프전 관련 브리핑

ㅇ 일 시 : 1991. 2. 13(수) 15:00

ㅇ 장 소 : 한.미 연합사령부(용산, Main Post)

ㅇ 브리핑자 : Record 소장(한.미 연합사 참모)

ㅇ 참석자 : 미주국장, 안보과장, 북미과장, 안보과직원(기록)

0051

459차 군정위 회담 및 걸프전 관련 미측 브리핑

- 군정위 회담 논의사항
- 군수송기 지원 관련
- 걸프전 전황

1991. 2.

미 주 국

브리핑 요지

---

o 일시 및 장소 : 1991.2.13(수), 15:20-16:20, 한.미 연합사령부

o 설명자 : Record 소장(한.미 연합사 참모 및 UNC/MAC 수석대표)

o 참석자 : 미주국장, 북미과장, 안보과장

o 요 지

0053

2. 군수송기 지원관련

ㅇ 한국의 C-130 수송기 파견 문제는 박장군(합참작전기획국장)과
협의하여 추진하고 있음

ㅇ 수송기들은 미군과 함께 작전하게 될 것이며 주둔지는 UAE이나 작전범위는
사우디를 포함한 전 전역이 될수 있음.   따라서 사우디정부와 영공
비행에 관한 협의가 필요함 (主2.13 국시(대대사에 지시 됨)

ㅇ 수송기 파견을 신속히 추진키 위해 요구 부품 목록제시, 요원의 숙영.
병참등 문제가 <s>조속히 해결되길 기대함</s> 거의 완결 단계에 있기 병일 오후경 최종 결정이
날 것으로 <s>봄</s> 기대됨.

3. 걸프전 전황

(전황 일반)

ㅇ 전투는 계획대로 진행중이나, 세부작전은 전황에 따라 신축적 조정이
불가피함

ㅇ 공습 초기 2주간에는 이라크내 전략시설에 대한 공격에 집중하였으나
2.4 이후에는 쿠웨이트 국경, 공화국수비대등 이라크 지상군과
바스라항 및 병참.보급선에 대한 공격으로 전환하였음

0054

o 이라크군은 현재 공습을 피해 산개하여 지하에 참호를 파고 인원과
  장비를 은닉하고 있음

  - 그러나 참호속 장비 가동으로 표면의 모래가 건조해져, 위치 탐지가
    용이해짐에 따라 다국적군은 지난 2일간 이라크군의 탱크, 포대,
    장갑차등을 폭격, 탱크 140대를 파괴하였음

o 바그다드 및 바스라항 공습시 이라크 방공부대는 재래식 방공화기를
  공중에 난사, 대처하고 있는바, 이는 이라크의 대공 레이더 망이 궤멸
  된 것을 뜻함

(지상전 개시 시기)

o 다국적군은 지상전 개시를 서두르지 않을 것임

  - 현재 성공적으로 진행중인 공습을 당분간 계속, 이라크의 전력을
    확실히(약50%정도)약화 시킨후 지상전을 개시하게 될 것임

o 지상전 개시 시기는 공습의 효과, 중동지역의 기후, 3.17부터 시작되는
  Ramadan, 작전상 필요등 제반 요소를 고려, 결정될 것이며, 지상전
  지속 시기도 현재로서는 예측이 곤란함

o 다국적군은 지상전시에도 대규모 공중, 해상 협동공격을 전개할

  것이며, 지상전시 이라크의 저항은 보병, 포.기갑장비로 이루어질

  것이며 공중 저항은 미비할 것임

  - 이라크의 전투기는 주로 북부 이라크 지역에 배치되 있어서 남북

    전역에 투입키 위해 이륙시, 다국적군의 용이한 공격 대상이 될

    것임

o 최근 관심의 대상이 되고 있는 걸프전역 우기 개시 시기는 4월초가 될

  것이며, 2-3주동안 지속된후 모래바람과 기온상승이 뒤따를 것임

  ─ 현재는 본격적 우기의 전단 이란 상태인 Pre ─ Rainy Season 임
                                개시
(다국적군 작전 조정)

o 현재 걸프전에는 전투부대 파견 15개 다국적군이 모두 실제 전투에

  참여하고 있으며, 슈와르츠코프 사령관도 총체적 작전 참여를 위해

  배려하고 있음
        모든 다국적군이

(증원군 파견)

o 유럽주둔 최정예 미 제7군단 병력이 실전 배치를 완료한 상태임

0056

(이란 도피 이라크 전투기)

o 현재 이라크 전투기 약150대가 이란에 도피해 있는 것으로 알려지고

　있으며, 이러한 도피는 사전에 계획된 것 같지는 않은바, 이 전투기

　들이 종전시까지 전투에 투입될 가능성은 없다고 봄 (종전후에도 이라크가

돌려받기를 이란에 돈러 맡기는 상영히 어려울것으로 보아두 괜찮른 터려줌)

o 이라크 조종사들은 이란내 비행기 착륙 가능지점을 잘알고 있으며,

　비행거리도 짧아 사전 협의 없이도 이란내 안착이 가능함

　- 이란은 이라크 국경에 대공시설을 갖고 있지 않음

- 끝 -

0057

관리
번호 **9-457**

분류번호 | 보존기간

발 신 전 보

WUS-0582   910213 1913 BX

번   호 : _____   종별 : _____

수   신 : 주   미   대사 //총영사

발   신 : 장 관 (미북)

제   목 : 대미 군수물자 지원

　　　1. 금번 아국의 2.8억불 규모의 추가 지원중 미국에 대해 지원키로 한
1.7억불 상당의 군수물자 지원과 관련, 아측이 제시한 지원가능 품옥(80개) 목록에
대한 미측 검토 추진 상황을 귀관 무관부와 협조, 파악 지급 보고 바람.

　　　2. 차관 방미시 Rowen 국방성 차관보 면담에 앞서 수행한 송 과장이
Knowles 한국 담당관에 동건 문의한 바, 동 담당관은 상기 아측 제시 목록을 2월
첫주 사우디 주둔 미 중앙사(CENTCOM)에 송부 검토토록 하였으며 동 검토 결과를
2월 2째주 회보 받을 것이라 설명하였음을 참고 바람.   끝.

　　　　　　　　　　　　　　　　　　　(미주국장 반 기 문)

예 고 : 91.12.31.일반

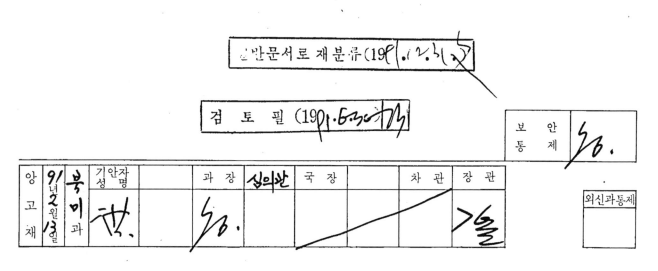

0058

<table>
<tr><td>관리
번호 91-371</td></tr>
</table>

외 무 부

종 별 : 지 급

번 호 : USW-0733

일 시 : 91 0213 1610

수 신 : 장관(민북,중동 1)

발 신 : 주 미 대사

제 목 : 대미 군수 물자 지원

대 WUS-0582

대호 관련, 당관 무관부를 통해 미측으로부터 확인한바로는, 한국내에서 제조한 COMMERCIAL ITEM 은 불필요하다는것이 CENTCOM 측 검토 의견이라하며, 금명간 미측 공식 입장을 아측에 통보키 위해 현재 전기 CENTCOM 의견을 토대로 미 합참 군수국에서 내부 의견 조정 중이라함.

(대사 박동진-국장)

91.12.31 일반

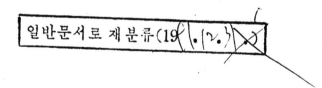

일반문서로 재분류(1991.12.?)

검 토 필 (1991.6.?)

미주국 중아국

PAGE 1

분류번호	보존기간

발 신 · 전 보

WUS-0622   910218 2011 DQ

번   호 : _____   종별 : _____

수   신 : 주   미   대사 · 총영사

발   신 : 장   관   (미북)

제   목 : 걸프 전쟁

　　　1. 2.16자 워싱턴발 로이타 통신에 의하면 Ken Satterfield 미 국방부 대변인(해군 소령)은 한국이 군 의료단 및 군 수송단을 파견함으로써 사막 폭풍 작전을 지원하는 33개 연합국에 동참한 것으로 발표했다고 함.

　　　2. 동 대변인은 33개국이 모두 걸프지역에 병력(troops)을 파견한 것은 아니나, 모두 다 전체적인 전쟁 수행 노력을 지원하는 명백한 목적을 가진 군을 파견(contributing forces)하고 있다고 하고, 동 33개국 명단을 아래 제시함.

　　　　: 아르헨티나, 호주, 바레인, 방글라데시, 벨지움, 영국, 카나다, 중국, 체코, 덴마크, 이집트, 불란서, 독일, 희랍, 헝가리, 이태리, 쿠웨이트, 모로코, 화란, 뉴질랜드, 니제르, 노르웨이, 오만, 파키스탄, 폴란드, 카타르, 사우디, 세네갈, 한국, 스페인, 시리아, UAE, 미국

　　　3. 상기 명단에 중국이 포함되어 있고 터키는 누락되었는 바, 미 국방부 측에 작학한 33개국 명단을 확인, 보고바람. 끝.

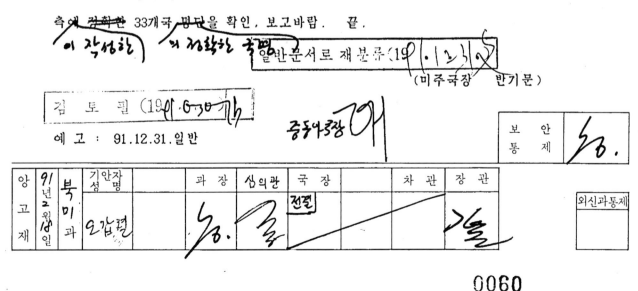

일반문서로 재분류(19 1.12.31)
(미주국장   반기문)

검 토 필 (19 91.0.30)

예고 : 91.12.31.일반

중동아 국장

보 안
통 제

양고재	91년 2월 18일	북미과	기안자 성명 오갑렬	과 장	심의관	국 장 전결	차 관	장 관	외신과통제

0060

관리
번호 H-459

외 무 부

종   별 : 지 급

번   호 : USW-0795   일   시 : 91 0219 1855

수   신 : 장관(미북, 중동일)

발   신 : 주 미 대사

제   목 : 걸프 전쟁 참여국

대: WUS-0622

1. 대호 관련, 금 2.19 당관이 국방부 대변인실을 접촉, 확인한바로는 국방부측이 발표한 33 개국 국명은 대호 2 항의 명단과 일치함.

2. 그러나 국방부 대변인실측에서는 동 명단의 작성 배경및 터키가 누락되고 중국이 포함된 이유등에 대해서는 구체적 답변을 회피하였는바, 중국이 포함된것은 다분히 사무 착오일것으로 추측됨.

3. 한편, 금일 당관이 무관부를 통해 국방부로부터 입수한- SHARING OF RESPONSIBILITY FOR THE COALITION EFFORT IN THE PERSIAN GULF- 제하의 2.8 현재 작성 자료에 따르면, 금번 걸프 사태 관련 지원국을 전부 병력 파견국(미국 제외27 개국), 전부 지원 병력 파견국(한국 포함 6 개국)및 재정 지원 공여국으로 분류 하였는바, 동 자료는 USW(F)-0610 편 FAX 송부함.(동 자료의 정확한 출처및 작성 배경등은 상금 미상이나, 국방부측에 따르면 NSC 일것으로 추정된다함)

4. 대호 33 개국 및 전기 3 항 자료간의 상위점등에 대해서는 계속 확인, 추보 위계임.

(대사 박동진-국장)

예고:91.12.31 일반

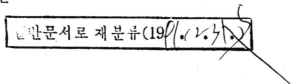

일반문서로 재분류(19 . .)

검 토 필 (19 . .)

미주국	장관	차관	1차보	2차보	중아국	정문국	청와대	안기부
국방부								

PAGE 1

(handwritten signature)

Sharing of Responsibility for the Coalition Effort in the Persian Gulf
(Feb 8 update)

Many other countries are doing their part to support the coalition effort in the Persian Gulf. Our partners in the coalition have contributed in three ways:

-- First, 27 other countries have their own combat forces contributing to the coalition against Iraq. They have now committed more than 270,000 troops, 66 warships, over 750 combat aircraft, and more than 1100 tanks in Saudi Arabia, the Gulf states, and the Persian Gulf. Pilots from eight other allied nations have flown more than 6000 sorties in the air campaign. Coalition forces have engaged in ground combat alongside our forces and, like us, they have suffered casualties. Turkey has allowed air operations against Iraq from its territory and has significantly enhanced its defense capabilities opposite Iraq.

-- Second, other countries have given money and other assistance to us to pay most of the cost of both Operation Desert Shield and Operation Desert Storm. Our incremental costs for Desert Shield were roughly $11 billion in calendar year 1990. Assuming Congress enacts the necessary appropriation, we expect our coalition partners to pay about $9.7 billion, or nearly 90% of those incremental expenses. Now, for calendar year 1991, we have received commitments of about $42 billion to cover the financial costs for Desert Storm in the first three months of this year. We are confident our friends and allies will continue to bear the bulk of the financial burden in this struggle.

-- Third, other countries have taken on the responsibility for assisting those nations which have suffered the most from enforcement of the international economic sanctions against Iraq. The Gulf Crisis Financial Coordination Group established by President Bush has received pledges of $14.3 billion in exceptional economic assistance for these hard-hit states, of which nearly half, $6.7 billion, has already been disbursed.

Other Countries' Military Forces in the Gulf. Thirty-four countries, including the U.S., have joined forces in responding to the crisis in the Gulf. 27 other states have contributed combat units to the coalition; six more have provided support or medical units. In general, given their limited capabilities to support large-scale force deployments, other states have contributed what they can and what we have asked.

Public opinion in key allied countries, led by firm statements from their heads of government, is overwhelmingly supportive of the coalition military action in the Gulf. For example, 84% of the British people, 76% of the French, 64% of the Germans, and

0610-1

2

fit of Italians have supported the use of force against Iraq in
~~recent~~ ... ~~majorities endorse their own countries~~
actions and President Bush's personal performance ~~...~~

The contributions from our coalition partners are militarily
significant. Our allies have already flown more than 8,000
sorties in the air campaign. For example, Kuwaiti A-4 aircraft
successfully struck Iraqi infantry and artillery positions and
other military installations in their occupied homeland. The
British used their GR-1 Tornados and Jaguars to strike bridges,
radar, communication, as well as ammunition and petroleum storage
sites, and joined in strikes against airfields in southern Iraq
and Kuwait. Saudi F-5s attacked command posts and artillery
sites in Kuwait and airfields in western Iraq, while Saudi
Tornados teamed with our F-111 aircraft to hit key airfields and
Saudi F-15s shot down Iraqi planes. French Jaguars attacked the
Republican Guards and military installations in western Iraq,
while other French aircraft provided aerial refueling and fighter
protection. Canadian CF-18 aircraft provided escort and air
cover along with help in cutting off Iraqi military supplies.
Qatar's Mirage F-1s flew in combined attacks on SCUD sites.
Bahraini F-5s hit radar and missile sites in southern Kuwait.
Italian Tornados struck Iraqi forces in and around occupied
Kuwait.

On the ground, Saudi and Qatari units led the counterattack which
expelled Iraqi forces from Khafji, taking hundreds of prisoners.
Syrian forces have exchanged artillery fire with Iraqi forward
positions in Kuwait.

Our allies are also paying the price for their support. Ten
coalition aircraft have been lost in action; British, Italian,
and Kuwaiti airmen are missing in action or being held as
prisoners of war. Saudi and Qatari soldiers have been killed and
wounded in ground action.

Some other military contributions include:

--   The Arab states of the Gulf Cooperation Council have
      deployed their ground forces to Saudi Arabia.

--   Egypt has sent a mechanized corps, including an armored
      division, a mechanized division, and a Ranger regiment --
      ~~hundreds of armored vehicles~~
      Syrian division and forces from other Muslim states are also
      deployed against Iraq.

--   Britain has deployed a heavy armored division and has sent
      more than 70 combat aircraft, a total of over 30,000
      soldiers and airmen. A French light armored division is in
      place too, along with over 130 combat aircraft.

0610-2

-- Canada and Italy have sent combat aircraft to the Gulf; Czechoslovakia has deployed a chemical decontamination unit. Poland, Hungary, New Zealand, Korea, and Singapore have sent medical teams to help.

-- Turkey has supported the UN effort, allowing strikes against Iraq from its territory, and has substantially strengthened its defenses opposite Iraq. NATO approved the unprecedented dispatch of its rapid deployment units -- German, Belgian, and Italian planes -- to help this Alliance member. The Netherlands has also deployed Patriot batteries and Hawk air defense systems to shield Turkey from attack; Germany is also deploying air defense units from its Bundeswehr to Turkey.

Fourteen navies also have fighting vessels patrolling the Persian Gulf and nearby waters. Our coalition partners have stopped and boarded over three hundred ships to help enforce the UN's economic sanctions.

Assistance For Operation Desert Shield/Desert Storm. Saudi Arabia, Kuwait, and the United Arab Emirates (UAE) are providing substantial cash and host nation support. They are covering more than 60% of the costs of Operation Desert Shield in 1990, and have agreed to bear a major part of the financial costs for Desert Storm. Saudi Arabia and Kuwait have committed $27 billion to cover costs for the first three months of 1991. Pledged support has been disbursed promptly. Their host nation support includes food, fuel, water, facilities, and local transport for US forces.

Japan is contributing over $1.7 billion to Desert Shield in 1990 (and $250 million to other coalition partners). More than half of the assistance to us was in cash and the remainder came or is coming through in-kind support, including support for transport costs and purchases of U.S.-made computers, vehicles and construction equipment. The Japanese government recently pledged an additional $9 billion for Operation Desert Storm. German support in 1990 exceeded a billion dollars, including in-kind support such as heavy equipment transporters and other valuable equipment from existing stocks like modern chemical detection vehicles. Germany has made a firm commitment to provide $5.5 billion in cash for Operation Desert Storm expenses for the first quarter of 1991. Germany has also provided extensive support for the movement of US forces from Europe to the Gulf and aid to Britain (over $500 million for 91), Turkey (over $1 billion in military assistance) and Israel (over $100 million). Korea has provided cash and lift support from the beginning and has recently pledged an additional $200 million for Desert Storm.

Exceptional Economic Assistance. With our own resources ... the military effort against Iraq, we organized

0064

the international effort to allow other countries to provide financial assistance to the nations most hard-hit by the crisis and sanctions. Our partners in this effort have made commitments amounting to $14.3 billion for assistance to front-line states and other countries. About $6.7 billion of this total has already been disbursed. Our Arab partners, Germany, Japan, and the European Community have been leading contributors and we look to them and other countries to accelerate the disbursement of funds already committed and make additional commitments. Also, Japan has pledged to take the lead in evacuating refugees from the area of conflict. Additionally, in response to President Bush's proposals and with strong support from other creditor countries, the IMF and World Bank moved swiftly to adapt their lending procedures to enable them to alleviate more effectively the economic effects of the crisis on a wide range of countries.

More Needs to be Done. The contributions in 1990 were substantial and, increasingly, countries are pledging what we have asked them to pledge. We are working now to:

--   Ensure prompt disbursement of the new commitments to cover incremental costs for Operation Desert Storm; and

--   For the front line states, accelerate disbursements of previous commitments of economic assistance, particularly for Turkey, and obtain new commitments for the front line states and for Eastern Europe to help cover the continuing economic costs of the sanctions.

0610-K

0065

5

Annex: Countries Involved in Responsibility-Sharing

Providing Combat Forces

ARGENTINA (naval)
AUSTRALIA (naval)
BAHRAIN (ground, air)
BANGLADESH (ground)
BELGIUM (air in Turkey, naval)
CANADA (air, naval)
DENMARK (naval)
EGYPT (ground)
FRANCE (ground, air, naval)
GERMANY (air and ground in Turkey, naval)
GREECE (naval)
ITALY (air, naval)
KUWAIT (ground, air, naval)
MOROCCO (ground)
NETHERLANDS (ground in Turkey, naval)
NIGER (ground)
NORWAY (naval)
OMAN (ground, air)
PAKISTAN (ground, naval)
QATAR (ground, air)
SAUDI ARABIA (ground, air, naval)
SENEGAL (ground)
SPAIN (naval)
SYRIA (ground)
TURKEY (home defense)
UNITED ARAB EMIRATES (ground, air)
UNITED KINGDOM (ground, air, naval)

Providing Combat Support and Combat Service Support Forces

CZECHOSLOVAKIA (CW decontamination)
HUNGARY (medical)
REPUBLIC OF KOREA (transport, medical)
NEW ZEALAND (transport, medical)
POLAND (medical)
SINGAPORE (medical)

Assistance to Operations Desert Shield and Desert Storm

GERMANY
JAPAN
REPUBLIC OF KOREA
KUWAIT
SAUDI ARABIA
UNITED ARAB EMIRATES
(plus aid in the deployment of our forces from others, including
DENMARK, FRANCE, GREECE, ITALY, NORWAY, POLAND, PORTUGAL, SPAIN,

0610-5

0066

공   란

	분류번호	보존기간
/		

발 신 전 보

번 호 : <u>WUS-0667   910221 1731 AO</u> 종별: <u>지급</u>

수 신 : <u>주   미   대사·총영사</u>

발 신 : <u>장 관   (미북)</u>

제 목 : <u>대미추가 지원</u>

대 : USW-0819

1. 정부는 대미 추가지원 문제와 영국에 대한 전비 지원문제 협의를 위해 2.19(화) 관계부처 국장급 회의를 개최한 바, 동 회의에서 미국에 대한 현금 및 수송지원 1.1억불을 현금 6,000만불, 수송지원 5,000만불로 지원하는 방안을 일단 미측에 제시하기로 결정하였음. 이에따라 미주국장은 2.20(수) Hendrickson 참사관을 초치, 상기 방안을 제시하고 이에대한 미측의 반응을 요청한 바 있음.

2. 한편, 영국의 전비 지원 요청관련 상기 관계부처 회의에서 영국의 걸프전에서의 기여도, 유엔 가입문제 등 국제무대에서 영국의 아국 입장 지지 및 EC 의 중추적 국가로서의 영국의 위상등을 감안, 약 3,000만불 상당의 전비 지원을 적극 검토키로 원칙적인 결정을 보았음. 그러나 아국의 여건상 이미 지원키로 약속한 5억불외에 추가 지원은 사실상 불가능함에 비추어 시리아에 대한 지원 배정액 1,000만불과 미국에 지원키로한 1.7억불 상당의 군수물자 지원분중에서 일부를 영국에 대한 지원으로 전환하는 방안을 미측과 협의키로 함에 따라, 미주국장은 2.20. Hendrickson 참사관 면담시 동 방안도 아울러 제시하고 이에대한 미측의 입장을 문의한 바 있음.   끝.

예 고 : 91.12.31.일반

일반문서로 재분류 (1991.12.31.)

검 토 필 (19   )

보안통제

앙고재	91년 2월 21일	기안자성명	김규면	과장		국장 전결	심의관	차관	장관	외신과통제

외 무 부

종 별 :

번 호 : ANW-0040

일 시 : 91 0221 1720

수 신 : 장관(미북,통일,중동)

발 신 : 주 아틀란타 총영사

제 목 : 이스라엘 총영사 예방

1. 본직은 2.19 당지주재 이스라엘총영사(ALON LIEL 박사)를 예방, 아래와 같이 대화를 나누었는바, 업무에 참고바람.

가. 걸프전에서 연합군의 공습에의해 이라크의 전투능력이 거의 파괴되어 지상전에 개입시 4 주이내에 이라크의 패배로 종전될 것으로 이스라엘은 판단하고 있음.

나. 한국의 건전소비운동관련, 정부가 홍보활동등에 개입하는것보다 민간소비단체등 주도 대미홍보활동함이 보다 효과적일것임.

다. 대미 홍보활동에 있어 걸프전 다국적군에 대한 아국의 지원 및 의료수송단등 참가활동을 미국언론에 홍보함으로서 미국민에게 강한 우방협조국의 인식을 주입할수 있으며, 이것이 통상면에서 좋은 효과를 가져올 것임.

2. 상기 총영사는 이스라엘 외교관중에서 유능하다는 평가를 받고있으며 본직이 자이르근무시 주 자이르 이스라엘대사로부터 면담을 추천받은바 있음을 첨언함.

(총영사 김현곤-국장).

예고 91.12.31

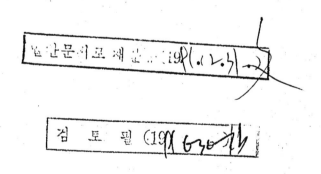

미주국	장관	차관	1차보	2차보	중아국	통상국	청와대	안기부

PAGE 1

報 告 事 項

76

報 告 畢

1991. 2. 22.
美 洲 局
北 美 課(9)

題 目 : 걸프戰 關聯 駐韓美大使館 通報內容

1. 蘇聯-이라크 終戰案

 ° 美側은 現在 蘇聯-이라크 終戰案에 明示된 內容 및 含蓄的 意味를 分析.
   檢討中에 있음.

 ° 美國으로서는 現在 提示된 終戰案에 대해 友邦國 政府들이 支持 聲明을
   發表하는 等의 성급한 措置를 취하지 않기를 바라고 있음.

2. 第5次 걸프事態 財政支援 供與國 調整委 會議

 ° 91.3.11(月) 룩셈부르크에서 開催될 豫定임.

   - Kimmitt 國務部 政務次官, Mulford 財務部 次官 共同主宰

 ° 韓國 政府가 高位 代表를 派遣하여 줄 것을 要請함.   끝.

0070

	분류번호	보존기간

발 신 전 보

번 호 : WUS-0706   910223 1518 FK 종별 :

수   신 : 주   미   대사 총영사

발   신 : 장   관   (미북)

제   목 : 미국의 철군 요구에 대한 외무부 성명 발표

1. 금 2.23(토) 오전 10:30 외무부 대변인은 2.22. 미측이 이라크군의 무조건 철군을 요구한 데 대하여 우리 정부의 지지 성명을 발표하였는 바, 동 성명문을 미 국무부측에 전달바람.

2. 한편, 금일 주한 미 대사관 Hendrickson 참사관은 미주국장을 방문, 미측의 철군 요구 내용을 전달하고, 이에 대한 한국의 지지 표명을 요청한 바, 미주국장은 그간 한국은 걸프사태 관련 미국의 평화회복 노력을 계속 지지하여 왔음을 재확인하고, 금번 미국의 무조건 철군 요구에 대한 우리 정부의 지지 의사를 전달하면서 동 성명문을 수교하였음.

3. 미측은 미정부의 요청이 있기전 한국정부가 독자적으로 즉각 지지하는 성명을 발표하여 더 시의는 포함 때 라면은 토움이 되었습.

4. 당부 대변인 성명(국.영문)은 FAX 송부함.   끝.

FAX NO : WUS(K)-92

(미주국장   반기문)

예 고 : 91.12.31.일반

일반문서로 재분류(1991.12.71.)

검토필(1991.6.30.)

	보 안	6.

앙 고 재	91 년 2 월 23 일	북 미 과	기안자 성명	과 장	국 장	차 관	장 관		외신과통제
			오갑열		전결				

0071

걸프事態 解決을 위한 美國側 終戰提案에 關한

大韓民國 外務部 代辯人 聲明(案)

91. 2. 23.

ᵒ 우리는 걸프事態의 平和的 解決을 위한 유엔 安保理의 諸般 決議와 걸프地域의
平和와 安定回復을 위한 多國籍軍의 努力을 支持하고, 이에 참여하여 왔음.

ᵒ 우리는 今番 多國籍軍 參與國과 協議를 거쳐 美國이 제시한 2.22.자 終戰提案이
이러한 유엔의 諸般 決議에 符合하고 있음을 評價하고, 이를 支持하는 바임.

ᵒ 따라서 우리는 유연安保理의 諸決議가 履行되어 걸프事態가 平和的인 方法 으로
早速히 解決 되기를 희망함.

0072

Statement by the Foreign Ministry Spokesman

on the U.S. Proposal for the Solution of the

Gulf Situation

February 23, 1991

○ We have firmly supported the U.N. Security Council Resolutions for a peaceful solution of the Gulf situation and have actively participated in the multinational efforts to restore peace and stability in the region.

○ We also support the U.S. proposal for ending the Gulf War made on Feb. 22 after consultations with those countries participating in the multinational efforts, which we regard to be in accord with relevant U.N. Resolutions.

○ We earnestly hope that the U.N. Security Council Resolutions will promptly be implemented and thus lead to an early and peaceful resolution of the Gulf War.

0073

외 무 부

종 별 : 긴 급

번 호 : USW-0878

일 시 : 91 0223 1749

수 신 : 장관(미북,중동일,미안)

발 신 : 주 미 대사

제 목 : 대미 지지 성명 전달

대 WUS-0706

금 2.23 당관 유명환 참사관은 국무부 한국과 RICHARDSON 과장을 접촉, 대호 성명을 전달하였는바, 동 과장은 한국 정부가 자발적으로 여사한 대미 지지 성명을 발표해준데 대해 사의를 표한다고 하면서, 이러한 한국측 조치가 걸프 사태 관련 미국 조야의 대한 인식 제고에 도움이 될것으로 본다고 언급함.

(대사 박동진-국장)

예고:91.12.31 일반

일반문서로 재분류(19

검 토 필 (19

미주국   장관   차관   1차보   2차보   미주국   중아국

PAGE 1

91.02.24   08:38

외신 2과 통제관 CH

0074

발 신 전 보

번   호 :   WUS-0713   910224 1456 FK종별 : 긴급

수   신 :   주   미   대사 초연사

발   신 :   장   관   (미북)

제   목 :   걸프 지상전 개시에 즈음한 대변인 성명

     정부는 걸프 지상전 개시에 즈음하여 별첨과 같이 외무부 대변인 성명을
2.24(일) 13:30(서울 시간) 발표하였는 바, 귀관은 이를 국무부 및 관련부서에
전달하고 반응등 결과 보고 바람.

             (미주국장 반기문 - 대사)

첨 부 : 성명문 국문/.영문(비공식 번역문).   끝.

보안통제	

앙고재	91년2월24일	북미과	기안자 성명 김숙현	과 장	국 장	차 관	장 관

외신과통제

0075

걸프전 지상전 개시에 즈음한

외무부 대변인 성명

91. 2. 24(일)

ㅇ 우리는 이라크가 UN 안보 이사회의 제반 결의에 의거한 연합군측 국가의 2.22.자
종전 방안을 거부함으로써 걸프사태가 지상전으로까지 이르게 된 것을 유감으로
생각한다.

ㅇ 금번 지상전은 걸프사태 해결을 위한 유연 안보 이사회의 제반 결의를 이행하기
위하여 취해진 불가피한 조치로서 우리는 미국을 비롯한 연합군측의 이러한
사태해결 노력을 지지한다.

ㅇ 우리는 전쟁이 조기에 종결되어 인명피해등 전쟁의 피해가 최소화되고, 걸프
지역의 안정과 평화가 조속히 회복되기를 기대한다.

0076

o We think it regrettable that the ground war in the Gulf has begun as a result of Iraqi rejection of the coalition forces' calling of February 22, 1991 for the immediate and uncondtional withdrawal of the Iraqi forces from Kuwait. We believe that the calling is in compliance with the relevant U.N. Securty Council Resolutions.

o We regard that the actions taken by the coalition forces are inevitable to end the Gulf crisis through full implementation of the U.N. Seurity Council Resolutions, and we support these efforts by the coalition countries including the U.S.

o It is our sincere hope that this war will end at the earliest possible date thus minimizing the casualties, and that peace and stability of the region will soon be restored.

0077

선도지상전 開始 支持 声明 (91.2.24)

R I
GULF-KOREA 2-24
SOUTH KOREA ENDORSES GROUND WAR AGAINST IRAQ
IIGFRKO
    SEOUL (UPI) -- SOUTH KOREA IN A STATEMENT ISSUED SUNDAY ENDORSED
THE ALLIED GROUND OFFENSIVE TO DRIVE IRAQI FORCES OUT OF OCCUPIED
KUWAIT.
    THE STATEMENT IN THE NAME OF FOREIGN MINISTRY SPOKESMAN CHUNG
UI-YONG SAID THE SOUTH KOREAN GOVERNMENT REGRETTED THAT A GROUND WAR
HAD TO BE STARTED BECAUSE OF IRAQ''S REFUSAL TO COMPLY WITH AN
ALLIED DEMAND FOR ITS UNCONDITIONAL RETREAT.
    +WE SUPPORT THE EFFORTS OF THE UNITED STATES AND OTHER COALTION
MEMBERS TO END THE GULF SITUATION. CONVINCED THAT THE GROUND WAR WAS
AN INEVITABLE CHOICE TAKEN TO IMPLEMENT VARIOUS RELATED RESOLUTIONS
OF THE UNITED NATIONS.+ THE STATEMENT SAID.
    +WE HOPE THAT THE HOSTILITIES COME TO AN EARLY END WITH THE LEAST
CASUALTIES AND WAR DAMAGE AND STABILITY AND PEACE ARE RESTORED TO
THE GULF REGION AS SOON AS POSSIBLE.+
UPI JK
CCCCGGE
=02240730
NNNN

0078

1

지상전 개시에 관한 미국 정부의 통보

o 1991.2.24(일) 11:35시(현지 시간 2.23(토) 21:35시) 미 국무부 Desaix
   Anderson 동아.태 부차관보는 주미 박동진 대사에게 지상전이 개시되었음을
   전화로 통보해 옴.

0079

걸프 지상전 개시에 따른 조치

1991. 2.

외 무 부

0080

> 미국은 중동 현지시간 2. 24. 새벽4시경 쿠웨이트 해방을 위한 지상전의 개시직후, 국무부를 통해 주미 한국 대사에게 지상전 개시 사실을 통보하면서, 아국의 지지 성명 발표를 요청해 온 바, 조치사항과 관련 상황을 보고 드립니다.

아국에 대한 통보

o 2. 24일 13:40 (서울 시간) 미 국무부 동아. 태 부차관보가 주미 한국대사에게 전화로 지상전 개시 통보

o 미측은 미측 종전안에 대한 2. 23. 자 아국의 지지 성명에 사의를 표하고, 금번 지상전 개시를 지지하는 추가 성명 발표를 희망

0081

아측 조치 사항

o 2. 24 (일) 아래요지의 외무부 대변인 성명을 발표

- 이라크측의 연합군측 종전안 거부로 인한 지상전 개시에 유감을
  표명함.

- 지상전은 걸프사태 해결에 관한 유엔 안보 이사회의 결의를 이행키
  위해 취해진 불가피한 조치로써 이를 지지함.

- 전쟁의 조기종결과 조속한 평화. 안정 회복을 기대함.

o 아측 성명 발표 직후 이를 주한 미 대사관에 전달

- 미국은 아측의 신속하고 확고한 지지표명에 사의를 표함.

0082

전쟁 관련 사항

o 부쉬 대통령의 지상전 개시 발표

* 워싱턴 시간 2.23(토) 22:00

- 미국은 연합군 참가국과의 협의를 거쳐 쿠웨이트로 부터 이라크 군 격퇴를위해 육,해,공군을 포함한 모든 가용 수단을 동원함.

- 금번 전쟁이 신속하고 완전한 승리를 거둘 것으로 확신함.

o 체니 국방장관의 전황 브리핑

- 지상전을 포함한 모든 작전을 예정대로 전개중임.

- 작전 비밀유지를 위해 당분간 전황 브리핑은 없을 것임.

o 미.소간 마지막 협상 노력

- 지상전 개시직전 고르바쵸프 대통령이 부쉬 대통령에게 전화, 지상전을 당분간 연기해 줄 것을 요청했으나, 미측이 거절함.

0083

o 미 언론의 분석과 전망

  - 부쉬 대통령은 이라크가 미국의 2. 23. 자 최후 통첩을 수락치

    않을 것으로 예상, 작전을 예정된 시간에 개시한 것을 현지

    사령관에게 명령해 둔 것으로 보임.

  - 지상전의 목표 달성은 오래 걸리지 않을 것으로 전망.   끝.

0084

발 신 전 보

번 호 : WUS-0717 910224 2014 DQ

종별 : 긴급

WUK-0352

수 신 : 주 미.영 대사. ~~총영사~~

발 신 : 장 관 (미북)

제 목 : 걸프 지상전 개시

걸프 지상전 개시와 관련, 주요 전황과 전쟁의 지속기간, 전쟁의 종결 ~~상대능~~ 전망을 수시로 파악 보고 바람.   끝.

(미주국장 반기문)

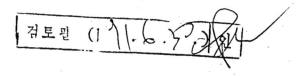

검토필 (1 91.6.3. 재   )

일반문서로 재분류(19 1. 1 2 3 .   )

	보안 통제	

앙 고 재	91년 2월 24일	북 미 과	기안자 성명		과장		국장 전결		차관	장관		외신과통제	

원 본

외 무 부

종 별 : 지 급

번 호 : USW-0885   일 시 : 91 0224 1601

수 신 : 장관(미북,중근동)

발 신 : 주 미 대사

제 목 : 걸프전 성명

　　　　대 : WUS-0713

　　　　연 : USW-0881

　　1. 금 2.24 오전 10:30 당관은 국무부 및 백악관 관계관에게 대호 걸프 지상전 개시에 즈음한 외무부 대변인 성명을 전달함.

　　2. 이에 대해 국무부 한국과 HASTINGS 담당관은 한국 정부의 신속한 조치에감사한다고함. 특히 국무부는 작일 대이락 최후 통첩관련 아측이 먼저 미측의 요청에 앞서 지지 성명을 발표한것을 크게 평가하고 있다고함.

　　　　(대사 박동진-국장)

　　　　예고:91.12.31 까지

　　　　　　　　일반문서로 재분류(19 91.12.31)

　　　　　　　　검 토 필 (19 91.6.3)

미주국	장관	차관	1차보	2차보	중아국	정문국	청와대	안기부

원 본

외 무 부

종 별 : 지 급

번 호 : USW-0897   일 시 : 91 0225 1815

수 신 : 장관(미북,중동 1)

발 신 : 주 미 대사

제 목 : 걸프전 성명 관련 미측 반응

대: WUS-0713

　　금 2.25 국무부 ANDERSON 동아태 부차관보는 본직과의 전화 통화시, 대호 한국
정부의 지지 성명을 BAKER 국무장관에게 직접 보고한바, 동 장관은 한국정부의 그러한
신속하고도 적절한 조치를 매우 높게 평가하였다고 알려오면서, 본인 자신도
한국정부의 협조적 자세에 사의를 표한다고 언급함.

　　(대사 박동진-장관)

　　91.12.31 일반

　　　　　　　　　　일반문서로 재분류(1991.12.31)

　　　　　　　　검 토 필 (19)

미주국　　장관　　차관　　1차보　　2차보　　중아국　　청와대　　안기부

기 안 용 지

분류기호 문서번호	미북 0160- 221	(전화 : 720-4648)	시 행 상 특별취급	
보존기간	영구. 준영구 10. 5. 3. 1.	장 관		
수 신 처 보존기간				
시행일자	1991.2.25.	기을		

보조기관	국 장	전 결	협조기관		문서통제 (검열 1991. 2. 25)
	심의관				
	과 장				
기안책임자		김규현			발송인 (발송 1991. 2. 25 외무부)
경수참	유신조	주 미 대 사	발신명의		

제 목	면담요록 송부

미주국장과 Hendrickson 주한 미 대사관 참사관간에 91.2.20.

있었던 미.북한 북경접촉, 걸프사태 지원문제 및 한.미 안보협력 문제

등에 관한 면담내용을 별첨 송부합니다.

일반문서로 재분류(1991.12.31)

첨 부 : 동 면담요록 1부. 끝.

예 고 : 91.12.31.일반

검 토 필 (1991.6.30)

면 담 요 록

1. 일   시 : 91.2.20(수) 10:05-11:00

2. 장   소 : 미주국장실

3. 면담자 :

아 측	미 측
반기문 미주국장	E. Mason Hendrickson, Jr.
김규현 북미과 사무관(기록)	주한 미 대사관 참사관

4. 면담요지

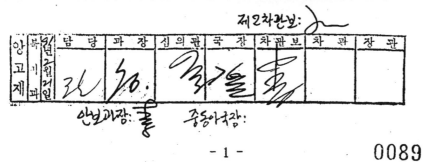

- 1 -

0089

(군 수송기 파견문제)

Hendrickson : 한국 공군 수송단 C-130기의 인도 통과 문제로 어젯밤 한국
참사관　　　　국방부측과 주한 미군 당국간에 긴급 통화가 있었던 것으로
　　　　　　　알고 있음. 인도 정부의 갑작스런 입장 변경은 이해할 수
　　　　　　　없는 바, 동 사태는 어떻게 처리 됐는지 ?

미 주 국 장 : 본인도 작일 저녁 늦게 유종하 외무차관으로 부터 긴급 전화를
　　　　　　받았었음. 현재 동건은 인도 정부가 인도 영공이 아닌 비행정보
　　　　　　구역(FIR : Flight Information Region)을 통과한다는 조건으로
　　　　　　허가를 해줘 군 수송단 1진은 방콕을 출발한 것으로 알고 있음.
　　　　　　그러나 인도 정부는 군 수송단 제2진에 대해서는 FIR 통과
　　　　　　문제가 해결이 될때까지 출발을 연기해 달라는 요청을 해 왔음.

0090

- 2 -

현재 우리 정부는 인도 정부와 FIR 통과 허가문제를 협의중에 있는 바, 조만간 인도 정부가 군 수송단 2진의 통과를 허가할 것으로 기대하고 있음.

Hendrickson : 어제 저녁 Burghardt 공사는 동건 협의를 위해 주인도 미국
참사관   대사 접촉을 시도하였으나 동 대사의 부재로 성사되지 못함에
              따라 한국과 Margarte McMillion 부과장을 접촉, 국무부
              근동.남아국에 상황을 알아보도록 요청한 바 있음. 한국
              군 수송기 인도 영공 통과문제 관련 미국 정부의 도움이 필요
              한지 ?

미 주 국 장 : 미국이 측면 지원을 해주면 많은 도움이 될 것으로 봄.

Hendrickson : 주인도 미국 대사로 하여금 인도 정부에 협조를 요청토록
참사관   멧세지를 보내겠음. 이와관련 현재 추진되고 있는 한국
              수송단의 인도지역 통과 노선과 재급유 문제는 ?

미 주 국 장 : 재급유는 스리랑카의 콜롬보에서 하게 되어 있음.
              현재 군 수송단은 인도 영공을 통과하지 않고 인도의 비행정보
              구역을 통과하는 방안을 협의중임. 이와관련 미측이 협조
              제공해주면 감사하겠음.

(걸프사태 관련 재정지원 문제)

Hendrickson : 한국 정부가 작년도에 약속한 2.2억불의 지원중 전선국가에
참사관   대한 재정지원 촉진을 위한 한국 정부 대표단 파견 계획이
              확정되었는지 ?

미 주 국 장 : 걸프사태 재정지원 촉진문제 협의를 위해 작 2.19(화) 10개
              부처 국장급 관계관이 모여 회의를 가진바 있음.

- 3 -

0091

동 회의에서 전선국가에 대한 지원 촉진을 위해 이기주 외무부 제2차관보를 단장으로하고 경기원, 재무부, 건설부 등 관계 부처 실무진으로 구성된 대표단을 사우디, 이집트, 요르단 및 U.A.E.에 조반간 파견키로 결정을 보았음. 한편, 국방부는 군수물자 지원 촉진을 위해 별도의 교섭단을 아국이 군수물자를 제공키로 한 국가에 파견 예정임.

Hendrickson : 국방부팀은 언제, 어느 국가에 파견되는지 ?
참사관

미 주 국 장 : 현재로서는 파견 원칙만 결정된 상태이며 파견 대상국가, 시기 등 구체적 사항은 상금 미정임.

Hendrickson : 이미 전화로 통보한 바와 같이 2.8억불의 미국에 대한 추가
참사관   지원중 1.7억불 상당의 군수물자 관련, Dick Cheney 국방장관이 Baker 국무장관, Gregg 대사, RisCassi 주한 미 사령관, 미 합참, CINCPAC 및 미 중앙사(CENTCOM)에 보낸 전문에는 한국 측이 제시한 물자중 상용물품(Commerical items)은 걸프 주둔 미군용으로는 불필요한 만큼, 동 상용물자를 전선국가에 지원토록하는 방안을 한국측에 제의하라고 되어있음.(동 전문 사본 별첨) 이와 관련 한국 군 당국이 이미 제공할 물품을 결정하였는지 ?

미 주 국 장 : 우리 군 당국이 제공 가능한 물품의 종류와 수량등을 미군측에 이미 제시한 것으로 알고 있음.

Hendrickson : Cheney 장관이 제의한 상용물자의 전선국 지원 제의가 미 국무부
참사관   및 재무부와의 협의를 거친 것인지가 분명치 않으므로 동건을 워싱턴에 확인할 예정임.
본인은 Brady 재무장관이 이 자리에 있었다면 그는 한국의 추가 지원에 사의를 표하면서 2.8억불 모두를 현금으로 지원해 줄 것을 요청했을 것이라는 생각이듬.

0092

- 4 -

하여간 미국으로서는 가능한 현금 지원분이 많을수록 좋겠다는
입장임.

미 주 국 장 : 우리 정부는 당초 1.7억불 상당의 군수물자를 지원키로한 바,
Cheney 장관이 언급한 상용물품이 구체적으로 무엇을 의미
하는지 의아함. 한편, 우리가 Cheney 장관의 제의에 따라 대미
지원 군사 물자분에서 전선국가에 지원을 할 경우, 이는 당연히
미국에 대한 지원으로 계상되어야 하며 모든 지원은 아국이
약속한 추가지원액 2.8억불내에서 행해져야 한다는 것이 우리
입장임.

우리의 대미 추가지원 약속액중 현금 및 수송지원 1.1억불이
미국의 기대를 충족시킬 수 있는 규모는 아니나 이 금액은
인위적인 액수가 아니며, 정부가 긴급한 비상사태에 대비,
마련한 예비비 예산에서 염출 가능한 최대의 액수임.

그러나 능력 범위내에서 최대한의 지원을 미측에 기꺼이 제공
한다는 우리의 입장에 따라 1.7억불 상당의 군수물자 지원을
제의한 것임. 따라서 우리로서는 군수물자 대신 현금이나 용역
형태로의 지원은 사실상 불가능한 형편임을 미측이 이해해주기
바람.

이와관련 우리 정부의 미국에 대한 지원 용의(willingness)와
진지성(sincerity)을 재삼 강조코자 함.

Hendrickson : 잘 알겠음. 한편 작년 2월 한국 정부가 공약한 전선국가에
참사관
대한 지원이 신속히 추진되고 있지 않은 이유는 ?

작년도 4,000만불의 재정지원이 별진척이 없음에 비추어
1.7억불 상당의 물자를 전선국에 지원할 경우 과연 집행이
제대로 될지 의문스러움.

이 경우 한국은 3.3억불에 해당하는 기여만을 하게 될 수도
있다고 봄.

- 5 -

0093

미 주 국 장 : 지난번 Gregg 대사도 우리 재무장관에게 지원 촉진을 위한
대표단 파견문제를 거론한 바 있으나, 지원 집행관련 문제는
우리의 지원 집행 의지 부족의 문제가 아니라 수원국의 태도가.
장애요인임.

금번에 정부가 정부대표단을 전선국가에 파견키로 한 것도
지원 촉진을 위한 우리 정부의 노력의 일환임.

Hendrickson : 대표단 파견 일정은 ?
참사관

미 주 국 장 : 오는 2.23(토) 출발하기 위하여 필요한 준비를 서두르고 있음.
대표단의 귀국 일자는 상금 미정인 바, 확정되는대로 전화로
알려주겠음. 국방부 고섭단의 일정은 알고 있지 못함.

(대미 현금 및 수송지원 구성)

미 주 국 장 : 우리 정부는 추가 지원 약속액 1.1억불을 현금 6,000만불,
수송지원 5,000만불로 지원코자 하는 바, 이에 대한 미측의
입장을 알려주기 바람.

물론 동 구성은 대통령의 최종 재가를 받아야 하는 것임.

Hendrickson : 한국측의 제의를 본부에 보고토록 하겠음.
참사관

(영국에 대한 전비지원 문제)

Hendrickson : 영국에 대한 지원 문제는 ?
참사관

미 주 국 장 : 본인이 지난 2.13. 이기주 차관보와 John Weston 영 외무부
국방담당 부차관을 면담했을때 영국의 지원요청에 대해 상부에
보고 하겠다고 하였으나 "호의적(favorably)" 검토라는 용어는
쓰지 않았음.

0094

- 6 -

그런데, 어제 관계부처 회의에서 동 문제를 중점적으로 다뤘는
바, 회의 참석자들은 걸프전에서의 영국의 기여도등을 감안할
때 영국에 대해 3,000만불 상당의 지원을 적극 검토해야 한다는
데 원칙적 합의를 보았음.

다만, 영국에 대한 지원을 위하여 추가지원 확보는 우리 경제
상태등 능력에 비추어 불가능할 뿐 아니라 국회와 여론의 반발
등을 감안할때 실현성이 없다고 봄.

따라서, 우리 정부로서는 기존 약속액 5억불중에서 영국에 대한
지원 3,000만불을 염출하는 방안에 미측의 동의를 구하는 바임.

영국 지원을 위한 구체적 재원 염출 방법으로 우리가 고려하고
있는 것은 90년도 1차 지원시 시리아에 대한 지원을 위해 배정
되었으나 현재 진전이 없는 1,000만불과 91년도 대미 추가지원
약속중 1.7억불 상당의 군수물자 지원분에서 2,000만불 정도를
염출하는 방안임.

이와 관련 우리는 미 국무부측이 아국이 영국에 대해 지원할
경우 이는 적절한 조치가 될 것이라고 평가하면서도 영국에
대한 지원은 한.영간의 양자문제로서 5억불의 지원과는 별개라는
입장을 표명한 사실을 알고 있음. 그러나 우리의 영국에 대한
지원은 5억불의 약속액중에서 이뤄져야 한다는 것이 어제 관계
부처 회의에서 일치된 의견이었음.

Hendrickson : 한국 정부의 제의에 대한 미국 정부의 입장을 알아보도록
참사관

하겠음. 그러나 미국의 입장에서보면 한국은 미국보다 훨씬
대처를 잘하고 있는 국가임. 미국은 세계 최대의 채무국이기도
함.

따라서 한국의 어려움을 미국 정부에 이해시키는 것은 그리
쉬운 일이 아님.

워싱톤은 아마도 한국이 지원 규모를 보다 증대시키는 것이
공평(fair)하다고 생각하고 있을지도 모름.

- 7 -   0095

한편, 본인은 미국의 연방 예산 담당 관리들도 한국의 경제 기획원 관리들과 같이 tough 했었으면 미국이 오늘날 이렇게 되지는 않았을 것이라는 생각을 하고 있음.

미 주 국 장 : 우리는 미국에 대해 최대한의 지원을 기꺼이 제공할 용의가 있으나, 현재 한국이 당면하고 있는 정치.경제적 어려움 때문에 더이상의 추가 지원이 곤란함을 이해해 주길 바람.

(전시 접수국 지원협정(WHNS) 문제)

Hendrickson 참사관 : 금번 걸프전으로 한.미 양국간 WHNS 협정을 조속 체결해야 할 필요성은 더 절실해졌다고 봄. 걸프전의 경우, 준비를 할 수 있는 수개월간의 기간이 있었으나, 한반도에서 유사사태가 발생할 경우에는 그리 시간이 많지 않을 것임.

WHNS 협정체결에 관한 원칙적 합의는 이미 5년전에 한.미 양국간에 본 바 있음에도 불구하고, 이날까지 동 협정이 체결되지 못하고 있음은 안타까운 일임.

한편, 비용문제와 관련 한국 국방부측이 제시해온 문서에 보면 제8조의 문안이 미국이 모든 비용을 부담해야 한다고 되어 있는데 이는 비용 부담 당사자를 정하지 않았던(kept open) 원문서에 없던 문구로서, 미국으로서는 한국 국방부측이 원래 문서의 입장으로 돌아가길 바람. 우리로서는 WHNS 협정이 포괄 협정이며 한.미 안보 협력을 위해 매우 중요한 만큼 한국측이 정치적 의지만 있으면 동 협정을 조속한 시일내 마무리 지을 수 있다고 봄.

미 주 국 장 : 양국간 안보협력 관련 WHNS 협정의 중요성에 관해서는 이의가 없는 바, 미측은 우리의 정치적 의지에 대해 의문을 가져서는 안됨.

- 8 -

0096

다만, 우리로서는 동 협정의 일부 내용, 특히 예측이 불가능한
상황에서의 비용 부담문제에 대한 내용이 모호하게 되어있으므로
이러한 형태로의 협정은 체결하기 어렵다는 입장이며 국회
에서의 통과도 기대할 수 없다는 판단임.

현재 신임 안보과장이 동 협정문안을 면밀히 검토하고 있으며
양국간의 문제점을 해결, 협정 체결을 위한 절차를 가속화
하겠다는 강한 의지를 갖고 있는 만큼, 안보과장과 Christensen
서기관이 조만간 동 협정체결 문제를 진척시킬 수 있을 것으로
기대하고 있음. 어제 국방부 군수국장도 WHNS 협정의 조속한
체결이 필요하다는 입장을 본인에게 개진한 바 있으나 협정
체결의 책임을 담당하고 있는 외무부로서는 관계부처는 물론
국회를 납득시킬 수 있도록 우선 협정 내용이 양측간에 합의
되어야 한다고 봄.

Hendrickson : WHNS 협정 체결 문제를 조속히 마무리 짓기 위해 국장님과
참사관   본인이 이 문제를 본격적으로 맡아 처리해 나가는 방안을 제의
하고자 하는데 이에대한 의견은 ?

미 주 국 장 : 우선은 종전과 같이 안보과장과 Christensen 서기관간에 동
문제를 상세히 검토하고 협의토록 하는 방안이 바람직하다고 봄.

(AFKN 채널 변경 문제)

미 주 국 장 : AFKN 채널 변경관련, 양측간의 합의에도 불구하고 유지비까지
한국이 부담해 달라는 미측의 요청이 동건의 진전에 장애가
되고 있는 바, 우리로서는 미측의 상기 요청은 수용할 수 없는
것임. 미측은 AFKN 채널 변경문제를 당초 합의대로 이행하기
바람. 이와관련 동 채널 변경문제를 조속히 마무리하라는
청와대로부터의 지시가 있었음도 참고로 알림.

- 9 -

0097

(리비아 테러분자 관련사항)

미 주 국 장 : 테러 분자로 간주되는 리비아인들의 한국 입국 및 체재관련
이정빈 외무부 제1차관보는 주한 리비아 대사에게 전화로 테러
활동 가능성에 대한 엄중한 경고를 한 바 있으며, 현재 동
리비아인들은 보안당국에 의해 24시간 철저한 감시하에 있음.
그러나 아국 정부가 이들에게 추방등의 강경한 조치를 취할
계획은 아직 없음.

Hendrickson : 지금까지 별문제가 없으나 이들의 동태에 관해 특이 사항이
참사관   나타나면 바로 한국측에 통보토록 하겠음.

미 주 국 장 : 이 문제와 관련 한.미 보안 당국간에 긴밀한 협의가 이뤄지고
있는 것으로 알고 있음.

첨 부 : 대미 군수물자 지원 전환 관련 Cheney 미 국방장관 명의 전문 사본. 끝.

예2.91. 12. 31

검 토 필 (19ﬞﬞ1.630

- 10 -

ACTION POL2 INFO AMB DCM DAO (5)

ACTION COPY 15-FEB-91   TOR: 20:37

VZCZCUL0663   CN: 63927
PP RUEHUL   CHRG: DAO
DE RUEKJCS #5874 0462028   DIST: DA01
ZNY CCCCC   ADD:
P R 152028Z FEB 91
FM SECDEF WASHINGTON DC//USDP//
TO RUEHUL/AMEMBASSY SEOUL KOR
RUAGAAA/COMUSKOREA SEOUL KOR//J4/J5//
INFO RUEHC/SECSTATE WASHINGTON DC//EA-K//
RUEKJCS/JOINT STAFF WASHINGTON DC//J4/J5//
RUHQHQA/USCINCPAC HONOLULU HI
RHIPAAA/USCINCCENT//J4/J5//
BT
C O N F I D E N T I A L RELROK
SUBJECT: ROK OFFER OF ASSISTANCE TO DESERT STORM (U)
1. (C/RELROK) THE ROK HAVE OFFERED $110M IN CASH AND
TRANSPORTATION, FIVE C-130 AIRCRAFT, AND $170M IN MILITARY AND
COMMERCIAL MATERIAL IN SUPPORT OF U.S. DESERT STORM OPERATIONS. THE
DEPLOYMENT OF THE FIVE C-130 AIRCRAFT HAS BEEN ACCEPTED BY THE U.S.
2. (C/RELROK) U.S. APPRECIATES THE OFFER OF THE COMMERCIAL ITEMS

BUT HAS NO REQUIREMENT FOR THEM. REQUEST COMUSK CONTACT MND AND
INFORM THEM THE COMMERCIAL ITEMS ARE NOT NEEDED BY U.S. FORCES IN T4E
GULF AND SUGGEST THEY BE OFFERED TO THE FRONT LINE STATES. REQUEST
AMEMBASSY SEOUL PROVIDE THIS SAME INFORMATION TO THE MOFA. THANK

PAGE 02 RUEKJCS5874 C O N F I D E N T I A L
THE ROK GOVERNMENT FOR THEIR OFFER AND INDICATE A FINAL RESPONSE WILL
BE SENT SHORTLY.
DECLAS 31 DEC 1995
BT
#5874

NNNN

C O N F I D E N T I A L   SECDEF 152028Z FEB 91

- commercial ⟷ military items?
$110 mil from emergency funds
wanted to make whole package 500 mil, then looked at emer. fund (110), then
identified 170 worth of mil items (based on discussions of USFK)

0099

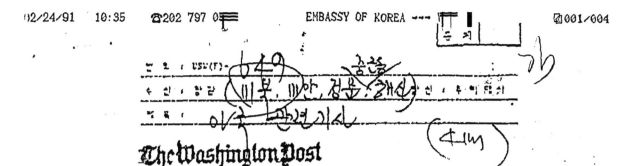

02/24/91 10:35 ☎202 797 0▦ EMBASSY OF KOREA ---   ☑001/004

The Washington Post

A20 SATURDAY FEBRUARY 23, 1991

PAYING FOR DESERT SHIELD: THE FOREIGN COMMITMENT
IN MILLIONS OF DOLLARS

COUNTRY	COMMITTED			RECEIVED BY THE U.S.		
	1990	1991	TOTAL	CASH	IN KIND	AMOUNT DUE
Saudi Arabia	$3,339	$13,500	$16,839	$4,457	$1,566	$10,816
Kuwait	2,506	13,500	16,006	3,500	10	12,496
United Arab Emirates	1,000	2,000*	3,000	870	140	1,990
Germany	1,072	5,500	6,572	2,432	531	3,609
Japan	1,740**	9,000***	10,740	866	457	9,417
South Korea	80****	305	385	50	21	314
Others	3	—	3	—	3	—
TOTAL	9,740	43,805	53,545	12,175	2,728	38,642

NOTE: *An additional amount above the $2 billion is under discussion.
**Japan pledged $250 million to the other coalition forces for total contributions of $2 billion.
***Under consideration by the Japanese Diet.
****South Korea pledged $15 million to other coalition forces for total contributions of $95 million.

SOURCE: Office of Management and Budget

0100

096 P01   LENINPROTOCOL   '91-02-25 00:18

EMBASSY OF THE
UNITED STATES OF AMERICA

Seoul
Feb. 25

Dear Director General Ban,

The attached letter is forwarded from Gen. Beale.

Regards,
Hank Hendrickson

0101

HEADQUARTERS, UNITED STATES FORCES, KOREA
APO SAN FRANCISCO 96301-0010

REPLY TO
ATTENTION OF:

February 22, 1991

Assistant Chief of Staff
J4

Mr. Ban Ki Moon
Director General
American Affairs Bureau
Ministry of Foreign Affairs
Republic of Korea

Dear Director General Ban:

The Republic of Korea recently agreed to allocate Desert Storm transportation funds for a Korean ship to move USFK Multiple Launch Rocket System (MLRS) unit equipment to Korea. This assistance was needed because U.S. flag shipping was not available.

Since the ROK commitment was made, our Military Sealift Command located a U.S. flag vessel available to move the MLRS equipment to Korea. As a result, USFK will not require ROK assistance.

The Republic's timely and positive support of our request for transportation support is appreciated. On behalf of USFK, thank you for your personal support in this endeavor.

Sincerely,

RICHARD E. BEALE, JR.
Brigadier General, USA
Assistant Chief of Staff, J4
United States Forces, Korea

0102

Sharing of Responsibility for
the Coalition Effort in the Persian Gulf
(Feb 8 update)

Many other countries are doing their part to support the coalition effort in the Persian Gulf. Our partners in the coalition have contributed in three ways:

-- First, 27 other countries have their own combat forces contributing to the coalition against Iraq. They have now committed more than 270,000 troops, 66 warships, over 750 combat aircraft, and more than 1100 tanks in Saudi Arabia, the Gulf states, and the Persian Gulf. Pilots from eight other allied nations have flown more than 6000 sorties in the air campaign. Coalition forces have engaged in ground combat alongside our forces and, like us, they have suffered casualties. Turkey has allowed air operations against Iraq from its territory and has significantly enhanced its defense capabilities opposite Iraq.

-- Second, other countries have given money and other assistance to us to pay most of the cost of both Operation Desert Shield and Operation Desert Storm. Our incremental costs for Desert Shield were roughly $11 billion in calendar year 1990. Assuming Congress enacts the necessary appropriation, we expect our coalition partners to pay about $9.7 billion, or nearly 90% of those incremental expenses. Now, for calendar year 1991, we have received commitments of about $42 billion to cover the financial costs for Desert Storm in the first three months of this year. We are confident our friends and allies will continue to bear the bulk of the financial burden in this struggle.

-- Third, other countries have taken on the responsibility for assisting those nations which have suffered the most from enforcement of the international economic sanctions against Iraq. The Gulf Crisis Financial Coordination Group established by President Bush has received pledges of $14.3 billion in exceptional economic assistance for these hard-hit states, of which nearly half, $6.7 billion, has already been disbursed.

Other Countries' Military Forces in the Gulf. Thirty-four countries, including the U.S., have joined forces in responding to the crisis in the Gulf. 27 other states have contributed combat units to the coalition; six more have provided support or medical units. In general, given their limited capabilities to support large-scale force deployments, other states have contributed what they can and what we have asked.

Public opinion in key allied countries, led by firm statements from their heads of government, is overwhelmingly supportive of the coalition military action in the Gulf. For example, 84% of the British people, 76% of the French, 64% of the Germans, and

0610-1

0103

[...] of Italians have supported the use of force against Iraq in
[...] [...] [...] [...] [...] [...] their own countries
actions and President Bush's personal performance [...] [...] [...].

The contributions from our coalition partners are militarily
significant. Our allies have already flown more than 8,000
sorties in the air campaign. For example, Kuwaiti A-4 aircraft
successfully struck Iraqi infantry and artillery positions and
other military installations in their occupied homeland. The
British used their GR-1 Tornados and Jaguars to strike bridges,
radar, communication, as well as ammunition and petroleum storage
sites, and joined in strikes against airfields in southern Iraq
and Kuwait. Saudi F-5s attacked command posts and artillery
sites in Kuwait and airfields in western Iraq, while Saudi
Tornados teamed with our F-111 aircraft to hit key airfields and
Saudi F-15s shot down Iraqi planes. French Jaguars attacked the
Republican Guards and military installations in western Iraq,
while other French aircraft provided aerial refueling and fighter
protection. Canadian CF-18 aircraft provided escort and air
cover along with help in cutting off Iraqi military supplies.
Qatar's Mirage F-1s flew in combined attacks on SCUD sites.
Bahraini F-5s hit radar and missile sites in southern Kuwait.
Italian Tornados struck Iraqi forces in and around occupied
Kuwait.

On the ground, Saudi and Qatari units led the counterattack which
expelled Iraqi forces from Khafji, taking hundreds of prisoners.
Syrian forces have exchanged artillery fire with Iraqi forward
positions in Kuwait.

Our allies are also paying the price for their support. Ten
coalition aircraft have been lost in action; British, Italian,
and Kuwaiti airmen are missing in action or being held as
prisoners of war. Saudi and Qatari soldiers have been killed and
wounded in ground action.

Some other military contributions include:

--   The Arab states of the Gulf Cooperation Council have
     deployed their ground forces to Saudi Arabia.

--   Egypt has sent a mechanized corps, including an armored
     division, a mechanized division, and a Ranger regiment --
     [...] [...] [...] [...] [...] [...] [...] [...]
     Syrian division and forces from other Muslim states are also
     deployed against Iraq.

--   Britain has deployed a heavy armored division and has sent
     more than 70 combat aircraft, a total of over 30,000
     soldiers and airmen. A French light armored division is in
     place too, along with over 130 combat aircraft.

0610-2

0104

3

-- Canada and Italy have sent combat aircraft to the Gulf; Czechoslovakia has deployed a chemical decontamination unit. Poland, Hungary, New Zealand, Korea, and Singapore have sent medical teams to help.

~~ Turkey has supported the UN effort, allowing strikes against Iraq from its territory, and has substantially strengthened its defenses opposite Iraq. NATO approved the unprecedented dispatch of its rapid deployment units -- German, Belgian, and Italian planes -- to help this Alliance member. The Netherlands has also deployed Patriot batteries and Hawk air defense systems to shield Turkey from attack; Germany is also deploying air defense units from its Bundeswehr to Turkey.

Fourteen navies also have fighting vessels patrolling the Persian Gulf and nearby waters. Our coalition partners have stopped and boarded over three hundred ships to help enforce the UN's economic sanctions.

Assistance for Operation Desert Shield/Desert Storm. Saudi Arabia, Kuwait, and the United Arab Emirates (UAE) are providing substantial cash and host nation support. They are covering more than 60% of the costs of Operation Desert Shield in 1990, and have agreed to bear a major part of the financial costs for Desert Storm. Saudi Arabia and Kuwait have committed $27 billion to cover costs for the first three months of 1991. Pledged support has been disbursed promptly. Their host nation support includes food, fuel, water, facilities, and local transport for US forces.

Japan is contributing over $1.7 billion to Desert Shield in 1990 (and $260 million to other coalition partners). More than half of the assistance to us was in cash and the remainder came or is coming through in-kind support, including support for transport costs and purchases of U.S.-made computers, vehicles and construction equipment. The Japanese government recently pledged an additional $9 billion for Operation Desert Storm. German support in 1990 exceeded a billion dollars, including in-kind support such as heavy equipment transporters and other valuable equipment from existing stocks like modern chemical detection vehicles. Germany has made a firm commitment to provide $5.5 billion in cash for Operation Desert Storm expenses for the first quarter of 1991. Germany has also provided extensive support for the movement of US forces from Europe to the Gulf and aid to Britain (over $500 million for 91), Turkey (over $1 billion in military assistance) and Israel (over $100 million). Korea has provided cash and lift support from the beginning and has recently pledged an additional $260 million for Desert Storm.

Exceptional Economic Assistance. With our own resources ... the military effort against Iraq, we organized

0105

the international effort to allow other countries to provide financial assistance to the nations most hard-hit by the crisis and sanctions. Our partners in this effort have made commitments amounting to $14.3 billion for assistance to front-line states and other countries. About $6.7 billion of this total has already been disbursed. Our Arab partners, Germany, Japan, and the European Community have been leading contributors and we look to them and other countries to accelerate the disbursement of funds already committed and make additional commitments. Also, Japan has pledged to take the lead in evacuating refugees from the area of conflict. Additionally, in response to President Bush's proposals and with strong support from other creditor countries, the IMF and World Bank moved swiftly to adapt their lending procedures to enable them to alleviate more effectively the economic effects of the crisis on a wide range of countries.

More Needs to be Done. The contributions in 1990 were substantial and, increasingly, countries are pledging what we have asked them to pledge. We are working now to:

-- Ensure prompt disbursement of the new commitments to cover incremental costs for Operation Desert Storm; and

-- For the front line states, accelerate disbursements of previous commitments of economic assistance, particularly for Turkey, and obtain new commitments for the front line states and for Eastern Europe to help cover the continuing economic costs of the sanctions.

a610-K

0106

Annex: Countries Involved in Responsibility-Sharing

Providing Combat Forces

ARGENTINA (naval)
AUSTRALIA (naval)
BAHRAIN (ground, air)
BANGLADESH (ground)
BELGIUM (air in Turkey, naval)
CANADA (air, naval)
DENMARK (naval)
EGYPT (ground)
FRANCE (ground, air, naval)
GERMANY (air and ground in Turkey, naval)
GREECE (naval)
ITALY (air, naval)
KUWAIT (ground, air, naval)
MOROCCO (ground)
NETHERLANDS (ground in Turkey, naval)
NIGER (ground)
NORWAY (naval)
OMAN (ground, air)
PAKISTAN (ground, naval)
QATAR (ground, air)
SAUDI ARABIA (ground, air, naval)
SENEGAL (ground)
SPAIN (naval)
SYRIA (ground)
TURKEY (home defense)
UNITED ARAB EMIRATES (ground, air)
UNITED KINGDOM (ground, air, naval)

Providing Combat Support and Combat Service Support Forces

CZECHOSLOVAKIA (CW decontamination)
HUNGARY (medical)
REPUBLIC OF KOREA (transport, medical)
NEW ZEALAND (transport, medical)
POLAND (medical)
SINGAPORE (medical)

Assistance to Operations Desert Shield and Desert Storm

GERMANY
JAPAN
REPUBLIC OF KOREA
KUWAIT
SAUDI ARABIA
UNITED ARAB EMIRATES
(plus aid in the deployment of our forces from others, including
DENMARK, FRANCE, GREECE, ITALY, NORWAY, POLAND, PORTUGAL, SPAIN,

4SW(F) - 0666

수신 장관 (복미2 간결 수미니스)

발신 주미대사 (임성남)

제목 청부

6

UNITED KINGDOM, and TURKEY)

Exceptional Economic Assistance for Front-Line States

AUSTRIA
BELGIUM
CANADA
DENMARK
EUROPEAN COMMISSION (for the EC)
FINLAND
FRANCE
GERMANY
ICELAND
IRELAND
ITALY
JAPAN
REPUBLIC OF KOREA
KUWAIT
LUXEMBOURG
NETHERLANDS
NORWAY
SAUDI ARABIA
SPAIN
SWEDEN
SWITZERLAND
UNITED ARAB EMIRATES
UNITED KINGDOM

0108

HEADQUARTERS, UNITED STATES FORCES, KOREA
APO SAN FRANCISCO 96301-0010

REPLY TO
ATTENTION OF:

FEB 21 1991

Programs and Agreements Branch

Colonel Kim, Jin Sup
Chief, Logistics Plans Division
Ministry of National Defense
Republic of Korea

Dear Colonel Kim,

Enclosed is some more detail on the Army items withdrawn from USFK war reserves or operational stocks in support of Operation Desert Storm. We anticipate that more assets will be shipped prior to the end of that conflict. The prices shown are normal US stock list prices. We are aware that the price the Republic of Korea will pay will differ and that quantities may require adjustment accordingly. We will provide additional information as it becomes available.

Thank you in advance for your support of the combined warfighting capability on the Peninsula.

Sincerely,

JOSEPH B. CORCORAN, JR.
Lt Col., USAF
Ch., Programs and Agreements, J4

0109

USFK DESERT STORM LEVIES
POSSIBLE ROKA REPLENISHMENT

ARMY

NOMENCLATURE	NSN	QTY	COST
BARBED WIRE	5660-00-251-4482	14,368	$360,150
BARBED TAPE	5660-00-251-5516	40,000	$1,163,200
STEEL FENCE POST 6'	5660-00-270-1510	514,398	$2,515,406
STEEL FENCE POST 5'	5660-00-270-1587	299,484	$1,236,869
STEEL FENCE POST 2.5'	5660-00-270-1589	20,147	$50,569
STEEL FENCE POST 2'	5660-00-270-1588	18,514	$32,214
SAND BAGS	8105-00-142-9345	46,173	$1,230,972
TENTS, LARGE	8340-00-470-2342	17	$41,358
TENTS, SMALL	8340-00-470-2335	213	$244,929
FOLDING COTS	7105-00-935-0422	5,700	$268,287
BATTLE DRESS	8415-01-137-1704	275,271	$20,900,00
GAS MASK	4240-01-143-2019	12,500	$1,166,500
TOTAL			$29,210,454

0110

관리
번호 91-1925

외 무 부

종 별 : 지 급

번 호 : USW-0945

일 시 : 91 0226 2000

수 신 : 장관(미북,중근동,미안)

발 신 : 주 미 대사

제 목 : 대미 추가 지원

연: USW-0819

1. 연호 관련 당관이 국방부 실무진으로부터 파악한 미측 입장을 하기 보고함.

가. 기본적으로 미측은 한국측이 추가 지원키로 발표한 2 억 8 천만불중 현금및 수송 지원 1 억 1 천만불을 제외한 1 억 7 천만불 상당의 군수 물자 지원에대해서는 큰 관심을 보이지 않고 있음.

나. 이러한 기본 입장에 따라 연호 1 나. 항과 같이 동 군수 물자의 활용 방안을 검토한바 있으나 최근 당초 생각을 바꾸어 걸프전 상황 변경등을 감안, 관련 부서간 의견 조정을 다시 거친후 입장을 재확정, 가능한한 늦어도 3 월 첫째주말까지는 체니 장관이 이를 한국측에 공식 통보할수 있을것이라고 함.

2. 여사한 미측 입장의 변경은 기본적으로 현금 지원을 선호하는 미측 입장에 바탕을 두고, 지상전 전개 양상을 보아 가면서 아측에 대한 요청 내용에 융통성을 남겨 두기 위한것으로 관찰됨.

(대사 박동진-국장)

91.12.31 일반

검 토 필 (19

미주국	장관	차관	1차보	2차보	미주국	중아국	청와대	안기부

PAGE 1

91.02.27 11:35

외신 2과 통제관 BW

0111

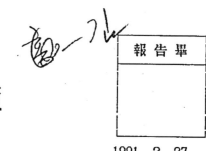

報 告 事 項

題 目 ： 美 上院 歲出委의 걸프戰 戰費 支出 聽聞會

美 上院 歲出委(委員長 ： Robert Byrd, 民主, WV)는 2.26(화) Darman 豫算
局長, Atwood 國防部 副長官을 出席시킨 가운데 걸프전 戰費 관련 FY 91 國防
豫算 追加 支出 法案에 관한 聽聞會를 開催하였는 바, 我國의 財政支援에
대한 言及等 관련사항 아래 報告 드립니다.

---

1.   Darman 豫算局長 證言內容

ㅇ 90.10-91.3.期間中 걸프事態로 인한 國防費, 追加 所要 充當을 위해 150억불
    규모의 追加 支出 豫算을 요청함.

  - 일종의 連繫借用(Bridge Loan) 성격으로 걸프 戰費는 國防長官이 聯邦
    豫算局 許可下에 소요 발생에 따라 우선 支出 執行

  - 同盟國 寄與金 535億弗은 接受後 Working Capital Account에 入金, 事後
    補塡

ㅇ 걸프 戰費 실제 지출액이 追加 支出金額 150億弗과 同盟國 寄與金 535億弗의
    合計인 685億弗에 못미칠 경우, 剩餘 殘額은 美國庫로 移管 豫定임.

0112

(同盟國 寄與金 水準)

    º Ernest F. Hollings 上院議員(民主, SC)

      - 韓國, 日本 및 獨逸의 寄與金 水準 致賀("their fair share")

      - 直接 當事者인 사우디, 쿠웨이트 및 UAE의 水準은 不公平하게 낮으므로 더 寄與金을 받는 方案 樹立 必要性 指摘

    º Dale Bumpers(民主, Ark)

      - 高 原油價로 야기될 수 있는 損害 감안시, 한국의 寄與 水準은 부족함을 指摘하고 對韓國 政府 壓力行使 필요성 언명

      * 同 議員은 89.6. 駐韓美軍을 1만명 수준으로 減縮하자는 法案을 提出한 바 있음.

(現 戰費 支出 計定)

    º 걸프戰 關聯 戰費는 現在 內戰時 給食法(Civil War Food and Forage Act)상 計定에서 臨時 支出中임.

      - 91.5. 以前 追加 支出法案 通過 必要

      - 事態가 3月末 以前 終了時 또다른 追加 支出 豫算案 提出은 不要

- 끝 -

0113

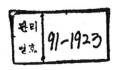

면 담 요 록

1. 일   시 : 1991.2.27(수) 11:20-12:00

2. 장   소 : 미주국장실

3. 면 담 자 :

아 측	미 측
반기문 미주국장	E. Mason Hendrickson, Jr.
	주한 미 대사관 참사관
(기록 : 김규현 북미과 사무관)	

4. 면담요지

양고재	북미과 91년 3월 3일	담당	과장	심의관	국장	차관보	차관	장관

0114

（대미 추가지원등 군수물자 지원 문제）

미 주 국 장 ： 걸프전도 막바지에 다다르고 있음을 감안, 우리 정부는 기
         약속한 지원을 가속화하고자 하는 바 1.7억불 상당의 대미
         군수물자 지원에 대한 미측의 공식 입장을 조속히 아측에
         통보바람.

0115

특히 대미 군수물자 지원을 위해 배정된 1.7억불중에서 일부를
영국에 대한 전비지원으로 전환하는데 대한 미측의 입장을 조속
알려주기 바람.

이와관련 청와대는 5억불이외의 추가 지원은 어려우며 우리가
이미 약속한 5억불 범위내에서 영국에 대한 지원이 이뤄져야
한다는 강경한 입장을 견지하고 있음을 참고바람.

이와 같은 입장은 더이상의 추가 재원을 마련할 수 없는 우리의
현실적 어려움 때문임.

Hendrickson : 지난번 보고한 바 있는 한국측의 요청 내용에 대한 본부의
참사관   입장을 다시 독촉하겠음.

(걸프사태 재정지원 공여국 조정회의)

미 주 국 장 : 3.11. 룩셈부르크에서 걸프사태 재정지원 공여국 조정위 제5차
회의가 있을 예정인 것으로 알고있는데, 우리는 아직 공식 초청
서한을 접수하지 못하였음.

Hendrickson : 본부로부터 아직 초청 서한이 오지 않았음.
참사관

(미국의 걸프전후 질서회복 및 복구계획)

미 주 국 장 : 걸프전후 처리문제 협의를 위해 Baker 장관이 허드 영국외상,
뒤마 프랑스 외무장관, 겐셔 독일 외무장관등과 워싱톤에서
연쇄회담을 갖을 예정이라고 보도되고 있는 바, 동 회의결과를
아측에 알려주기 바람. 걸프사태 발생이후 다국적 노력에 대한
우리의 지원은 비록 상대적으로 크지는 않았으나 우리로서는
최대한의 지원을 한 것임. 앞으로도 우리는 걸프지역에서의
평화와 안정회복에 응분의 기여를 할 용의가 있음.
한편, 걸프전 종전 전망은 ?

0116

Hendrickson : 금일 아침 Gregg 대사와도 동 문제에 관해 의견을 나눈 바
있음. 부쉬 대통령을 측근에서 보필하던 Gregg 대사에 의하면
부쉬 대통령은 역사 의식이 매우 강한 지도자로서, 일단 결심한
이상 12개의 유엔 안보리 결의를 이라크가 완전히 수락해야만
군사작전 중지를 명령할 것이라 함. 8.2. 이전까지만해도
미.이라크 관계는 계속 개선되고 있었으나 걸프사태이후 사담
후세인은 부쉬 대통령으로부터 신뢰를 완전히 상실하였음.
한편, 금번 걸프사태를 계기로 한.미 우호 관계는 더욱 강화
될 것으로 보이며 군사적 측면에서는 북한에 대해 충분한 경고를
주었다고 평가함.

한국 정부내 인사와 군부인사등 금번 걸프사태에 대한 미국의
대응을 보고, Nunn-Warner 수정안에 따른 주한미군에 대한
조정이 있더라도 미국의 대한 방위 공약에는 아무런 차질이
없다는 것을 믿게 되기를 바람.

미 주 국 장 : 금번 걸프전은 북한에게 강력한 멧세지를 주었을 것이며, 국제적
노력에 의한 지역 분쟁 해결이라는 선례를 확립함으로써 향후
세계의 번영과 발전의 도약대를 마련하는데 기여하였다고 봄.

Hendrickson : 미국이 금번 걸프전쟁을 극소수의 인명 손실을 입으면서 승리
참사관　　　합으로써 앞으로 미국이 국제적 분쟁에 지원을 하기가 보다
용이하게 되었다고 봄.　　끝.

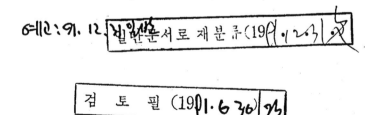

예고: 91. 12. 발간문서로 재분류(199 . 23)

검 토 필 (19 1.6 30)

0117

報 告 事 項

報告畢

1991. 2. 27.
美 洲 局
北 美 課(11)

題 目 : 駐韓 美軍用 裝備 輸送問題

1. 주한미군 군수참모 Richard Beale 준장은 주한 미군용 다연장 로켓트포(Multiple Launch Rocket System) 수송을 위해 아측이 이미 약속한 바 있는 지원이 필요하지 않게 되었다고 2.25(월) 미주국장앞 공한을 통해 알려오면서 아국 정부의 적극적 지원 의사에 사의를 표해왔음.

  ○ 당초 미측은 가용한 미 국적 선박이 없어 한국의 지원을 요청했었으나, 미군은 최근 적당한 미국 선박을 물색하였다고 함.

2. 참고사항

  ○ 주한 미 당국은 지난 1.19. 아국이 이미 약속한 걸프 수송 지원자금의 일부를 주한 미 제2사단용 다연장 로켓트포를 캘리포니아로부터 한국으로 수송하는 비용에 전용해 줄 것을 요청한 바 있음.
  (약 200만불 상당 비용 소요)

  ○ 당시 아측은 상기 미측의 요청을 수용, 아국적 선박을 이용하여 상기 장비 수송을 1회에 한해 지원키로 결정하고 이를 미측에 통보하였고, 미측은 이에 대해 사의를 표한 바 있음.(동 수송지원 내용은 대통령 각하께 보고, 재가를 얻은 바 있음)

                                                        - 끝 -

                                              0118

분류번호	보존기간

발 신 전 보

번 호 : WUS-0763   910227 1902 FD 종별 : _____

수 신 : 주   미   대사. 총영사   (친전)

발 신 : 장 관   (미북)

제 목 : 대통령 각하 친서

1. 걸프전쟁 종료시 전달할 대통령 각하의 부쉬 대통령앞 친전을 별첨과 같이 타전함.

2. 동 친전은 추후 별도 지시가 있을때 부쉬 대통령에게 전달되도록 조치 바랍.

첨 부 : 친전(국.영문)   끝.

(장 관)

예 고 : 91.12.31. 일반

일반문서로 재분류(1991.12.4.)

검 토 필 (1991.6.30여기)

앙 고 재	91 년 월 일	북 미 과	기 안 자 성 명	김수현	과 장	신이관	국 장	기율	차 관		장 관	

보 안 통 제	

외신과통제	

걸프戰爭終了에 즈음한 閣下의 부쉬大統領앞 親電(案)

閣 下,

本人은 美軍을 비롯한 聯合軍이 걸프戰에서 迅速하고 決定的인 勝利를 거둔데 대해 大韓民國 國民과 더불어 深深한 祝賀의 말씀을 傳하는 바입니다. 또한 本人은 今番 聯合軍의 勝利로 오랫동안 世界 平和와 安定을 威脅해 온 걸프事態가 終結된데 대해 모든 平和 愛好 國民들과 더불어 多幸스럽게 생각합니다.

아울러 유엔 安全保障理事會의 諸般決議가 國際社會의 努力으로 履行되므로써 걸프地域에서의 平和와 安定이 回復된 것은 앞으로의 世界平和와 繁榮을 위하여 좋은 先例를 確立하였다고 보며, 많은 犧牲과 어려움에도 불구하고 이러한 努力에 앞장서 온 美國과 美國 國民에 대하여 敬意를 表하는 바입니다.

지난해 8月2日 걸프事態가 發生한 以來 事態의 解決을 위해 閣下께서 보여주신 위대한 指導力은 온 世界가 冷戰의 障壁을 허물고 和解와 協力의 21世紀로 나아가는 데 있어 重要한 指標가 될 것으로 確信합니다.

이 機會를 빌어 本人과 大韓民國 國民은 걸프地域에서의 平和와 安定 回復을 위해 高貴한 犧牲을 바친 美軍을 包含한 聯合軍과 그 家族에게 深深한 弔意를 表하는 바입니다.

閣下의 健安과 成功을 祈願합니다.

敬 具

0120

March 1, 1991

Dear Mr. President :

On behalf of the Government and people of the Republic of Korea, I
wish to extend to you my heartfelt congratulations on the swift and decisive
victory of the coalition forces led by the United States in the Gulf War.
The people of the Republic of Korea, along with all the peace-loving peoples
of the world, feel relieved at the victory which has put an end to the Gulf
crisis, a longstanding source of threat to world peace and stability.

The restoration of peace and stability in the Gulf region through the
implemention of relevant U.N. Security Council resolutions will serve as a
valuable springboard for world peace and prosperity in the years ahead.
It is with highest respect that I note how the Government and people of the
United States of America have braved sacrifices and difficulties to lead the
multinational efforts.

0121

I am confident that the dynamic leadership you have exhibited in dealing with the crisis since August 2 last year will become a sure guide for the world community in charting its course from the remnants of the Cold War toward a new century of reconciliation and cooperation.

We pray to God that the souls of the brave soldiers who sacrificed their precious lives for world peace and stability may rest in eternal peace, and our deepest sympathy goes to the bereaved families who lost their dear ones.

Please accept my best wishes for your continued good health and success.

Sincerely,

/s/ Roh Tae Woo

His Excellency
  George Herbert Walker Bush
    President
      United States of America

0122

부쉬 大統領의 終戰 宣言에 대한 外務部 代辯人 聲明

91.2.28. 17:00

o 우리 政府는 걸프事態의 早速한 終結을 위하여 2.28(木) 14:00(서울時間)를
   기해 戰鬪行爲 中止를 宣言하고 事實上 걸프戰을 終結토록 한 부쉬 大統領의
   決斷力 있는 措置를 歡迎하며, 이라크 政府가 이를 즉각 受諾할 것을 促求한다.

o 또한 우리 政府는 그간 온갖 고통을 겪어온 쿠웨이트 政府와 國民이 解放을
   맞이할 수 있게 된 것을 기쁘게 생각한다.

o 우리는 걸프地域에서의 戰爭이 하루속히 完全 終結되고 平和와 安定이 回復
   되기를 期待한다.

0123

Statement by Foreign Ministry Spokesman

concerning President Bush's Announcement

February 28, 1991
17:00

o The Goverment of the Republic of Korea welcomes the decisive measure taken by President Bush, which practically put an end to the Gulf War by suspending offensive combat operations by the coalition forces from 14:00 (KST), February 28, 1991, and urges the Iraqi Government to accept the terms set in the announcement immediately.

o The Korean Government also wishes to Share in the joy of the Government and people of Kuwait in their liberation from the long suffering.

o The Korean Government expects to see a quick and complete conclusion of the Gulf War and the restoration of peace and stability in the Gulf region in the earliest possible future.

0124

對美 軍需物資 支援
豫算 確保 및 執行 計劃

1991.2.28.

外 務 部

0125

- 目　　次 -

0126

1. 걸프 支援約束 緊急履行 必要

   ㅇ 걸프戰爭이 곧 終結될 展望임에 비추어 戰後 復舊事業 參與를 위해서는
     既存의 約束 조속 履行 필요
     - 支援을 미룰 경우, 我國이 實利만을 追求한다는 非難야기 가능

   ㅇ 戰後 美國 및 國際 輿論에서 友邦國 寄與度 問題 提起 가능성에 事前 대처

2. 對美 追加 支援問題

   가. 豫算至急 確保 및 配定必要

     1) 對美 現金 및 輸送支援 1.1億弗

        ㅇ 91年度 豫備費에서 支給配定 措置

     2) 軍需物資 支援을 위한 1億7千万弗

        ① 追加 更正豫算에 反映
        ② 政府 豫備費에서 支出

        * 1次 支援時 EDCF 資金과 쌀 支援 資金을 除外한 1.7億弗은 外交活動
          海外 經常移轉 項目으로 計上

-1-

0127

나. 執行 計劃

　1) 美側 立場

　　o 美 國防部側은 柳宗夏 外務次官 訪美時(91.2.3-2.8) 我國의 追加
　　　支援額 2億8千万弗을 現金 等 可及的 使用하기 쉬운 形態로 支援해
　　　줄 것을 要請
　　　- 美側은 2億8千万弗中 現金 및 輸送支援 1億1千万弗을 除外한
　　　　1億7千万弗 相當의 軍需物資 支援에 대해서는 基本的으로 現金
　　　　支援을 選好하는 美側 立場에 바탕을 두고, 地上戰 展開 樣相을
　　　　보아가면서 我側에 대한 具體的 要請에 融通性을 남겨두고 있는
　　　　것으로 觀察됨.

　2) 執行 計劃

　　┌─────────────────┐
　　│ 現金 및 輸送支援 │
　　└─────────────────┘

　　o 2.20. 美洲局長은 駐韓 美 大使館側에 現金 6千万弗, 輸送支援
　　　5千万弗로 配分하여 支援하는 방안 제시

　　o 美側으로부터 同 提議에 대한 反應 없음.
　　　- 2.26. 美洲局長, 駐韓 美 大使館側에 美側立場 通報 촉구

- 2 -

0128

軍需物資 支援

ㅇ 可能한 物資 形態로 支援하되 美側의 公式 立場 接受後 具體方案 檢討

  - 단, 現金이나 輸送等의 形態로 支援을 要請할 境遇에 대한 對策
    樹立 必要

  - 美側이 公式立場을 3月 첫째 週末까지는 我側에 通報해 올 것으로
    豫想

3. 英國에 대한 戰費支援

ㅇ 걸프戰이 終戰에 임박함에 따라 英國 要請에 대한 政府 立場 조속 表明 필요

ㅇ 英國 支援을 위한 財源 確保를 위해서는 美側이 對美 軍需物資 支援의
  一部를 英國에 대한 支援으로 轉用하는 我側 提議 受容이 관건

  - 2.20. 外務部 美洲局長은 英國 支援 關聯, 我側 構想을 美側에 提議
    하였으나, 尙今 美側 反應 없음.

ㅇ 美側이 我側 提議 拒否時, 財源確保 方案 강구 필요

- 3 -

0129

4. 쿠웨이트에 대한 緊急 支援問題

가. 軍服支援 問題

1) 쿠웨이트 要請內容

o 쿠웨이트軍 軍事고문 團長인 Slok(美軍)이 2.20. 駐 사우디 我國
武官을 訪問, 사우디 前方 配置 쿠웨이트軍을 위한 사막용 戰鬪服
2万着(約56万弗 상당, 輸送費 別途) 支援 요청
- 쿠웨이트軍은 美軍에 대해 戰鬪服을 要請하였으나 美軍은 在庫
不足으로 支援에 어려움

2) 對 策

o 第1次 支援 豫備費 殘額 164万弗에서 緊急 支援

* 當初 豫備費로 配定된 200万弗에서 걸프국가에 대한 海洋 汚染 防止를
위한 支援으로 사우디, 카타르 및 쿠웨이트에 각각 10万弗씩 30万弗
支援 豫定(豫備費에서 6万弗은 ICRC 및 UNESCO에 旣支援)

- 4 -

0130

나. 緊急 醫藥品 및 生必品 支援問題

    1) 支援 必要性

        º 상금 쿠웨이트側으로 부터의 支援要請은 없음.

        º 그러나, 戰爭被害로 인해 쿠웨이트에 대한 醫藥品 및 生必品 緊急
          支援 필요
          - 戰後 復舊事業 參與 基盤 마련 감안

    2) 財源確保 方案

        º 1次 支援時 配定된 豫備費 殘額(約 100万弗)

        º 이집트에 대한 支援約束額 1,500万弗(執行實績 없음)中에서 一部 割愛
          - 이집트 等 前線國家에 대한 支援約束額도 결국은 執行을 해야되므로
          쿠웨이트에 대한 支援豫算은 追加確保 필요

    3) 措置 計劃

        º 쿠웨이트에 대한 緊急支援 方針 決定時, 현지 出張中인 소병용 大使로
          하여금 我國 政府의 支援決定 內容을 쿠웨이트側에 緊急 通報토록 措置

5. 支援執行 促進 措置計劃

  º 3.4(月) 始作되는 週에 靑瓦臺에 報告後 즉각 施行 開始.   - 끝 -

외 무 부

종 별 : 초긴급

번 호 : USW-0984   일 시 : 91 0228 1615

수 신 : 장관(미북)

발 신 : 주 미 대사

제 목 : 걸프전 종전

연 USW-0982

대 WUS-0763(1),0780(2)

1. 연호, 2.28 본직은 국무부 SOLOMON 동아태 차관보와의 면담 기회에, 걸프전 종전과 관련해서도 의견을 교환하였는바, SOLOMON 차관보는 현재 미측도 금번 걸프전이 향후 국제관계에 미칠 영향을 면밀히 검토중이라고 언급한후, 특히한국과 같은 미국의 맹방은 걸프전의 양상을 보고 더욱 더 안도감을 느꼈을것으로(FEEL MORE SECURED)본다고 다음과같이 말함(미측 LANIER 한국과 담당관,당관 유명환 참사관 배석)

가. 미측으로서는 유엔 결의를 바탕으로 미국이 주축이 되어 결성된 다국적군이 짧은 시간내에 효과적으로 전쟁을 수행, 이락군의 침략을 격퇴했다는 사실은 1990 년대의 국제 정치에 큰 영향을 미칠것으로 보고 있으며, 특히 미국이약 50 만에 달하는 대군을 단시간내에 대서양 건너편으로 이동 배치 시킬수 있었다는점만으로도 북한과 같은 침략적 성향의 호전적인 국가에 큰 경종을 울렸을것으로 봄.

나. 특히 금번 지상전을 통해 고도 정밀 전차 장치를 장비한 공격용 헬기가이락군 탱크를 무력화 시킨점이 주목된다 하는바, 사실상 앞으로의 지상전에서는 탱크전의 위협을 찾아보기 어려울것으로 보이며, 따라서 이는 한국의 안보 상황의 경우에도 긍정적 영향을 미칠것으로 봄.

2. 이에서, SOLOMON 차관보는 걸프전 수행 관련 우방국간 지원및 협력이 잘이루어진것으로 보고 있다고 언급하고, 지원 액수가 중요하지 않은것은 아니나진심에서 우러난 지원의 정도가 보다 더 중요하다고 한후, 한국의 경우 가용자원이 제한되어 충분한 지원은 어려웠다고 하지만 적극적 지원 의사(SENSE OFACTIVE SUPPORT)를 계속 보여준 점은 미측으로서도 충분히 알고 평가하고 있다고

미주국   장관   차관   1차보   2차보   아주국   정와대   안기부

설명함.

3. 이에 대해, 본직은 미국의 주도적 노력에 힘입어 금번 걸프전이 사실상성공적으로 종료된것으로 기쁘게 생각한다고 한후, 대호(2) 아측 대변인 성명을전달함. 이어서, 본직은 미국의 걸프전 승리와 관련, 노 대통령께서 부쉬 대통령께 보내는 친전이 있을것으로 알고 있다고 암시한바, SOLOMON 차관보는 가급적빨리 동 친전이 미측에 전달되기를 희망한다고 언급함.

4. 상기 미측 입장은 물론이거니와 걸프전 종전을 위요한 절차적 문제가 남아 있기는 하나, 당지의 분위기는 사실상 전쟁이 종료된것으로 보고 있기때문에, 대호 축전의 외교적 효과를 극대화 하기 위해서는 대미 전달 시점이 빠르면 빠를수록 좋을것으로 보이는바, 대호(1) 문안 내용의 수정이 불필요하다면 당지 시간으로 가급적 금일중 이를 미측에 전달하는것이 바람직할것으로 보이는바, 본부입장 지급 회시 바람.

　(대사 박동진-장관)예고: 91.12.31 일반

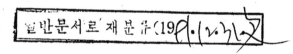

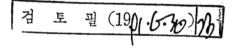

PAGE 2

외교문서 비밀해제: 걸프 사태 2
걸프 사태 한미 협조 2

초판인쇄 2024년 03월 15일
초판발행 2024년 03월 15일

지은이 한국학술정보(주)
펴낸이 채종준
펴낸곳 한국학술정보(주)
주 소 경기도 파주시 회동길 230(문발동)
전 화 031-908-3181(대표)
팩 스 031-908-3189
홈페이지 http://ebook.kstudy.com
E-mail 출판사업부 publish@kstudy.com
등 록 제일산-115호(2000. 6. 19)

ISBN   979-11-6983-962-4 94340
       979-11-6983-960-0 94340 (set)